Provence

Côte d'Azur

Partir en Provence
des idées de séjours

Découvrir la Provence
la région selon vos centres d'intérêt

Visiter la Provence
régions, villes et sites

Partir en Provence
des idées de séjours

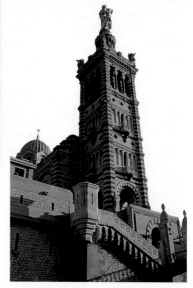

Un week-end à Nice

Pour rêver dans les palaces ou retrouver les joies simples de la vie méditerranéenne, Nice vous accueille à bras ouverts, face au large, prête à se laisser découvrir.

Nice hésite entre la France et l'Italie… Murs colorés, accents chaleureux, douceur de vivre, la Baie des Anges tient toutes ses promesses. Pour s'imprégner immédiatement de l'ambiance si particulière de la capitale de la Côte d'Azur, commencez la journée par une balade dans les ruelles animées de la vieille ville où les artisans s'affairent autour de la cathédrale Sainte-Réparate (p. 269). Avant d'être élégante, Nice est populaire et son marché de fleurs, fruits et légumes du pays est un

événement quotidien haut en couleurs (p. 269).
L'après-midi, arpentez la promenade des Anglais jusqu'au parc Phœnix, magnifique parc floral où sont reconstitués sept climats tropicaux différents sous une serre géante (p. 271). Semblant flotter sur l'eau, le musée des Arts asiatiques vous y attend pour une découverte très zen de la culture des civilisations chinoise, japonaise, cambodgienne, indienne et du bouddhisme (p. 271-272).
Le lendemain, journée consacrée à la peinture. Vous pouvez commencer par l'extraordinaire musée Marc-Chagall (p. 272) qui abrite son œuvre monumentale : le stupéfiant *Message biblique*…
Puis, essayez de percer le mystère de la lumière niçoise en allant contempler les toiles de Matisse (p. 272), cet autre grand peintre qui a vécu près de quarante ans à Nice. Avant de repartir, montez jusqu'au site splendide du monastère de Cimiez (p. 274) :

amphithéâtre, thermes romains… on y domine la ville au milieu des jardins et des roseraies exceptionnelles. Votre menu gastronomique pour ce week-end : salade, ratatouille niçoise et pissaladière.

AUTOUR DE NICE

Les amoureux des fêtes exubérantes et colorées organiseront leur week-end pendant le carnaval de la ville (p. 273). Les amateurs de peinture pourront faire une escapade jusqu'à Saint-Paul-de-Vence (p. 258), haut lieu de l'art contemporain. Et pour avoir la tête dans les étoiles, rendez-vous sur la corniche d'Èze (p. 276) qui domine la côte entre Nice et Menton et possède un magnifique Astrorama (p. 276).

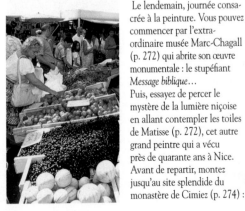

Un week-end à
Grasse

Tous les amoureux du luxe et de la beauté trouveront ici leur bonheur : une ville qui ne vit que pour la trace légère du parfum, entourée de paysages d'une beauté saisissante.

Grasse, capitale mondiale des parfums, est une invitation au rêve et au plaisir. Impossible de ne pas visiter l'une des grandes parfumeries qui élaborent les senteurs les plus subtiles de France depuis des siècles (p. 248). Vous pourrez même créer votre propre parfum. Pour imaginer l'intimité des voluptueuses élégantes du XVIIIe s., une visite s'impose au

rettes-sur-Loup, cité de la violette (p. 264) et dans la charmante confiserie des gorges du Loup, où vous goûterez l'étrange saveur du confit de pétales de roses. Au même endroit, promenez-vous longuement dans le prodigieux et envoûtant couloir des

LA ROUTE DE L'EMPEREUR

Grasse peut être un bon point de départ pour aller à la découverte de la route Napoléon (p. 202), empruntée par l'Empereur pour remonter vers Paris. Sur le chemin, le village de Senez abrite une splendide cathédrale romane décorée de tapisseries d'époque.

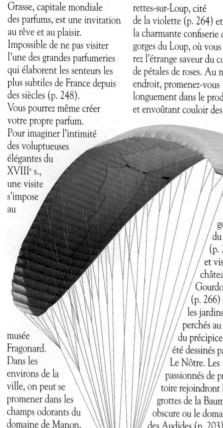

gorges du Loup (p. 265) et visitez le château de Gourdon (p. 266) dont les jardins perchés au bord du précipice ont été dessinés par Le Nôtre. Les passionnés de préhistoire rejoindront les grottes de la Baume obscure ou le domaine des Audides (p. 203) où vécurent, il y a quelques milliers d'années, les tout premiers Provençaux. Pour les sportifs, canyoning et parapente compléteront ce programme (p. 264 à 267 : vallée du Loup).

musée Fragonard. Dans les environs de la ville, on peut se promener dans les champs odorants du domaine de Manon, où les roses et les jasmins sont cueillis devant vous, de mai à novembre. Les fleurs du pays de Grasse se dégustent également sous forme de bonbons, à Tou-

Un week-end à

Cannes et aux environs

Avec ou sans strass, connu ou inconnu, Cannes sait charmer son monde : curieux de cinéma ou de plongée, amateurs de farniente ou sportifs en quête de nouvelles sensations aquatiques.

Dans la ville du Festival (p. 240), il faut savoir jouer le jeu des stars : faites-vous photographier sur les marches du Palais (le tapis rouge y trône toute l'année) et, abrités derrière vos lunettes de soleil, contemplez les luxueuses silhouettes des palaces en arpentant la Croisette en fin de journée. Puis faites un tour aux îles, comme on dit ici. Les îles de Lérins (p. 242) sont à quinze minutes en bateau :

Sainte-Marguerite, où fut enfermé le mystérieux Masque de fer dans un fort imposant…, et l'île Saint-Honorat, où de paisibles moines vivent encore dans un petit paradis rempli de fleurs aromatiques, dont ils font une liqueur sanctifiante et du vin. De superbes promenades sont à faire ! Passez ensuite une journée à Mougins (p. 244), sur une colline qui domine en retrait la baie de Cannes : le vieux village autrefois fortifié accueille d'innombrables artistes dans des ruelles qui s'enroulent en spirale. Un peu à l'écart, juste à côté de la charmante chapelle

Notre-Dame-de-Vie (p. 244), ne manquez surtout pas le quartier où Pablo Picasso passa les dernières années de sa vie et où Winston Churchill en personne venait s'initier à la peinture. L'endroit est baigné d'une lumière splendide. Pour les plaisirs de la table, l'ancien moulin à huile de Mougins possède l'une des très grandes tables de la région… où accourent les stars lors du Festival de Cannes (p. 245).

POTIERS ET POTERIES

À Vallauris (p. 250), partez à la rencontre des potiers et de cet artisanat qui a rendu la ville célèbre dans le monde entier. Pour flâner dans la ville, assister à la fabrication d'une pièce ou tout simplement faire ses emplettes, l'endroit est idéal.

Un week-end à
Avignon et aux environs

Ville magique, phare de la Provence culturelle depuis des siècles, la douceur d'Avignon charme le promeneur… À l'ombre de son Palais, sur les bords du Rhône ou dans la fraîcheur de ses musées, il y a tant à voir et à apprendre !

Saint-Michel-de-Frigolet

à vous arrêter sur ces charmantes petites places où il fait si bon prendre un verre. Pour ceux que l'envie de se dégourdir hors de la ville tenaillerait, allez faire un tour jusqu'à l'intéressante chartreuse du Val-de-Bénédiction (p. 179). Le lendemain, partez à l'assaut d'un haut lieu du patrimoine provençal : Tarascon (p. 174), que l'inénarrable Tartarin, né de l'imagination d'Alphonse Daudet, continue de hanter, faisant gravement concurrence à l'autre vedette locale, la Tarasque. En chemin, découvrez la Montagnette et ses charmants villages de Graveson et Boulbon, et arrêtez-vous dans la très belle abbaye de Saint-Michel-de-Frigolet qui perpétue la tradition du pastrage (p. 175). Et si vous projetez cette escapade pendant le festival, n'oubliez pas de réserver longtemps à l'avance.

LE PARADIS DES CHINEURS

Si la chine est votre marotte, ne tardez pas à vous rendre à L'Isle-sur-la-Sorgue (p. 188) un dimanche matin. Ce petit bijou posé sur l'eau est le paradis des brocanteurs et des antiquaires. Vous trouverez certainement l'armoire comtadine de vos rêves !

Avignon n'est pas si grande mais il vous faudra une bonne journée pour découvrir toutes ses merveilles : de l'incontournable et imposant palais des Papes au légendaire pont Saint-Bénezet de notre enfance sur lequel on ne danse plus, sans oublier les nombreux et riches musées de la ville, comme le musée Calvet et le musée du Petit-Palais (p. 178). Entre deux visites, flânez dans les vieilles rues et n'hésitez pas

Un week-end dans
la région
de Carpentras

Gourmande et savoureuse, Carpentras rassemble des trésors d'architecture et d'histoire. La région environnante, où serpente la Sorgue, cache de charmants villages.

VOIR VAISON

Au nord de Carpentras par la D 938, Vaison-la-Romaine (p. 182) était l'une des cités florissantes de l'Antiquité. Sereine, au pied du mont Ventoux, elle a conservé de nombreux vestiges. Chaque été, elle vibre aux voix des chorales.

Abbaye de Sénanque

La première matinée de ce week-end sera consacrée à l'ancienne et majestueuse capitale du Comtat Venaissin (p. 184). Ses beaux monuments témoignent des multiples influences qui ont marqué cette ville au cours de l'histoire. Aujourd'hui très animée et très ouverte, Carpentras possède l'un des plus beaux marchés de Provence. Profitez de votre séjour pour déguster les gourmandises locales, les célèbres berlingots et autres fruits confits. L'après-midi, dirigez-vous tranquillement vers L'Isle-sur-la-Sorgue où vous dormirez le soir. En chemin, flânez dans la charmante petite cité de Pernes-les-Fontaines (p. 186) et partez à la recherche des joyeuses cascatelles qui lui ont donné son nom. Un petit détour par Venasque (p. 187) avant de filer vers la Sorgue. Le lendemain, soyez matinal si vous voulez faire des affaires au marché aux puces dominical. Les chineurs trouveront certainement l'objet rare tout en levant le nez sur les jolies maisons de L'Isle (p. 188). L'après-midi, rendez-vous au très beau village de Gordes (p. 164) après une petite halte à Fontaine-de-Vaucluse, où la Sorgue prend sa source de façon bien curieuse (p. 189). Près de Gordes, ne manquez pas la très belle abbaye de Sénanque (p. 165), un des joyaux de l'art roman provençal.

Une semaine sur
la Côte d'Azur

Depuis le début du XXᵉ s., la Côte d'Azur est une villégiature de rêves pour des milliardaires qui construisirent d'incomparables bâtisses. Une région au riche patrimoine artistique qui permet également de profiter de tous les plaisirs du sport.

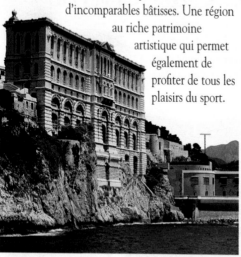

Musée océanique de Monaco

En partant de Menton (p. 288), rejoignez Roquebrune (p. 286), petite cité préservée accrochée à la falaise à 300 m d'altitude. Visitez sa forteresse carolingienne qui domine le cap Martin et faites le tour de cette presqu'île qui abrite de somptueuses propriétés (p. 286). Besoin de vous dépenser ? Grimpez sur le Mont Gros à pied ou en VTT. Partez ensuite dans l'arrière-pays niçois, les villages perchés du bassin des Paillons (p. 278) sont de toute beauté : de Coaraze, village le plus ensoleillé de France, à Lucéram et Peillon, souvenirs intacts de l'ancien comté de Nice. Puis, retour sur la Grande Corniche par La Turbie, où vous attend un étonnant trophée romain (p. 277) ; jetez un coup d'œil sur la principauté de Monaco du haut de la Tête de chien, avant de descendre visiter le Rocher princier (p. 280)

et son célèbre Musée océanographique. Le soir, n'oubliez pas de remonter vers l'Astrorama, près d'Èze (p. 276) pour toucher des yeux le ciel le plus pur de France. Le lendemain, faites le tour

du cap Ferrat (p. 274) où vous n'en finirez pas d'admirer les richissimes villas Kérylos et Éphrussi de Rothschild. Au-delà de Nice, pénétrez dans l'univers de Renoir en visitant sa maison de Cagnes-sur-Mer (p. 256) et, pour la détente en famille, amusez-vous dans l'immense parc de loisirs Marineland de Juan-les-Pins (p. 255). Un dernier détour par Vence (p. 260), puis Saint-Paul-de-Vence (p. 258), le rendez-vous de l'art contemporain, avant de rejoindre le cap d'Antibes (p. 252), où les milliardaires se donnent rendez-vous dans un décor de rêve…

Villa Rothschild à Saint-Jean-Cap-Ferrat

Une semaine sur
les côtes de Provence

C'est ici que l'on découvre le mieux tous les loisirs nautiques de la Méditerranée. La nature y est merveilleuse : plages de sable fin, jardins parfumés, fleurs abondantes et colorées…
Une semaine hors du temps !

L'Estérel

En partant de Cannes (p. 240), longez la lumineuse et rougeoyante Côte de l'Estérel vers le sud (p. 236) et montez à pied au pic du cap Roux, point culminant de cette splendide « corniche d'or ». Plus loin, les plages de sable de Saint-Raphaël et de Fréjus (p. 234) sont idéales pour la baignade en famille, et Sainte-Maxime possède un étonnant Aquascope (p. 228) qui permet de découvrir les fonds marins à pied sec. Pour les amateurs, les pêcheurs vous emmènent au grand large pêcher la palangrotte. Arrêtez-vous ensuite une demi-journée à Port-Grimaud (p. 231), petit bijou posé sur l'eau que l'on croirait tout droit sorti du XVIe s. alors que la ville date de 1962 ! Ne vous privez pas d'une promenade à Saint-Tropez (p. 226), ne serait-ce que pour prendre un café glacé chez Sénéquier… Le lendemain, entrez au pays du mimosa : Bormes-les-Mimosas et Le Lavandou (p. 224), station aux 12 plages, et arpentez le domaine du Rayol, témoin de la vie fastueuse de la côte provençale à la Belle Époque. Pour terminer votre séjour, filez sur la presqu'île de Giens et profitez du beau sentier du littoral.

À proximité, le célèbre jardin des oiseaux de La Londe (p. 217) ajoute encore quelques couleurs et quelques trilles au paysage. À 5 km dans les terres, Hyères (p. 218) vous offrira le charme suranné de ses rues bordées de palmiers : la côte provençale au début du siècle avait des allures de grande dame…

Port-Grimaud

Une semaine autour d'Arles

Les Baux-de-Provence

L e paysage de Camargue est si doux que Van Gogh en tomba amoureux… Arles est un pays où les traditions sont bien vivantes. À l'image des belles Arlésiennes, elles vous enchanteront et lèveront pour vous le voile de l'âme camarguaise.

Commencez par les rivages marins : la Camargue vous attend avec ses immenses espaces sauvages, paradis des taureaux, des chevaux et des flamants roses (p. 128). Descendez aux Saintes-Maries-de-la-Mer, le pays des gitans : visite de la ville (p. 130), farniente sur les plages ou excursion en bateau à l'intérieur du delta du Rhône, promenade à vélo sur la Digue ou baignade, tout est possible. Puis remontez vers Arles car, pour votre petit

Théâtre antique d'Arles

périple, c'est un lieu de résidence idéal au cœur d'une très jolie région. À Arles, voyagez dans le temps en découvrant ses merveilles archéologiques (p. 124-125) et laissez-vous séduire par la Provence éternelle en découvrant le Museon Arlaten ou en assistant à une féria dans les arènes de la ville. En juillet, les Rencontres internationales de la photographie seront un bon prétexte pour flâner dans les petites rues de la cité. Quittez ensuite Arles pour les Alpilles (p. 168). Suivez le parcours de Van Gogh à Montmajour avant de vous rendre à Fontvieille, au pays des *Lettres de mon moulin*… Arrêtez-vous ensuite une demi-journée sur le splendide promontoire des Baux-de-Provence (p. 170) pour y déguster le vin local et découvrir les impressionnantes carrières du val d'Enfer. Enfin, rejoignez Salon-de-Provence (p. 132) et la rive nord de l'étang de Berre, où vous pourrez faire provision de l'incontournable savon de Marseille ou encore honorer la mémoire du célèbre Nostradamus.

Une semaine entre
Marseille
et Toulon

Un séjour où vous pourrez vous mêler à la foule marseillaise et connaître l'ambiance unique de ce grand port. Terre et mer font ici un mariage sublime et les excursions dans les ports des alentours vous laisseront longtemps rêveur.

Notre-Dame-de-la-Garde

La grande vedette de ce séjour sera Marseille (p. 136), aux multiples facettes. Restez-y au moins deux jours, le temps de flâner sur le Vieux-Port et de découvrir les quartiers et les grands monuments de la ville… Le troisième jour, rien de tel qu'une promenade en mer pour apprécier la beauté de la Méditerranée. Embarquez pour les îles du Frioul et vers le légendaire château d'If. L'après-midi, farniente sur l'une des plages de la Corniche pour profiter pleinement de toutes les joies des vacances balnéaires ! Une fois reposé, partez à la découverte de la région. Réservez une journée pour découvrir les charmes de la côte bleue. De Marseille à Martigues (p. 134), sur les bords de l'étang de Berre, 24 km de falaise vous offrent de très beaux paysages : Carro, Carry-le-Rouet, Sausset-les-Pins. À Martigues, arrêtez-vous au musée Ziem pour mieux comprendre comment de nombreux peintres se sont laissé séduire par la lumière du Midi. Le jour suivant, rendez-vous dans les Calanques (Morgiou, Sormiou) pour voir une nature à vous couper le souffle. De là, poursuivez jusqu'au charmant petit port de Cassis (p. 144) pour y déguster le vin du cru, un blanc inoubliable aux arômes de romarin, de bruyère et de myrte. De Cassis à Toulon, les cités balnéaires se succèdent avec leurs plages et leurs jolies rues : La Ciotat (p. 146),

Bandol et Sanary-sur-Mer (p. 210). Enfin, Toulon (p. 212) qui marque la fin de votre séjour et dont les vieilles ruelles et le gigantesque belvédère du mont Faron méritent une visite. Sans compter le « marché de Provence » du cours Lafayette, si joliment chanté par Gilbert Bécaud.

Martigues

Quinze jours entre

Luberon et Ventoux

La région est magique et porte haut ses couleurs dans le monde entier. Rocheuse et solaire, la nature est ici très dépaysante, tour à tour apaisante et aventureuse… D'Apt au mont Ventoux, la Provence n'a pas fini de vous étonner.

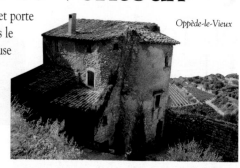

Oppède-le-Vieux

Apt (p. 162) est le point de départ idéal de cette découverte du Luberon. Capitale du fruit confit (à déguster absolument), la ville est aussi le siège de la Maison du parc naturel régional du Luberon qui propose de nombreuses possibilités de balades à pied ou à vélo.
D'Apt, partez

Notre-Dame de Provence à Forcalquier

à la découverte des carrières d'ocre et de l'incroyable Colorado provençal (p. 163). Redescendez ensuite vers Cavaillon (p. 166), la reine des melons, d'où vous pourrez aller visiter les villages perchés du Petit Luberon : Ménerbes, Lacoste, Bonnieux, Lourmarin (p. 161)… Une promenade tranquille sur les berges de la basse Durance (p. 156) vous fera découvrir le charme d'une rivière assagie. Sur la rive gauche, la très belle abbaye de Silvacane (p. 157) vous invite au silence.
Vous êtes au pied du Grand Luberon (p. 158) où de vieux châteaux dressent leurs fières ruines vers le ciel. Rejoignez ensuite la civilisation en passant deux journées à Aix-en-Provence (p. 148) : le charme de la ville vous ensorcellera et vous aurez sans doute du mal à quitter cette cité aux allures italiennes. D'Aix, remontez vers Manosque, le cher pays de Giono (p. 196).
La Haute-Provence commence ici, plus âpre mais tout aussi belle. Rejoignez ensuite Forcalquier (p. 194), promontoire dressé entre la montagne de Lure et le haut Luberon. En chemin, arrêtez-vous à l'observatoire

Saint-Michel et au très beau prieuré de Ganagobie, chef-d'œuvre de l'art roman (p. 195). Remontez ensuite la Durance jusqu'à Sisteron (p. 192), un site à vous couper le souffle. On est aux confins

Les sentiers de l'ocre à Roussillon

de la montagne et il faut clôturer ce séjour en rejoignant le mont Ventoux (p. 190), pays de la lavande, des gorges sauvages et des vins joyeux.

Quinze jours dans l'arrière-pays

S i la Côte d'Azur n'a déjà plus de secrets pour vous, l'arrière-pays reste à découvrir… Paysages grandioses, sensations fortes et authenticité sont au rendez-vous. De Marseille à la frontière italienne, ce parcours enchanteur vous révélera les beautés secrètes de la région.

À l'est de Marseille, le massif de la Sainte-Baume (p. 214) attire déjà tous les regards : commencez votre périple par un pèlerinage sur la crête de ce rocher où Marie-Madeleine se réfugia, et admirez la basilique et le couvent royal de Saint-Maximin. Plus au nord, enfoncez-vous dans l'arrière-pays et faites le plein de faïences à Moustiers-Sainte-Marie (p. 198) avant de succomber au charme du grand canyon du Verdon. Restez-y au moins deux jours, le temps de vous baigner dans le lac de Sainte-Croix ou de savourer à pied le sentier de Martel puis de suivre en voiture la route des Crêtes et la corniche Sublime. En passant par Castellane, rejoignez ensuite la haute vallée du Verdon (p. 298) et visitez, à Colmars, l'incroyable fort de Savoie qui protégeait la région des attaques piémontaises au XVIIᵉ s. Juste à côté, tentez votre baptême en parapente à Saint-André-les-Alpes (p. 301) à 1 500 m d'altitude.

Plus à l'est, dans les gorges de Daluis, le spectacle des schistes rouges qui tapissent le couloir du Var est également somptueux (p. 299). C'est l'occasion rêvée pour vous initier au canyoning dans ces montagnes qui ne manquent pas de relief. Le lendemain, montez dans le ravissant petit Train des pignes et faites halte à Entrevaux (p. 298), couronnée d'une citadelle très haut perchée. Puis, poursuivez jusqu'à la vallée de la Vésubie (p. 290) pour lui consacrer au moins trois journées. Les excursions sont nombreuses :

remontez les gorges, grimpez au site du sanctuaire d'Utelle (d'où l'on aperçoit la mer, à 25 km !), attardez-vous dans les villages médiévaux qui mènent à Saint-Martin-de-Vésubie et pénétrez dans l'incontournable parc du Mercantour (p. 296). Pour terminer ce grand séjour, une cerise sur le gâteau : les hautes vallées Roya-Bévéra (p. 294), toujours plus à l'est. Deux splendeurs vous y attendent : la vallée des Merveilles et ses mystérieuses gravures rupestres, et la petite chapelle magique de Notre-Dame-des-Fontaines.

Découvrir la Provence
la région selon vos centres d'intérêt

Châteaux, bories et villages perchés   58

Sites préhistoriques, vestiges romains et art roman   64

Arts de la maison   46

Parcs de loisirs, aquariums et zoos 100

Palaces et casinos 102

Visites industrielles et scientifiques 118

Les marchés de Provence

On les aime pour leurs couleurs, pour leurs parfums,
pour leur accent qui chante ! Des balades à ne pas manquer.

Marchés aux poissons

1 Marseille (tous les jours).
p. 137.

2 Martigues
(jeudi et dimanche).
p. 134.

3 Nice (tous les jours).
p. 268.

4 Saint-Tropez
(tous les jours).
p. 226.

5 Cannes (tous les jours
sauf le lundi).
p. 240.

Marchés paysans

6 Hyères (mardi, et jeudi
de mai à septembre.
p. 218.

7 Graveson (vendredi de
mai à octobre).
p. 175.

8 Le Muy (dimanche).
p. 234.

Marchés aux fleurs

9 Aix-en-Provence (mardi,
jeudi et samedi).
p. 150.

10 Avignon (samedi).
p. 176.

11 Marseille (tous les jours
sauf le dimanche).
p. 137.

12 Antibes (tous les jours
sauf le lundi).
p. 254.

Marchés d'exception

Il s'agit de marchés sélec-
tionnés par le Conseil des
arts culinaires pour la
qualité des produits et
l'ambiance.

13 Apt (samedi).
p. 162.

14 Cannes (tous les jours
sauf le lundi).
p. 240.

15 Carpentras (vendredi).
p. 184.

16 Forcalquier (lundi).
p. 194.

17 L'Isle-sur-la-Sorgue
(dimanche en août).
p. 188.

18 Nice (tous les jours).
p. 268.

19 Toulon (tous les jours).
p. 212.

0   10   20   30   40   50 km

Mont
Ventoux
1 909 m

Carpentras

Forcalquier

Avignon

Apt

Manosque ●

Massif
du Luberon

Alpilles

Arles

Durance

Aix-en-Provence

Étang
de Berre

L'Estaque

Marseille

Calanques

Rhône

Marchés aux truffes

23 Aups (dernier jeudi de novembre). p. 206.

24 Carpentras (vendredi, de novembre à mars). p. 184.

25 Valréas (mercredi matin). p. 183.

ITALIE

Gap

A51

Barcelonnette

Ubaye

Cime du Gélas 3 143 m

Sisteron

Verdon

Massif du Mercantour

Digne-les-Bains

N85

N202

Var

Castellane

A8

31 Menton

Lac de Ste-Croix

N85

Monaco

3 **18**

Verdon

Grasse

32 Nice

23

A8

12 **27**

Draguignan

5 **14** Cannes

Argens

8

34

Massif de l'Estérel

A8

Brignoles

Brocantes

A57

22

26 Aix-en-Provence (mardi, jeudi et samedi). p. 148.

Massif des Maures

4 Saint-Tropez

27 Antibes (jeudi et samedi). p. 254.

Toulon

N98

28 Roquemaure (avril et septembre). p. 179.

19 **6** Hyères

Île du Levant

29 Forcalquier (dimanche en juillet-août). p. 194.

Île de Porquerolles

Île de Port-Cros

30 L'Isle-sur-la-Sorgue (dimanche). p. 188.

31 Menton (vendredi). p. 289.

Marchés artisanaux

32 Nice (lundi). p. 268.

20 Arles (mercredi et samedi). p. 124.

33 Villeneuve-lès-Avignon (samedi matin). p. 179.

21 Orange (samedi matin). p. 180.

34 Cannes (lundi et samedi). p. 241.

22 Sainte-Maxime (tous les jours en été). p. 228.

Le citron
fruit du soleil de Menton

Depuis 1934, la ville fête le citron. Les Préalpes protègent la ville des vents froids et elle se dore toute l'année sous les rayons d'un soleil généreux permettant aux citronniers de donner fruits et fleurs en toute saison.

Le citron en Europe

Ce furent les Arabes qui répandirent l'usage, dans toute la Méditerranée, de cet agrume découvert au pied de l'Himalaya. Utilisé par les coquettes de l'Antiquité pour blanchir les dents, rosir les lèvres ou nettoyer la peau, le citron prolifère sur la Côte d'Azur dès le XVe s. et, en 1480, les citronniers d'Ollioules fournissent déjà la cour du roi René. Comme son nom savant l'indique, le suc du *citrus medica* a été utilisé comme médicament en Europe dès la Renaissance contre les angines et les marins s'en servaient pour prévenir le scorbut.

Le champion de la vitamine C

L'arbre cultivé à Menton est une variété appelée « quatre-saisons ». Le citronnier fleurit toute l'année mais ses fruits, très riche en vitamine C, en vitamine PP et en calcium, ne sont récoltés qu'en hiver, au printemps et en été. Il ne faudrait pas le confondre avec le cédrat, cultivé dans les Alpes-Maritimes depuis 1880 et qui est plus volumineux que lui. Dans les années 1930, Menton était le premier producteur du continent avec 3 000 t de citrons par an, mais la concurrence piémontaise a depuis rabaissé ses prétentions et sa récolte ne dépasse pas aujourd'hui les 400 t. Mais Menton consacre toujours à ce fruit une fête chaleureuse (p. 289).

NE PAS CONFONDRE AVEC LE CITRE

Il s'agit d'une espèce de grosse pastèque qui ne peut être consommée crue mais qui fait des confitures exceptionnelles. Ce fruit peut peser plus de 10 kg et on le trouve dès le mois de septembre. Sa chair blanche est très dure et il se conserve plusieurs mois. Il est cultivé par quelques maraîchers des Bouches-du-Rhône.

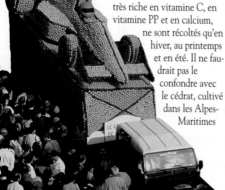

La fête du citron à Menton

Le melon roi de Cavaillon

Le cavaillon régale les gourmets du monde entier car c'est le plus sucré, le plus parfumé, le plus merveilleux des melons. Sa réputation n'est plus à faire mais il convient de connaître un peu mieux cet invité de nos tables d'été.

Petite histoire des grandes espèces

Trois grandes familles se partagent aujourd'hui nos faveurs : le cantaloup (ou charentais), rond, à chair orangée et très parfumé ; le brodé (ou galia), dont le dessin de la peau rappelle un filet ; le melon d'hiver, jaune, oblong, très doux, à chair blanc verdâtre. Certains fruits ne sont pas plus gros qu'une prune alors que d'autres peuvent peser jusqu'à 30 kg. Avec 92 % d'eau et 8 % de sucre, le melon est peu énergétique ; riche en vitamines A et C, il contient aussi des sels minéraux.

LE MELON À LA FOLIE

On déguste aujourd'hui le melon en soupe, comme légume, en condiment ou en liqueur. Un restaurant lui est même entièrement consacré (p. 37). Et pourquoi pas en sorbet ? Pour 1 l de sorbet, il vous faut 900 g de chair de melon, 1/2 cuill. à café de sel et de poivre concassé, et 3 cuill. à soupe de vieux porto. Mixez la chair au robot pour obtenir une purée. Ajoutez le porto, mixez à nouveau. Versez dans la sorbetière et turbinez 20 mn. 5 min avant de stopper l'appareil, salez et poivrez. Décorez avec des feuilles de menthe et des lamelles de fruits frais.

Les saisons du melon

Dès avril-mai, on peut trouver des melons cultivés en serre chauffée ; de mai à mi-juin arrivent les melons de serre froide ; de mi-juin à septembre, c'est le règne des melons de plein champ qui sont de loin les meilleurs. Ils sont cultivés sur une étroite bande de terre de 4 km qui longe la Durance sur 7 km. Rendez-vous à l'OT de Cavaillon (p. 167) pour visiter une melonnière.

Choisir son melon

Ne vous laissez pas tenter par son odeur qui, trop puissante, peut cacher un mûrissement avancé. Le principal critère de choix est le poids : si le fruit est lourd, c'est signe qu'il est gorgé de sève, de soleil et de sucre, et si un petit éclatement à la base de la queue est perceptible, c'est encore mieux ! Enfin, si le « pécou », ou pédoncule, est prêt à se détacher, la chair du fruit élu vous satisfera pleinement.

Toute la Provence dans une pincée d'herbes aromatiques

Il suffit de s'aventurer dans la garrigue ou de flâner sur les marchés pour retrouver toutes ces odeurs pleines de soleil et du chant des cigales. Car c'est en cuisine que les herbes provençales révèlent tous leurs parfums. À votre retour, elles continueront à vous parler de vacances et parfumeront délicieusement vos recettes préférées. Mais encore faut-il savoir les doser et les marier avec art pour en exalter tout l'arôme.

L'ail

C'est le roi de la cuisine provençale… mais il ne faut pas en abuser car il n'éloigne pas que les vampires ! Rien de plus terrible qu'un plat où l'ail a pris le dessus. Bien cuisiné, il peut être délicat : cuit en chemise avec une pièce de viande ou à l'eau avec quelques courgettes, sa saveur se fait subtile. Enfin, frotté sur une tranche de pain grillé avec un peu de tomate, d'huile d'olive et quelques copeaux de parmesan, c'est une merveille ! Réputé pour ses vertus curatives, on dit qu'il diminue la tension, favorise la sieste, stimule l'estomac et régularise la circulation. Tressé ou en bouquet, placé dans un endroit aéré, il se gardera tout l'hiver.

Le thym

Cueilli avant la floraison, il entre dans la composition du bouquet garni et s'utilise dans nombre de préparations (bœuf en daube, sauté de lapin…). Il convient parfaitement aux grillades et aux terrines. Une petite branche suffit à relever le goût d'un poisson cuit en papillote. Outre ses puissantes propriétés antiseptiques, il peut aider à soulager les rhumatismes. On lui donne aussi le nom de farigoule.

Le basilic

Vendu tout l'été en pot ou en bouquet sur les marchés, cette plante fragile réveille les salades de tomates, les pâtes ou les plats de légumes. Cuit ou accommodé en sauce, il répond au nom de pistou, ingrédient incontournable d'une des soupes les plus célèbres de la cuisine familiale. Attention, sachez que le basilic perd tout son arôme quand on le fait sécher. En fait, cette herbe délicate est meilleure quand on la cueille au dernier moment. Légèrement diurétique, le basilic est aussi réputé pour ses vertus digestives.

Laurier, sarriette et tous les autres...

Le laurier règne en maître dans la cuisine, ingrédient incontournable des courts-bouillons, des marinades et des ratatouilles. Quelques feuilles ajoutées à la cuisson d'une viande en révéleront la saveur. Autre plante typiquement provençale, la sarriette évoque le maquis. Son goût poivré accompagne délicieusement les fèves, haricots et poissons, mais aussi les fromages de chèvre. Essayez par exemple d'associer des figues, du chèvre frais, de la sarriette et une pointe d'huile d'olive... Parmi les grands classiques, citons l'origan (ou marjolaine), merveilleux dans les civets ; le fenouil qui parfume agréablement les poissons ; l'estragon frais, délicieux avec le poulet rôti ; enfin la sauge, dont l'arôme se marie très bien avec les viandes blanches.

BOUQUET GARNI

Attention, ce nom désigne un assemblage très précis : sarriette, thym, laurier et romarin réduits en poudre (mais pas en poussière). Méfiez-vous des imitations et n'utilisez surtout pas de plastique pour les conserver : un sachet en papier ou un pot en verre feront bien mieux l'affaire. Enfin, introduisez une partie du bouquet en début de cuisson et une autre à la fin pour mieux rehausser les parfums.

Le romarin

Les Romains appelaient ce petit buisson sauvage la « rosée de mer », d'où son nom actuel. Très parfumé, il doit être manié avec délicatesse et modération.
On l'aimera avec la viande de mouton ou pour donner une touche provençale à une sauce tomate. Ses petites branches peuvent servir à confectionner des brochettes odorantes lors d'une partie de barbecue. En hiver, on l'emploie efficacement en inhalation dès que s'annonce la saison des rhumes.

Visites gourmandes

Fruits confits, nougats noirs ou blancs, huile d'olive, liqueurs, fromages de chèvre : autant de tentations auxquelles il faut succomber !

Olives et huiles d'olive

① **Aups :** moulin d'Aups et ses délicieuses conserves. **p. 206.**

② **Draguignan :** moulin du Flayosquet, huiles et savons. **p. 204.**

③ **Entrevaux :** moulin à huile. **p. 298.**

④ **Gordes :** caves du palais Saint-Firmin et moulin des Bouillons. **p. 164.**

⑤ **Maussane-les-Alpilles :** moulin Cornille. **p. 168.**

⑥ **Nice :** moulin Alziari et huilerie des Caracoles. **p. 269 et 272.**

⑦ **Sainte-Maxime :** domaine oléicole de la Pierre plantée, route du Muy. **p. 229.**

Douceurs

⑧ **Aix-en-Provence :** calissons. **p. 151.**

⑨ **Apt :** succulents fruits confits. **p. 162.**

⑩ **Avignon :** papalines à l'origan du comtat. **p. 179.**

⑪ **Carpentras :** berlingots et fruits confits. **p. 184.**

⑫ **Cotignac :** pâte de coing. **p. 207.**

⑬ **Fayence (La Grette) :** miel provençal, chez Armelle, Barbiéri-Naulin. **p. 238.**

⑭ **La Garde-Freinet :** patiences. **p. 233.**

⑮ **Marseille :** navettes tièdes et fondantes. **p. 139.**

⑯ **Nice :** fruits confits provençaux. **p. 273.**

⑰ **Pernes-les-Fontaines :** spécialité de chocolat, Soleil pernois et Esprit Blanchard. **p. 187.**

⑱ **Saint-Chamas :** pichoulines aux amandes et chocolat. **p. 133.**

⑲ **Saint-Rémy-de-Provence :** fruits confits et pignolat à l'eau de rose. **p. 173.**

⑳ **Gassin :** confitures. **p. 227.**

Fromages et saucissons

- **29** Arles : saucisson de taureau. **p. 126.**
- **30** Entrevaux : saucisson de montagne. **p. 298.**
- **31** Banon : chèvre à l'eau-de-vie. **p. 195.**

Alcools

- **32** Jausiers : génépy à la maison des produits de pays. **p. 305.**
- **33** Forcalquier : pastis artisanal aux distilleries et domaines de Provence. **p. 194.**
- **34** Îles de Lérins : liqueur des moines. **p. 243.**
- **35** Orange : l'origan du Comtat, liqueur de plantes. **p. 181.**
- **36** Le Bar-sur-Loup : vin d'orange. **p. 266.**

Gap

Durance

A51

Barcelonnette

32

Sisteron

Massif du Mercantour

Digne-les-Bains

Verdon

N85

N202

Var

3 **30**

Roya

ITALIE

Castellane

Lac de Sainte-Croix

N85

25

Verdon

36

Menton

A8

Grasse

6 **16**

Monaco

Nice

1

Draguignan

13

A8

Cannes

Antibes

12

2

34

Argens

Massif de l'Estérel

A8

14

Fréjus

Brignoles

A57

7

22

Massif des Maures

Saint-Tropez

20

Toulon

N98

24

Hyères

Île du Levant

Île de Porquerolles

Île de Port-Cros

- **21** Sault : nougat noir ou blanc. **p. 190.**
- **22** Signes : nougat au miel de montagne. **p. 215.**
- **23** Tarascon : tarasque et bézuquette chocolatées. **p. 174.**
- **24** Toulon : chichis sucrés et dorés. **p. 213.**
- **25** Pont-du-Loup : bonbons et confitures à la violette. **p. 265.**
- **26** Cavaillon : le plus doux des melons. **p. 167.**
- **27** Graveson : figues au Mas de Luquet. **p. 175.**
- **28** Robion : confitures artisanales. **p. 167.**

Frais et gai comme un pastis

À l'heure de l'apéritif, au moment de savourer cette boisson nationale, demandez-vous ce que signifie « pastis » en provençal. Le terme désigne un mélange, quelque chose de trouble, à l'image de ce que l'eau provoque lorsqu'on la verse dans le « petit jaune ». Troublant ou non, le pastis reste à consommer avec modération, même s'il évoque les vacances et ouvre l'appétit.

Maudite absinthe

Cet apéritif vert clair extrêmement fort était obtenu par infusion d'herbes dans l'alcool. L'absinthe fut inventée en Suisse par un médecin français nommé Ordinaire qui céda la recette à M. Pernod en 1797. Son goût anisé séduisit rapidement la France, mais l'absinthe, toxique, faisait de trop grands ravages sur les populations en attaquant le cerveau : elle fut interdite en 1915. On la consomme toutefois encore en Espagne.

Une star du zinc

Pour remplacer l'absinthe, l'anisé (ou pastis) apparaît, encouragé par l'arrivée massive en Europe de l'essence de bardiane, une substance récemment importée par les navigateurs. Le succès est immédiat et les marques se multiplient dans les années 1930. Aujourd'hui, quelques grands noms règnent sur le marché et chacun conserve jalousement ses secrets de fabrication.

Quelques chiffres

Le marché du pastis en France représente quelque 125 millions de litres. Le groupe Pernod-Ricard, grâce à ses marques Pernod, Ricard et Pastis 51, arrive en tête, puisqu'il assure 50 % de la

production, tandis que Duval, Casanis et Berger en représentent 10 à 12 % chacun. Le marché est principalement hexagonal et ce sont paradoxalement les gens du Nord qui en sont les plus gros consommateurs, après ceux de Provence toutefois.

La recette

Un savant mélange de plantes est à la base du breuvage : l'anis étoilé domine dans les apéritifs anisés et la réglisse entre dans la composition du pastis ainsi que l'anis vert, le fenouil, la cardamome et autres plantes et épices variées. À cela s'ajoute de l'alcool, aromatisé par macération ou distillation des plantes,

puis on mélange et on filtre le tout. Mais la magie des plantes ne suffit pas à faire un bon pastis ; tout réside dans le choix de ces plantes, le dosage, le mélange et la qualité de l'alcool de base. Depuis 1991, pour bénéficier de la dénomination « pastis de Marseille », il faut que le breuvage titre 45° et qu'il contienne 2 g d'anéthol (substance aromatique contenue dans l'huile essentielle d'anis).

Mille et un pastis

Le pastis peut se prêter à de multiples combinai-

sons goûteuses, jolies ou étonnantes, et parfois les trois... En associant divers sirops au pastis, vous pourrez ainsi préparer une mauresque (pastis-orgeat), une tomate (pastis-grenadine), un perroquet (pastis-menthe), une feuille-morte (pastis-grenadine-menthe), un goudron ou gas-oil (pastis-réglisse), ou encore un p'tit-vélo (pastis-orange-limonade). La momie désigne un petit verre de pastis (1 ml), le double contient (4 ml) et la dose normale est appelée entier (2 ml).

L'art de bien consommer

Première règle : ne jamais stocker le pastis au réfrigérateur et lui éviter tout choc thermique violent (par exemple, jamais de glaçons directement dans le pastis pur). L'eau doit toujours être bien fraîche (4 °C) mais sans glaçons. Ces derniers seront ajoutés après le mélange dans le verre. Enfin, pour permettre à tous les arômes de se libérer, n'hésitez pas à l'allonger largement (4 à 6 volumes d'eau).

Divine olive

La Provence scintille sous le vert argent de l'olivier, arbre de sagesse, et se régale de ses fruits. Les olives qu'il produit se consomment vertes ou noires. L'huile d'olive en est le rayon de soleil concentré, le cocktail de vitamines qui réveille nos assiettes et développe les saveurs. Connue pour ses nombreuses vertus, encore faut-il savoir la choisir pour en apprécier toute la finesse.

Un arbre symbolique

L'olivier était connu dans toute l'Antiquité. Dans la mythologie grecque, une joute opposa Poséidon et Athéna : le dieu des Océans fit jaillir une source d'un rocher, la déesse de la Sagesse créa l'arbre magnifique chargé de fruits et remporta la victoire. Son ombrage abrita Romulus et Remus et tous les rois furent oints de son huile

précieuse qui leur donnait autorité, puissance et sagesse. Depuis la colombe de Noé, le rameau d'olivier est aussi symbole de paix et de fécondité.

Un peu de botanique

L'olivier est de la même famille que le jasmin, le lilas, le troène et le forsythia. Vert en toute saison, très résistant, il pousse sur un sol aride et on le reconnaît à son splendide feuillage argenté. Cinq à six ans sont nécessaires pour que l'arbre donne ses premiers fruits, trente ans pour qu'il produise à plein rendement et, bien souvent, il ne donne qu'une année sur deux. Sa floraison a lieu entre avril et juin, et la cueillette s'étale de septembre à février.

Les perles de l'olivier

En mûrissant, les fruits s'enrichissent en huile et changent de couleur, passant du vert au noir. L'olive est très riche et

contient autant de calcium que le lait. Il en existe plusieurs variétés : l'aglandau et la verdale qui servent exclusivement à la fabrication de l'huile, la salonenque verte, la grossane, noire et douce, et la bégurette. Dans le pays niçois, on trouve la caillette, une olive marron et parfumée qui se laisse manger avec délice. Les plus grandes oliveraies se trouvent dans les Alpilles (p. 168) et Maussane était jadis couverte de moulins. Mais depuis le terrible hiver de 1966, il n'en reste plus que deux.

Choisissez vos couleurs

Avant d'être consommée vert ou noir, il faut ôter au fruit son amertume et lui faire subir diverses opérations (sans traitement chimique) dans des « confiseries ». L'olive verte préparée « à la picholine » se mange jusqu'à Pâques. Ce sont les Picholini qui inventèrent cette recette au XVIIIe s. : pour enlever l'amertume, on trempe les olives dans une pâte à base de cendre de bois et d'eau avant de les rincer à l'eau claire et de les conserver en saumure (rincer avant de déguster).

L'olive noire entre dans la préparation de la vraie tapenade créée par l'ancienne Maison dorée, à Marseille. Saviez-vous que la tapenade tire son nom du provençal *tapeno*, les câpres, qui servent à la préparer ?

débarrassée des grignons (reste de pulpe et de noyaux) et de l'eau qu'elle contient. En Provence, elle participe à toutes les fêtes, même à celle de l'aïoli géant du 15 août à Maussane (p. 168).

Une affaire de goût

La qualité d'une huile tient à son taux d'acidité : 1 % pour une superbe huile vierge extra, extraite après une première pression à froid ; entre 1 et 2 % pour une huile vierge de

Oliveraie dans les Alpilles, près des Baux-de-Provence

De l'olive au flacon

Quand le fruit parvient à maturité, c'est le temps de l'olivade. Il faut 5 kg d'olives ramassées à la main pour faire 1 l d'huile. Les fruits apportés au moulin sont ensuite triés, lavés et broyés. La pâte ainsi obtenue est alors pressée sur des tapis (ou scourtins) ou malaxée mécaniquement. Enfin, l'huile extraite doit être

très bonne qualité, puis de 2 à 3,3 % pour un bon goût mais une qualité plus ordinaire. Précieuse et délicate, elle se conserve à l'abri de la chaleur, du froid et de la lumière. Pour la cuisine, préférez les « fruités verts » avec des arômes de fruits et d'artichaut. Les « fruités noirs » (parfum de sous-bois) se marient mieux avec les salades.

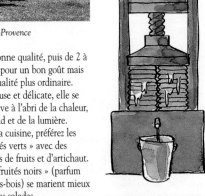

Sucreries et douceurs de Provence

Les fruits, le miel et les amandes qui naissent à profusion sous le ciel de Provence en ont fait le pays des douceurs. Une réputation gourmande qui n'est pas usurpée quand chaque région a sa friandise préférée. Fruits confits d'Apt ou de Saint-Rémy, calissons d'Aix, berlingots de Carpentras… à fondre de plaisir, pour le plus grand bonheur des gourmands qui ne considèrent pas que leur péché est un vilain défaut !

Les fruits confits du pays d'Apt

Apt est assurément la capitale mondiale du fruit confit et les adresses gourmandes y sont nombreuses (p. 162). La technique est simple mais requiert une grande habileté : on pèle les plus beaux fruits récoltés, puis on les fait cuire à l'eau ; après cela, on les plonge dans un sirop de sucre épais et on fait recuire le tout ; enfin on retire les fruits et on les fait sécher lentement. Achetés glacés, ils sont aussi beaux à regarder que bons à manger et, en plus, ils ne collent pas. Si vous les utilisez en pâtisserie, préférez-les juste égouttés. Carpentras a également de très bons fruits confits (p. 184) et à Saint-Rémy-de-Provence, on trouve d'excellents confiseurs (p. 172). Enfin, à Collobrières (p. 232) dans le massif des Maures, marrons glacés et châtaignes font les délices des gourmands.

Les sucreries

Au royaume des friandises, les berlingots de Carpentras (p. 185) sont de petits bons colorés délicatement striés de blanc. Avignon a également sa spécialité, qui répond au joli nom de papaline (p. 179). Quant à Aix-en-Provence (p. 151), la réputation de son célèbre calisson n'est plus à faire : son moelleux est dû aux oranges et aux melons confits qui entrent dans la composition de la pâte. Amandes douces et feuille d'hostie complètent cette recette unique. Côté nougat, Sault maintient la tradition depuis plus de cent ans (p. 190) : fait avec du miel de lavande récolté sur les pentes du mont Ventoux et avec des amandes régio-

nales, le nougat peut être blanc, raffiné et très onctueux, ou noir, le préféré des Provençaux (voir aussi p. 213, 184 et 207).

Les treize desserts

S'il est une tradition culinaire typiquement provençale, c'est celle du « gros souper » de Noël qui a lieu après la messe de minuit et qui s'achève invariablement avec

LA RÉUSSITE DES GOÛTERS

Avec 500 g de sucre, 20 cl d'eau et une cuillerée à soupe de jus de citron, on peut réaliser chez soi de délicieux berlingots comme à Carpentras. Il suffit pour cela de verser tous les ingrédients dans une sauteuse, de faire cuire le mélange en remuant sans cesse et de déposer la préparation d'une couleur jaune pâle sur un marbre huilé. Une fois que la pâte est tiède, on la découpe en bâtonnets.

treize desserts. Chaque famille y apporte sa touche personnelle mais il est impossible d'éviter les grands classiques : la pompe à huile (une brioche épaisse en forme de fougasse, parfumée à l'huile d'olive et à l'orange), le nougat blanc ou noir et les quatre mendiants (amandes, figues sèches, raisins secs, noix ou noisettes). Ensuite, chacun complète à sa guise avec des fruits d'hiver (dattes, oranges…), de la confiture de coings, des calissons, des fruits confits… Seule règle incontournable, il faut absolument treize desserts différents afin de rappeler Jésus et ses douze apôtres.

Le miel

Sucré, parfumé et énergétique : le miel a tout pour nous séduire. En Provence, il se parfume des mille senteurs du pays : lavande, romarin, thym, bruyère, miel de garrigue ou miel toutes fleurs… Issu de fleurs cultivées ou sauvages, il est toujours suave et merveilleux. La vedette, c'est bien sûr le miel de lavande qui bénéficie de l'appellation « miel du cru » depuis 1990. Sa consistance est naturellement liquide ; de couleur pâle, il a un goût très légèrement acidulé. Chaque marché a ses producteurs, chaque coin de Provence ses spécialités… À vous de trouver celui qui satisfera pleinement vos papilles !

Papalines

Tables régionales

Voici une sélection de tables où l'on pourra goûter
une cuisine typiquement provençale, traditionnelle ou « revisitée ».
Sauf indication, toutes les adresses et commentaires figurent en pages 34-37.

Vaucluse

① Avignon : Le Bain-Marie.

② Cavaillon : Prévôt.

③ Apt :
l'Auberge du Luberon.

④ Lourmarin : le Moulin de
Lourmarin.

Bouches-du-Rhône

⑤ Aix-en-Provence :
le Clos de la Violette.

⑥ Marseille :
le Miramar, l'Escale.
p. 137

Alpes de Haute-Provence

7 Digne-les-Bains : L'Origan.

8 Lardiers : La Lavande.

9 Dabisse : Le Vieux Colombier.

10 Moustiers-Sainte-Marie : La Bastide de Moustiers.

11 Mison : L'Iris de Suse.

12 Valensole : Hostellerie de la Fuste.

Alpes-Maritimes

13 Grasse : la Bastide de Saint-Antoine.

14 Vence : Jacques Maximin.

15 Cannes : Villa des Lys, La Cave.

16 Nice : Rive droite.

17 Saint-Cézaire-sur-Siagne : L'Auberge du Puits d'Amon.

18 Vescous : La Capeline.

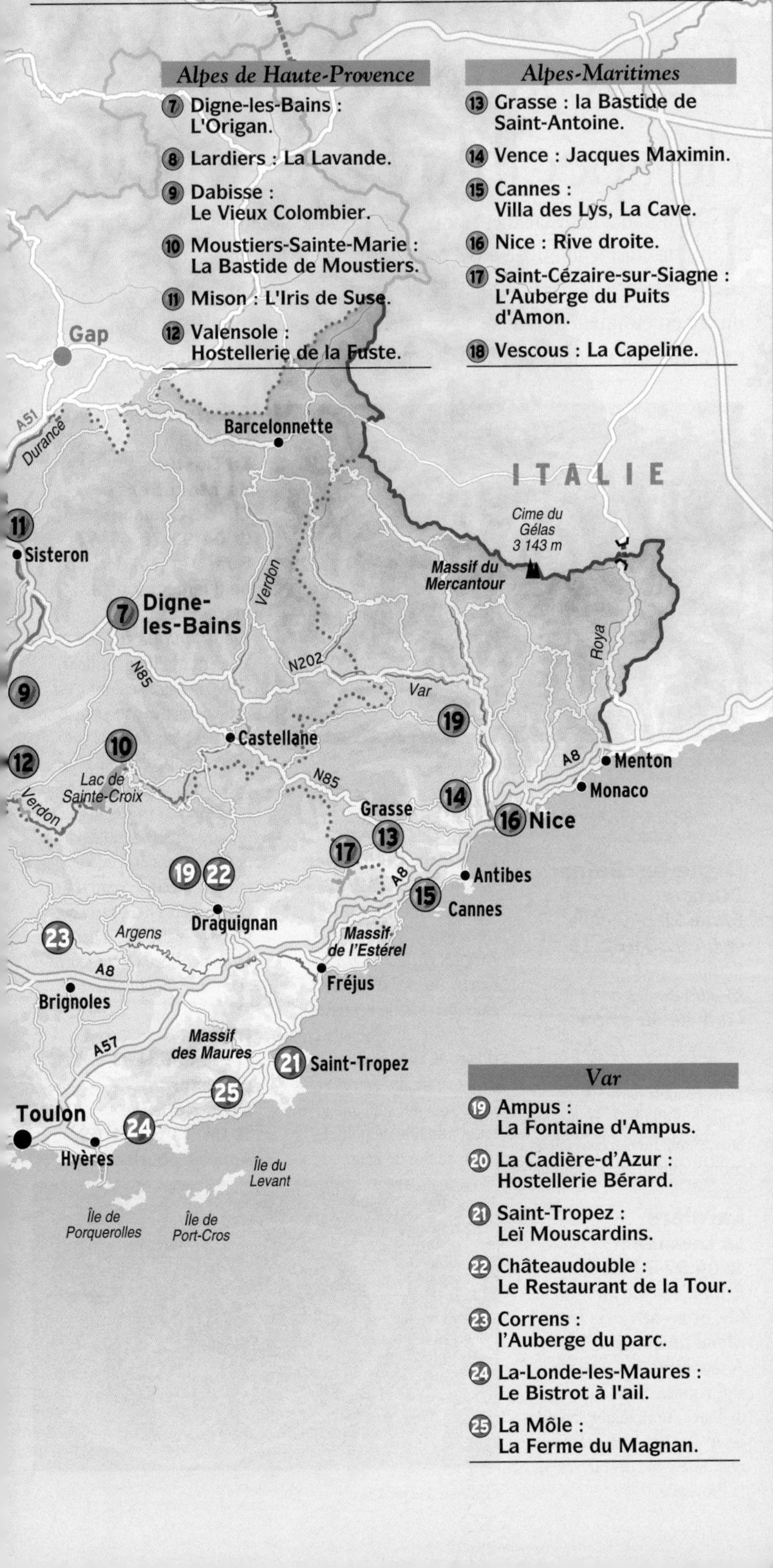

ITALIE

Cime du Gélas 3 143 m

Massif du Mercantour

Gap

Barcelonnette

Sisteron

Digne-les-Bains

Castellane

Menton

Monaco

Grasse

Nice

Antibes

Cannes

Draguignan

Brignoles

Fréjus

Saint-Tropez

Toulon

Hyères

Île du Levant

Île de Porquerolles

Île de Port-Cros

Massif de l'Estérel

Massif des Maures

Lac de Sainte-Croix

Var

19 Ampus : La Fontaine d'Ampus.

20 La Cadière-d'Azur : Hostellerie Bérard.

21 Saint-Tropez : Leï Mouscardins.

22 Châteaudouble : Le Restaurant de la Tour.

23 Correns : l'Auberge du parc.

24 La-Londe-les-Maures : Le Bistrot à l'ail.

25 La Môle : La Ferme du Magnan.

Les restaurants de spécialités régionales

Du tian à la pissaladière en passant par l'incontournable bouillabaisse, la cuisine familiale provençale est riche de multiples saveurs. Essentiellement parfumée à l'huile d'olive, l'alliance subtile des produits du cru en étonnera plus d'un. Voici quelques adresses « étoilées ou non » qui proposent un mariage réussi des spécialités culinaires les plus typiques.

Soupe de tomates glacée de Dominique Bucaille

Alpes-de-Haute-Provence

Digne-les-Bains
L'Origan
6, rue Pied-de-Ville
☎ 04 92 31 62 13
F. dim.
Menus de 19 à 42 €.
Carte de 38 à 45 €.
Dans une petite rue de la vieille ville, on se régale de pieds paquets parfumés et d'une brouillade de truffes parfaite. Ambiance conviviale et intime, tout se fait en famille !

Lardiers
La Lavande
☎ 04 92 73 31 52
F. mar. soir et mer. en fév. et en nov.
Menu unique à 17 €.
À tous petits prix, une adresse authentique des montagnes de Lure. Aïoli, daube, brandade et vins fins vous attendent pour une vraie découverte de la Provence.

Dabisse
(7 km des Mées)
Le Vieux Colombier
☎ 04 92 34 32 32
F. dim. soir, mer. et déb. janv.
Menus de 27 à 53 €.
Carte de 35 à 45 €.
Dans cette belle bergerie, on déguste un délicieux croustillant de loup, tomates confites, riz aux épices et sauce soja ainsi qu'une savoureuse julienne de poire et sauce au vin de figue.

Moustiers-Sainte-Marie
La Bastide de Moustiers
Ch. de Quinson
☎ 04 92 70 47 47
F. mer. et jeu. déc.-nov. uniquement (ouv. t. l. j. mars-nov.).
Menu unique à 49 €.
Vincent Maillard, brillant élève de Ducasse dont c'est ici le domaine concocte avec brio des plats de haut vol : salade multicolore de notre potager, vinaigrette à la tomate et foccaca (sorte de galette) aux olives, cabillaud demi-sel haricots coco et fenouil, pièce de veau rôtie et ses petits farcis, tarte au fromage blanc aux fraises Mora des bois. Décor feutré et cuisine inoubliable.

Mison
(11 km au N.-O. de Sisteron)
L'Iris de Suse
☎ 04 92 62 21 69
Appeler pour réserver.

Caillettes à la provençale

Menus de 18 à 25,20 €.
Carte de 21,5 à 26,6 €.
Une touche douce et
surannée et une belle cuisine
(papeton de flan d'aubergines,
pannequet d'épeautre au
pèbre d'ail) font de ce restaurant une halte agréable.

Valensole
Hostellerie de la Fuste
☎ 04 92 72 05 95.
F. dim. soir, lun. et
de mi-nov. à déb. déc.
Menus de
42,69 à 68,60 €.
Daniel Jourdan tient son hostellerie de main de maître : il
sait merveilleusement mettre
en valeur le célèbre agneau de
Sisteron et ses plats à base de
truffes sont un régal.

Alpes-Maritimes
Cannes
Villa des Lys
10, la Croisette
☎ 04 92 98 77 00
F. de mi-nov à fin déc.
et le dim. et lun. sf juil.
et août.
Menus : 42,68 € (midi)
et de 68,60 à 118,91 €.
Carte env. 107 €.
Bruno Oger a changé ses
fourneaux de place en démé-
nageant vers l'aile droite de
l'hôtel Majestic : le nouveau
restaurant, construit sur une
ancienne terrasse, a ouvert au
printemps 2002. Son talent,
lui, n'a pas changé, toujours
en constant renouvellement :
un tour de main que l'on
n'oublie pas.

La Cave
9, bd. de la République
☎ 04 93 99 79 87
F. sam. midi et dim.
Menu à 27,14 €.
Carte de 38,11 à 45,73 €.
Le repas est un hymne à la
Provence : beignets de fleurs
de courgette, tripes et pissaladière savoureuse. L'ambiance
cordiale et le sourire sont
aussi de mise.

Bouillabaisse

Nice
La Rive droite
22, av. Saint-Jean-
Baptiste
☎ 04 93 62 16 72
F. dim.
Menu à 30 €.
Carte de 38,11 à 45,73 €.
La salade niçoise est parfaite
et l'on a l'impression de
redécouvrir la pizza. Les plats
plus cuisinés célèbrent la
Provence et la générosité
est ici à l'honneur.

Grasse
La Bastide
Saint-Antoine
48, av. Henri-Dunant
☎ 04 93 70 94 94
Ouv. t. l. j.
Menus de
45 (midi) à 130 €.
Carte de 50 à 85 €.
Dans une superbe bastide sur
les hauts de Grasse, Jacques
Chibois exalte la cuisine provençale : homard en arc-en-
ciel aux pétales de fleurs et
herbes fraîches, lapereau rôti
en provençale à la surprise de
pommes de terre à l'huile
d'olive, loup de Méditerranée
à l'huile d'olive vanillée,
figues cuites au vin d'épice et
leur glace à l'huile d'olive.

Vence
Jacques Maximin
689, ch. de La Gaude
☎ 04 93 58 90 75
F. dim. soir et lun. (sf
juil. et août) et du 9 nov.
au 10 déc.

Menus de
40 (midi) à 87 €.
Carte de 42,68 à 76,22 €.
Jacques Maximin, roi de la
cuisine niçoise, compose ses
menus après le marché, au fil
de son inspiration. On peut
donc y aller tous les jours !
Sa terrine d'aubergines
confites, son canard à l'ail
doux et aux chanterelles sont
des moments rares.

Saint-Cézaire-
sur-Siagne
L'Auberge du Puits
d'Amon
2, rue Arnaud
☎ 04 93 60 28 50
F. dim soir fin sept.-fin
mars, mer. tte l'année. et
15 jours déb. fév.
Menus de 16 à 32 €.
Carte de 25,91 à 39,63 €.
On domine Cannes en
savourant une terrine de rougets suivie de profiteroles
maison nappées de sauce
chocolat. Une cuisine qui
laisse de bons souvenirs.

Vercous
La Capeline
(près de Gilette)
☎ 04 93 08 58 06
F. déc.-mars.
Menus à 18,20 et 22 €.
Corinne et Laurent Laugier
nous régalent d'une divine
pissaladière, de pelotons
(raviolis sans pâte), petits
farcis, poche de veau et gibier
en saison : une authentique
cuisine provençale.

Légumes à la provençale

Bouches-du-Rhône

Marseille
Le Lynch
Calanque de Sormiou
☎ 04 91 25 05 37
F. déc.-mars.
Menu env. 30,48 €.
Carte de 38,11 à 45,73 €.
Une petite cabane posée sur
la mer au bout d'un sentier et
le patron qui cuisine les
poissons juste sortis de l'eau,
saupoudrés d'herbes
odorantes... Le bonheur !

Les Arcenaulx
25, cours d'Estienne-
d'Orves
☎ 04 91 59 80 30
F. dim.
Menus de
24,39 à 44,97 €.
Carte de 27,44 à 54,88 €.
Entre autres plats savoureux,
les amoureux du livre et de la
bonne chère dégustent la
spécialité marseillaise : les
fameux pieds et paquets, à
côté de la librairie (p. 139).

Aix-en-Provence
Le clos de la Violette
10, av. de la Violette
☎ 04 42 23 30 71
F. dim, mer.
et le lun. midi.
Menus de
53,35 à 106,71 €.
Carte de
83,84 à 99,10 €.
Un peu à l'écart de la ville,
le paisible jardin du restaurant
de Jean-Marc Banzo invite
au plaisir. La cuisine

enchanteresse vous conduit
avec bonheur des petits farcis
à la niçoise à l'agneau de
Sisteron en croûte d'herbes et
aux aromates.

Var

Ampus
La Fontaine d'Ampus
Place de la Mairie
☎ 04 94 70 98 08
F. lun. et mar. et en fév.
et oct.
Menu unique à 32 €.
Un minuscule endroit toujours
bondé... en raison de la
parfaite poêlée de lisette meu-
nière tomate confite à l'origan
et de l'accueil exquis des
patrons. L'un des menus (selon
la saison) est consacré aux
seules truffes.

La Cadière-d'Azur
Hostellerie Bérard
Rue Gabriel-Péri
☎ 04 94 90 11 43
www.hotel-berard.com
F. sam. et lun. midi et
de janv. à mi-fév.

Menus de 39,63 à 99 €.
Carte à 53,35 €.
Dans ce décor joliment provençal, René Bérard, enfant
du pays et maître cuisinier de
France, donne ses lettres de
noblesse à la cuisine
régionale : noisettes d'agneau
rôti à l'ail vert en croûte de
pistache, parfait à l'orange
comme un calisson.

Saint-Tropez
Leï Mouscardins
Tour du Portalet,
port de Saint-Tropez
☎ 04 94 97 29 00
F. dim. soir et lun., et de
déb. déc. à déb. fév.
Menu/carte : env. 64 €
hors vins.
Cette institution tropézienne
tenue par Nicolas Tarridec
est célèbre pour ses poissons
du golfe et bourrides
traditionnelles. Une cuisine
venue tout droit de la mer
servie par un véritable talent
contemporain.

Chateaudouble
Le restaurant
de la Tour
☎ 04 94 70 93 08
F. mer. (sauf juil. et août).
Menus à 16 et 25,15 €.
Carte de 22,86 à 38,11 €.
La vue plongeante sur les
gorges ne fait pas oublier ce
qu'il y a dans l'assiette : terrine d'aubergines, salade de
châtaignes (en saison), champignons, truffes, caillette... Un
menu généreux préparé avec
les produits de la maison.

Anchoïade

Correns
L'Auberge du Parc
Pl. du Général-de-Gaulle
☎ **04 94 59 53 52**
*Menu quotidien à 32 €
(trois entrées, un plat,
un dessert).*
Dans l'ancienne auberge du village, Clément Bruno a mitonné un restaurant à son image, chaleureux et savoureux. En cuisine, Bertrand Lherbette sert crème de lentilles aux marrons, risotto de cèpes, beignets de fleurs de courgettes, chapon rôti… Un menu différent tous les jours !

La-Londe-les-Maures
Le Bistrot à l'ail
☎ **04 94 66 97 93**
F. dim. et en oct.
Menu unique : 22,11 €.
L'ail est roi évidemment mais avec tant de finesse qu'on le redécouvre, en savourant notamment son tatin de rougets et compote provençale. Yvon Boitel qui fut cuisinier de la famille de Gaulle excelle également dans le foie gras aux figues ou la salade de mâche aux truffes fraîches.

La Môle
La Ferme du Magnan
☎ **04 94 49 57 54**
F. mar. et nov.-mars.
*Menus de
28,96 à 44,21 €.
Carte de 25,91 à 53,35 €.*
Juste avant Cogolin, une fermette tranquille où mijotent de délicieuses moules farcies aux herbes et des desserts pleins de finesse et de goût.

Vaucluse

Avignon
Le Bain-Marie
5, rue Pétramale
☎ **04 90 85 21 37**
F. sam. midi, dim.
et lun. midi.
*Menus à 22,50 et
25,50 €.*

L' «Aïgo boulido »

Carte : env. 28 €
Dans un bel hôtel particulier avec jardin intérieur, Régine Viaud et son fils Renaud mitonnent de succulents plats aux saveurs provençales revisitées : tartare de courgettes avec rémoulade de céleri au saumon fumé et petits légumes à la coriandre, rab de lapereau farci aux aubergines et fromage de chèvre, crostinis de pain d'épices au foie de canard mi-cuit et foie chaud aux raisins… Un délice !

Cavaillon
Restaurant Jean-Jacques Prévôt
353, av. de Verdun
☎ **04 90 71 32 43**
*Menus à 24,39 € (midi)
et de 39,64 à 85,37 €.*
Ce restaurant à la gloire du melon – il a même le titre de musée du Melon – le décline sur tous les tons : cru, cuit, salé, poêlé, sec ou confit…

une vraie fête (de mai à oct.). Le reste de l'année, Jean-Jacques Prévôt propose des menus aux coquilles Saint-Jacques, truffes et gibier.

Apt
Auberge du Luberon
8, pl. du Fg du Ballet
☎ **04 90 74 12 50**
F. dim. soir et lun. (seul. lun. midi en saison)
et en nov.
*Menus de 24 à 53 €.
Carte de 19 à 60 €.*
De l'étonnant menu aux fruits confits aux plats savoureux élaborés par Serge Peuzin, tout est fait pour ravir les papilles : lotte rôtie en cocotte au lard paysan et fricassée de cèpes et rosevals, caillette de lapin, chariot des 13 desserts…

Lourmarin
Le moulin de Lourmarin
Rue Temple
☎ **04 90 68 06 69**
F. mar. et mer. midi et de mi-janv. à mi-fév.
*Menus de 60,61 à 135 €.
Carte : 106 €.*
Élève du grand Marc Veyrat, Edouard Loubet est un jeune chef talentueux, seul 2 étoiles du Vaucluse. Ses deux foies gras à la compote de tomate verte, son rouget de roche piqué au lard gras et léger jus d'anchois à l'orange et sa glace du grand-père aux noix sont inoubliables.

Tellines à la camarguaise

La Provence aux fourneaux

L a cuisine provençale familiale est avant tout simple, rustique et pleine de soleil. Ses grands classiques ont fait le tour du monde : la bouillabaisse, si difficile à réaliser ailleurs que sur les rivages provençaux, la daube provençale, la pissaladière, la tapenade, l'anchoïade, l'aïoli… À découvrir ou à redécouvrir quelques mets moins classiques qui portent haut les couleurs de la Provence.

L'art de la soupe

Grand classique des soupes provençales, l'*aïgo boulido* vante les vertus de l'ail et des herbes et se révèle souverain pour les lendemains de fêtes… Dix gousses d'ail écrasées dans un litre de bouillon léger, thym, laurier, gros sel, le tout amené à ébullition. Jetez des feuilles de sauge (une branche entière) puis coupez le feu. Faites pocher un œuf

par personne dans la soupe et grillez de belles tranches de pain que vous disposerez dans les assiettes. Huile d'olive, poivre au moulin, comté râpé et le tour est joué.

En toute simplicité

Pour changer de l'authentique pan bagnat garni de thon, de tomates et de poivrons, embarquez un *crespeou* pour vos randonnées estivales. Sous ce nom chantant se cache une belle omelette froide aux herbes, aux légumes ou aux petits poissons.
On ne mélange pas les garnitures mais on peut les superposer en crêpes. C'est aussi joli à regarder, tranché dans la hauteur, que bon à déguster après la baignade.

Olives et câpres à toutes les sauces

A côté de l'illustre aïoli, le *raïto* fait figure de grand oublié. Cette sauce est pourtant délicieuse et simple à réaliser. Un gros oignon rose haché menu, mis à blondir dans une poêle. Quand la couleur est belle, on ajoute une cuillerée de farine, puis l'on mouille avec 30 cl de bouillon chaud. Aux premiers frémissements, on arrose

papillote…). À tout seigneur tout honneur, le plus célèbre est sans doute le loup, qu'ailleurs on baptise bar, tandis que le favori des gastronomes avertis reste le rouget, que Brillat-Savarin surnommait « la bécasse de mer » car les amateurs le dégustent, comme l'auguste oiseau, non « plumé » et non vidé. Comble de gourmandise : ses entrailles sont tartinées sur de grandes tranches de pain grillé. Avis aux amateurs…

de 50 cl de vin rouge (un bon côtes-de-provence, par exemple). Dès la reprise de l'ébullition, jetez deux gousses d'ail écrasées, une cuillerée à soupe de coulis de tomates et un bouquet garni. Quand la préparation est réduite de deux tiers, passez au moulin à légumes puis ajoutez câpres et olives amères.

À servir avec des poissons pochés ou des pommes de terre vapeur.

Le règne des légumes et du poisson

À eux deux, ils constituent la base d'un très grand nombre de recettes. On mangera les légumes crus ou bouillis et servis avec un aïoli ou une anchoïade, farcis d'un hachis de viande ou plongés en friture et accommodés avec un coulis de tomate. Le poisson abonde sur le pourtour méditerranéen où on le déguste sous toutes ses formes (grillé, poché, en

Pissaladière

Une variante de l'huile d'olive

Dans la région des Préalpes, l'huile d'olive cède la place à la graisse de porc, au lard, voire au beurre et à la crème. La cuisine change aussi de visage. Soupes épaisses enrichies de lard, plats de légumes secs, gibier (lapin, lièvre et sanglier)… On rencontre ici une gastronomie inspirée par les montagnes et les forêts. Parmi les grandes spécialités, citons les savoureuses ravioles à base de pomme de terre ou de verdure hachée et de fromage, sans oublier les très nombreux plats imaginés autour de l'agneau des Alpes.

LA VRAIE SALADE NIÇOISE

Celle que l'on sert aujourd'hui dans les bistrots est devenue bien fade : légumes tristes, haricots verts fatigués, thon en boîte et vinaigrette opaque… La recette originale est au contraire un concentré de fraîcheur tonique. Elle se compose d'un peu de laitue, de beaucoup de tomates coupées en quartiers, de petits oignons blancs émincés, d'un poivron vert taillé en anneaux, d'œufs durs, de quelques radis et d'olives de Nice. Pour l'assaisonnement, un filet d'huile d'olive et des anchois au sel. Le riz est facultatif.

Vins et vignobles du Midi

Les rosés de Provence ne sont pas les seuls à profiter du chaud soleil du Midi.
Il faut aussi goûter aux rouges, aux blancs, et ne pas se priver de visiter
quelques grands domaines et caves coopératives.

Vaucluse

1. Châteauneuf-du-Pape.
   p. 181.
2. Gigondas/Vacqueyras
   (côtes du Rhône villages).
   p. 182.
3. Orange : le palais du vin.
   p. 181.
4. Avignon : La Bouteillerie
   du palais des Papes.
   p. 177.
5. Carpentras :
   les côtes du ventoux
   aux aperestivales.
   p. 185.
6. Château
   Val Joanis à Pertuis
   (côtes du Luberon).
   p. 159.

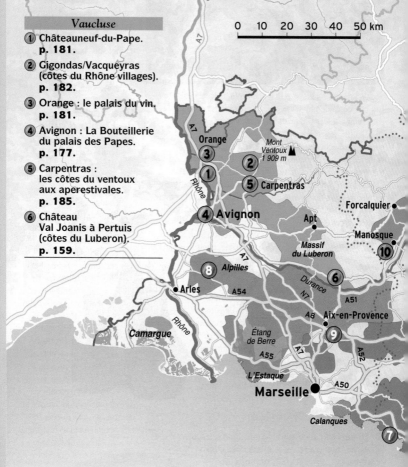

Bouches-du-Rhône

7. Maison des vins
   de Bandol.
   p. 147.
8. Maison des vins des
   Baux-de-Provence.
   p. 44.
9. Cave de Palette.
   p. 44.

Gap

ITALIE

A51

Durance

Ubaye

Barcelonnette

*Cime du
Gélas
3 143 m*

*Massif du
Mercantour*

Sisteron

**Digne-
les-Bains**

Verdon

N85

N202

Var

Roya

Castellane

*Lac de
Sainte-Croix*

N85

⑪

A8

Menton

Verdon

⑫

Grasse

Nice

Monaco

Draguignan

*Massif
de l'Estérel*

Antibes

Cannes

Argens

A8

⑬

A8

Brignoles

Fréjus

⑭

A57

*Massif
des Maures*

Saint-Tropez

⑮

Toulon

N98

Hyères

*Île du
Levant*

*Île de
Porquerolles*

*Île de
Port-Cros*

Alpes de Haute-Provence

⑩ Vin du coteau de
Pierrevert.
p. 197.

Alpes-Maritimes

⑪ Vin du Bellet à Nice.
p. 268.

⑫ Vin d'orange
à Bar-sur-Loup.
p. 266.

Var

⑬ Maison des vins
aux Arcs-sur-Argens.
p. 204.

⑭ Maison des vins des
coteaux varois à la Celle.
p. 209.

⑮ Vignerons de la presqu'île
de Saint-Tropez à Gassin.
p. 227.

Vins de Provence

C'est l'un des plus vastes vignobles de France, l'un des plus anciens aussi. La vigne a trouvé son bonheur dans ce paysage vallonné, aux sols variés et au soleil généreux. Elle est implantée en Provence depuis plus de 2 600 ans. Les Grecs

enseignèrent la pratique de la taille aux habitants de la région et les Romains en développèrent le négoce. De tradition séculaire, ce vignoble offre aujourd'hui une large palette de vins dont certains gagneraient à être mieux connus.

très étendue (Bourgogne, par exemple) aux quelques hectares d'un petit producteur exceptionnel. Sachez enfin que plus la localisation géographique est précise sur l'étiquette, plus vous avez de garanties de boire un bon nectar. Il existe également les VDQS (Vins délimités de qualité supérieure) qui occupent la seconde place, derrière les AOC.

Les cépages

La Provence compte un certain nombre de cépages traditionnels qui servent à élaborer des rouges et des rosés : cinsault, mourvèdre, grenache, tibouren ou carignan. On trouve aussi de l'excellente syrah (toutefois plus répandue dans la vallée du Rhône). Le cabernet-sauvignon a été introduit plus récemment. Pour les blancs, les principaux cépages sont la clairette, l'ugni blanc, le rolle et le sémillon.

Appellation d'origine contrôlée (AOC)

La législation française précise par cette dénomination le lieu d'origine d'un vin, ainsi que les méthodes de culture et de

vinification mises en œuvre pour le produire. Tous ces procédés sont contrôlés par l'Institut national des appellations d'origine. Les AOC recouvrent une délimitation territoriale qui va d'une zone

Alpes-de-Haute-Provence

Les coteaux de Pierrevert

Cette toute jeune AOC labellisée en juillet 1998 regroupe actuellement 500 ha plantés et 11 communes aux portes de Manosque. Seule AOC viticole des Alpes-de-Haute-Provence, le vignoble de Pierrevert bénéficie du soleil provençal à 400 m d'altitude. Les blancs secs accompagnent volontiers le célèbre fromage de chèvre de Banon (p. 195) et les poissons. Les rosés ont une pointe originale d'acidité due à l'altitude et se marient parfaitement avec salades et grillades. Quant aux rouges (60 % de la production), leur caractère est suffisamment charpenté pour faire honneur

aux daubes, gibiers et plats plus travaillés. On les déguste à la cave des vignerons des coteaux de Pierrevert (p. 197).

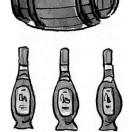

Alpes-Maritimes

Bellet

Cette appellation date de 1941 et son vignoble recouvre 45 ha cultivés (alors que l'aire d'appellation en compte 650) et jouit d'un bel ensoleillement. Présent sur la commune de Nice, le vin rouge développe un incomparable arôme de cerise. Les rosés ont une note fleurie et les blancs donnent un léger parfum de tilleul. À goûter dans les caves niçoises (p. 268).

Bouches-du-Rhône

Les coteaux d'Aix-en-Provence

Connus jadis sous le nom de coteaux du Roy René en hommage à celui qui porta les vins de Provence sur les tables royales du XVᵉ s., ils ont reçu l'appellation en 1985.
Le vignoble de 3 500 ha s'étend sur 48 communes du département et 2 du Var.
Il donne des vins rouges charpentés et fruités qui se boivent de préférence entre 2 et 4 ans d'âge. Les rosés sont souples et fruités, et les blancs bien parfumés (6 % de la production). Le syndicat général des coteaux d'Aix, installé dans la maison des agriculteurs (22, avenue H.-Pontier à Aix, ☎ 04 42 23 54 14) vous dira tout sur ce vignoble.

Les coteaux des Baux

Le terroir des Baux produit un vin qui bénéficie de son AOC depuis 1995. Le sol est ici propice au développement de la vigne, le raisin bénéficie d'un microclimat favorable et l'on trouve du cabernet-sauvignon et de la syrah. Les 12 vignerons des Baux produisent un vin né de la rencontre du soleil et du mistral. Les blancs et les rosés se boivent jeunes, les rouges atteignent leur maturité au bout de 5 ou 6 ans. En été, la Maison des vins des Baux-de-Provence vous fait découvrir les 12 domaines du vignoble (☎/fax 04 90 54 34 70).

Coteaux des Baux

Séguret

Palette

À côté d'Aix-en-Provence, sur les communes du Tholonet et de Meyreuil, cette petite AOC de 1948 s'étend sur 17 ha plantés et donne l'un des plus beaux vins blancs de la région. Le vignoble est principalement exploité par le Château-Simone et le domaine de la Crémade. Les rouges sont bons et chaleureux. Palette produit aussi le traditionnel vin cuit provençal. On peut déguster ces vins (et remplir sa cave) dans un ancien mas où Cézanne est venu peindre (Caves de Palette, RN 7 sortie d'Aix-en-Provence dir. Nice. Ouv. t. l. j. sauf dim. ap.-m. et lun. matin 9 h-12 h 30 et 15 h-19 h. ☎ 04 42 66 90 23).

Cassis

La doyenne des appellations de Provence date de 1936 et ses blancs secs et fruités rivalisent avec Palette pour accompagner à merveille le poisson. Le vignoble s'étend sur 160 ha et compte 12 vignerons. Chaque domaine a ses particularités. Attention, une température trop froide tue le goût de ces vins ! À goûter directement au domaine ou plus simplement à la terrasse d'un café de Cassis qui fête son vin en mai et le premier dimanche de septembre.

Var

Côtes-de-provence

L'AOC de 1977 couvre un territoire immense de plus de 18 000 ha pour 100 millions de bouteilles annuelles, soit la 6e appellation de France en volume. Les rosés (75 % de la production) sont assez neutres et accompagnent sans faute la cuisine provençale. L'appellation est également – et surtout – connue pour ses puissants rouges qui représentent environ 20 % de la production. Les vins blancs sont quant à eux assez rares (5 %) mais frais et ronds. Rendez-vous à la Maison des vins aux Arcs-sur-Argens pour les goûter. Et rendez-vous en juillet à Hyères pour les « Vinades ».

Bandol

L'une des plus anciennes AOC (1941) qui cultive ses vignes sur les restanques, petites terrasses à flanc de coteaux. Bandol produit, sur un millier d'hectares de sol riche en coquillages, des vins à la saveur puissante avec une note épicée. Les crus vieillissent admirablement bien et rivalisent avec les meilleurs vins de garde de France. Ils peuvent vieillir vingt ans et si les crus de qualités sont très nombreux, vous serez bien conseillé à la **Maison des vins de Bandol** (p. 201). L'Association des vins de Bandol vous renseignera sur l'appellation (2, av. St-Louis 83330 Le Beausset, ☎ 04 94 90 29 59).

Coteaux varois

Ils s'étendent de Brignoles, au centre du département, jusqu'aux contreforts de la Sainte-Baume. À peine plus de rosés (60 %) que de rouges pour cette appellation reconnue en 1993. Les 1 700 ha, tenus par plus de 70 domaines et caves coopératives, produisent un vin équilibré et frais au succès grandissant. Il s'accommode bien des saveurs provençales. L'abbaye de la Celle abrite une très belle Maison des vins (p. 209).

LE PALAIS DU VIN

Orange (RN 7)
☎ **04 90 11 50 00**
Ouv. t. l. j. 10 h-19 h,
le dim. jusqu'à 14 h.
**C'est un concept unique,
créé par 120 vignerons
de la vallée du Rhône,
tous caves particulières.
Dans un caveau de
250 m² ouvert sur la
N 7, ils proposent une
approche ludique du vin
avec présentation des
vignobles, initiation à la
dégustation, dégusta-
tions à thème et
organisation de visites
sur les domaines.
Une excellente idée
qui ouvre les portes
des côtes-du-rhône.**

Vaucluse

Les côtes-
du-luberon

Le vignoble reçut son AOC
en 1988. Il s'étend sur
3 500 ha répartis en
36 communes. Il produit
principalement des vins
rouges racés qui se
marient à merveille avec
les viandes. Ils ont un
arôme particulier de
fruits noirs, avec une
note de poivron et des
réminiscences de truffes

et de sous-bois. Les châteaux
de la Canorgue (vin biolo-
gique à Bonnieux,
☎ 04 90 75 81 01. Ouv.
t. l. j. sf dim. et j. fér.)
et Val Joanis (p.158)
et le domaine de la
Citadelle à Ménerbes
(☎ 04 90 72 41 58.
Ouv. t. l. j. sf dim. et
j. fér. en hiver) qui
abrite le musée du Tire-
Bouchon (p. 161) tien-
nent très bien leur
rang.

Les côtes-
du-ventoux

L'appellation jouxte le
terroir des
côtes-du-luberon
dont elle n'est séparée
par endroits que par la
N 100. Certaines
communes, comme
Apt, Bonnieux,
Gargas, Gordes,
Goult, Murs et
Roussillon élèvent
sous les deux
appellations et
les vins, par la
nature du sol et
des cépages, dif-
fèrent beaucoup.
L'appellation
côtes-du-ventoux
s'étend du sud à
l'ouest du

Ventoux, entre 100 et
400 m d'altitude, et pro-
duit une grande variété
de vins (rouges à 80 %)
fruités et légers à boire
jeunes de préférence. À
Carpentras, le syndicat
des côtes-du-ventoux
(p. 185) saura vous
renseigner sur les
domaines.

La vallée
du Rhône

Les vins du
haut Vaucluse
sont regroupés
sous l'appellation
générique de
côtes-du-rhône
qui englobe
163 communes.
Aux portes de la Provence, ils
sont représentés par trois
grands crus de réputation
internationale : le châteauneuf-du-pape et ses voisins
gigondas et vacquerays (visite
p. 183). Sur les 77 communes
des côtes-du-rhône villages,
16 d'entre elles produisent des
AOC qui occupent une place
de choix parmi les grands vins
de la région. Citons dans le
Vaucluse, Beaumes-de-Venise
pour son fameux muscat,
Cairanne, Rasteau et son délicieux vin rouge, Roaix, Sablet,
Séguret, Valréas et Visan.

Vue de Rasteau

Arts de la maison

Balustrades en fer forgé, assiettes en faïence fine,
jarres en terre vernissée, boutis patiemment cousus, radassiers paillés...
les spécialités provençales sont à la mode et c'est tant mieux !

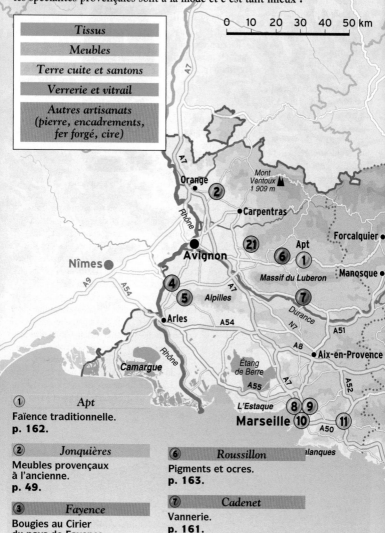

Tissus
Meubles
Terre cuite et santons
Verrerie et vitrail
Autres artisanats (pierre, encadrements, fer forgé, cire)

0 10 20 30 40 50 km

① **Apt**
Faïence traditionnelle.
p. 162.

② **Jonquières**
Meubles provençaux
à l'ancienne.
p. 49.

③ **Fayence**
Bougies au Cirier
du pays de Fayence.
p. 234.

④ **Tarascon**
Tissus Souleïado.
p. 147.

⑤ **Saint-Étienne-du-Grès**
Tissus Les Olivades.
p. 48.

⑥ **Roussillon**
Pigments et ocres.
p. 163.

⑦ **Cadenet**
Vannerie.
p. 161.

Marseille
⑧ Pipes et objets de faïence.
p. 52.

⑨ Santons traditionnels.
p. 143.

⑩ Fruits en trompe-l'œil
à la faïence Figuères.
p. 141.

⑪ *Aubagne*

Poteries et santons provençaux.
p. 145.

⑫ *Théoule-sur-Mer*

Vitrail artisanal.
p. 237.

⑬ *Auribeau-sur-Siagne*

Bougies artisanales.
p. 246.

⑭ *Moustiers-Sainte-Marie*

Céramiques fines.
p. 198.

⑮ *Vallauris*

Poteries.
p. 250.

⑯ *Biot*

Verrerie traditionnelle et poterie provençale.
p. 262.

⑰ *Grimaud / Cogolin*

Tapis et pipes.
p. 230.

⑱ *Saint-Tropez*

Boutis provençaux.
p. 49.

⑲ *Sainte-Maxime*

Santons en terre et objets en bois d'olivier.
p. 228.

⑳ *Salernes*

Terres cuites traditionnelles.
p. 207.

㉑ *Fontaine-de-Vaucluse*

Cristallerie des Papes.
p. 189.

Dans les plis des tissus

Envie d'une simple jupe ou bien de tapisser la maison du sol au plafond aux couleurs du Midi ? Laissez-vous tenter par les belles cotonnades aux semis de fleurs ou par les indiennes qui rappellent le lointain Orient.

La tradition des indiennes

Au XVIIe s., la cour du Roi-Soleil s'extasie sur ces toiles imprimées importées d'Inde. La Provence s'approprie très vite leur fabrication, tout d'abord à Marseille. Mais les soyeux lyonnais s'inquiètent de cette concurrence et obtiennent l'interdiction du commerce des indiennes sur le territoire français en 1686. Les fabriques émigrent alors en Avignon, territoire pontifical non soumis à l'autorité royale.

La fabrication

La technique la plus courante a longtemps été celle dite « au cadre plat » : le dessin est décomposé en autant de

IMPRESSION AU ROULEAU

La pièce passe entre la presse et le rouleau gravé, lequel est alimenté en encre par un rouleau encreur. Si le tissu est décoré de plusieurs couleurs, il y a autant de rouleaux que de teintes à imprimer.

cadres qu'il y a de couleurs. Aujourd'hui, la pièce de tissu passe entre la presse et le rouleau gravé de motifs encrés. Le tissu est ensuite séché puis passé dans une cuve à vapeur d'eau (pour fixer les couleurs) avant d'être lavé. Le musée d'Orange retrace l'histoire de cette fabrication (p. 180).

Les incontournables

La griffe de Christian Lacroix, qui s'est tant inspiré de la fière allure des Arlésiennes, est unique… Puisque vous êtes en Provence, profitez-en pour lire le superbe ouvrage consacré à l'*Histoire d'une collection*, chez Thames & Hudson. Les tissus de rêve issus de la plus pure tradition provençale se trouvent chez Souleïado (p. 176). Quant aux Olivades (p. 175), ce sont les seuls à imprimer sur place.

JOLIS BOUTIS

Les boutis nécessitent patience et savoir-faire pour piquer les motifs colorés en relief dans des étoffes superposées. Raffinés à souhait, on les trouve à La Maison des Lices, à Saint-Tropez (18, bd. Louis-Blanc ☎ 04 94 97 11 34, du mar. au sam.).

Rêves de bois

Du noyer à l'olivier aux reflets fauves, qui sert pour les ravissants objets de cuisine, les ouvrages de menuiserie sont assez variés pour combler les désirs de chacun. On creuse des pipes flamboyantes dans les bruyères, on déniche dans les marécages le roseau qui donnera l'anche la plus mélodieuse et la forêt de chênes-lièges servira aux bouchons…

Histoire de bois

La typique panetière arlésienne était déjà très courante au XIIIᵉ s. et c'est la cour du roi René qui donna son essor au mobilier provençal. Au XVIᵉ s., les menuisiers adoptent le bois sombre et résistant du noyer

qui remplace peu à peu le bois blanc. Les meubles provençaux deviennent alors des meubles d'apparat, aussi pratiques que décoratifs. Sculptés ou peints, les décors symboliques des armoires de mariage ou les motifs floraux des buffets accompagnent avec bonheur les gestes quotidiens.

États de sièges

En noyer, en hêtre, en tilleul, en chêne ou en mûrier, chaises et fauteuils venus d'Italie ont pris ici une assise en trapèze, des pieds cannelés, un dossier ajouré ou orné de traverses. Seuls les ateliers Laffanour les fabriquent encore à l'ancienne depuis 1840 (91, bd de la Libération, 84150 Jonquières, ☎ 04 90 70 60 82. Ouv. t. l. j. sf. sam. matin et dim.). Vous y trouverez des canapés paillés, des fauteuils peints et autres sièges cirés.

Les roseaux musiciens

Cogolin est certes célèbre pour ses fabriques de pipes en bois de racine de bruyère (p. 230). Mais le village a également établi sa réputation auprès des musiciens grâce à son atelier d'anches pour instruments à vent (Éts Rigotti, ☎ 04 94 54 62 05). À Ollioules, la Manufacture anches roseaux Côte d'Azur (☎ 04 94 63 04 84) perpétue également ce savoir-faire (p. 211) en taillant ses anches dans les roseaux du Var qui, paraît-il, ont une sonorité particulière.

LES BOUCHONS DE L'IVRESSE

Seul le chêne-liège peut être utilisé pour fabriquer les bouchons et l'arbre doit avoir au moins 25 ans pour qu'on puisse en récolter le liège. Après quatre semaines de repos, l'écorce est séchée puis bouillie pour lui redonner de la souplesse. Le liège est alors débité à l'emporte-pièce avant d'être transformé en petits bouchons. Si vous voulez tout savoir sur le liège, il a son musée à Gonfaron (p. 233).

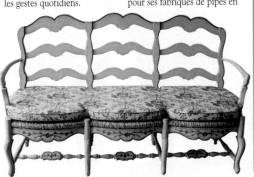

Les verriers du soleil

Longtemps réputée pour ses poteries destinées à la conservation de l'huile d'olive, Biot a retrouvé un second souffle en s'initiant à l'art du verre, à partir des années 1950. Gobelets, porron (carafe provençale) ou huiliers sont désormais soufflés à la bouche et le résultat est impressionnant.

Soufflé ou bullé ?

Dans les années 1950, un ingénieur céramiste de l'école de Sèvres, aidé d'un ancien verrier et d'un souffleur, retrouve la technique du verre bullé et, ce qui passait autrefois pour un défaut d'affinage devient sous ses mains un art véritable. En 1956, il fonde la Verrerie de Biot (p. 263) qui attire chaque année des milliers de visiteurs et qui est la seule marque déposée depuis 1961.

Poussières de verre

La nature fournit la matière première (sable et calcaire) et l'homme ajoute son grain de sel (silicates de sodium, de potassium, de calcium et de plomb) pour permettre la fusion du verre entre 1 400 et 1 500 °C. Saupoudré sur le verre en fusion, le carbonate de soude se consume en formant de jolies bulles. On peut alors ajouter des oxydes métalliques pour obtenir des couleurs (cobalt pour le bleu, chrome et cuivre pour le vert, charbon en poudre pour le jaune…).

Les mailloches servent à façonner la boule incandescente avant l'intervention du maître verrier.

L'art en trio

L'art du verrier se pratique en équipe. Le gamin (ou apprenti) « cueille » un peu de pâte incandescente dans le four, puis la roule sur une table en fonte (le marbre). Une petite ampoule rouge se forme alors, qu'un assistant va enrober d'une seconde cueillette de verre avant

de la faire rouler dans un gros creuset bien humide (la mailloche) et de la façonner avec des pinces. De temps en temps, l'aide souffle pour faire gonfler le vase mais c'est au maître verrier que revient le mot de la fin : en un tournemain, avec un souffle de la plus haute précision, il achève la pièce avec ce quelque chose d'indéfinissable qui est sa marque et son talent.

Volutes de fer forgé

Le fer transformé en œuvre d'art… De tout temps, les ferronniers provençaux ont réalisé des objets utilitaires agrémentés de formes décoratives. Dans les ateliers actuels, les copies d'anciens voisinent avec les créations contemporaines.

Objets de fer

De nos jours, seuls de rares artisans sont capables d'exécuter toutes les étapes du forgeage d'un métal au rouge : chauffe, soudure, façonnage et traitement. Ces ferronniers d'art font naître toutes sortes d'objets utiles. Pour l'intérieur : tringles, clés, bougeoirs, lustres, pieds de table, et même lits à baldaquin… Pour l'extérieur : heurtoirs, chaises, tables de jardin, portails…

La particularité provençale

Le fer forgé est très présent dans la décoration des mas et bastides : les rampes des balcons ressemblent à des dentelles de fer et les girouettes ouvragées indiquent le sens du mistral… Prochainement, une salle d'objets de ferronnerie devrait

ouvrir au musée Calvet d'Avignon (p. 178). En attendant, il suffit de lever les yeux vers les clochers d'églises pour se faire une idée des richesses artistiques du fer forgé « à la provençale ».

Antique fer

On attribue à l'empereur chinois Fou-Hi (3 000 ans avant J.-C.) l'invention du fer. Connu en Europe depuis l'Antiquité, le matériau voit son apogée avec le Moyen Âge dont les moindres productions ouvragées sont souvent des œuvres d'art. Vie quotidienne, bijouterie, armurerie, ornements religieux, le fer est présent partout. Jusqu'au XIXe s., il a été repoussé, gravé, avec ou sans reliefs rapportés. Puis vint la grande époque de l'industrialisation et de la fonte du fer, qui demeure néanmoins un matériau de prédilection.

Tour de l'Horloge à Apt

Les arts de la terre et du feu

Tuiles, tomettes, jarres ou faïences aux ornements subtils… Tout ce qui naît des mains des potiers de Provence puise à des sources très anciennes. Cet art, qui remonte au XVIIᵉ s., a encore de beaux jours devant lui… pour le plus grand plaisir des amateurs !

Le travail de l'argile

Plusieurs étapes sont nécessaires pour réaliser une pièce : broyage, tamisage, décantation et fermentation. Pour les carreaux en terre, les étapes suivantes sont le malaxage, le séchage et enfin le rognage aux dimensions voulues avant la cuisson. Outre les tomettes, la Provence utilise beaucoup la terre cuite pour ses fameuses jarres de jardin, pour conserver l'huile, l'ail et les herbes ou pour ses plats typiques qui donnèrent leurs noms à des recettes (comme le tian).

La reine de Salernes

Dès le XIXᵉ s., l'industrie de la tomette fait de Salernes la capitale du carrelage traditionnel provençal. En effet, autour du village, les sols renferment une argile très riche en oxyde de fer qui permet de fabriquer des carreaux très robustes. Vous trouverez certainement votre bonheur chez les nombreux artisans entre Salernes et Draguignan (p. 205), ou à Apt, Goult et Bonnieux (p. 162-163).

Histoire de faïences

Les faïences (terres cuites trempées dans l'émail à base de silice) sont présentes en Provence dès le XVIIᵉ s., date à laquelle l'art de la céramique devient une industrie de la faïence qui se développe autour de Marseille (p. 141). Cet âge d'or s'étendra un peu plus tard à Apt et au Castellet qui travaillèrent la faïencerie « fine », à l'émail presque transparent et aux tons chaleureux (générale-ment jaune, orange et vert).

ARTICLES POUR FUMEURS ÉCLAIRÉS

Autrefois, les amateurs de tabac fumaient dans des pipes en céramique pour mieux profiter des arômes. Une fabrication devenue rare mais main-tenue près de Marseille par Jean-Michel Coquet (quartier Les Jas, 13116 Vernègues, ☎ 04 90 59 30 85. Ouv. tte l'année sf dim. ap.-m. et lun. mat. Exposition à l'atelier). Cet artisan de talent est spécialisé dans les pièces en faïence décorées à la main.

Ne manquez pas le grand rassemblement des potiers à Aubagne (p. 145) et la Maison de la céramique aux Beaumettes (p. 167).

À droite : les célèbres poteries de Vallauris

La crèche provençale

La période de Noël en Provence s'étale du 4 décembre au 6 janvier. Pastrages, messe de minuit et treize desserts : la région a ses rites et ses habitants y tiennent fermement. De toutes les traditions, celle des santons reste la plus répandue.

La terre crue est moulée entre deux coquilles de plâtre. Le personnage ainsi façonné est ensuite mis à sécher avant d'être peint. Certains santons comportent des accessoires qui sont moulés à part puis rattachés au corps.

LA FOIRE AUX SANTONS

De nombreuses villes et de villages provençaux organisent avant Noël des foires aux santons. Les plus belles foires et salons des santonniers se tiennent à Aix (p. 152), Arles (p. 126), Aubagne (p. 145), Apt, Carpentras... sans oublier Marseille et sa foire annuelle sur la Canebière. Les nombreux musées de santons qui égrènent les routes de Provence ont également un beau choix de figurines.

parapluie rouge, l'incorrigible ivrogne Bartomiou et son long bonnet de coton… Ce sont tous les héritiers de la pastorale, petite pièce jouée en Provence à Noël.

XVIe s. mais se font connaître lors de la Révolution. Messes de minuit et crèche étant frappées d'interdit, un fabricant marseillais eut alors l'idée de créer en série ces petits personnages en terre cuite.

Figures provençales

Autour de la Sainte Famille s'assemblent tous les personnages typiques du village : le berger (*lou pastre*), l'ange Boufareu qui souffle dans sa trompette, le meunier ensommeillé en bonnet de nuit, le *boumian* et son ours, le tambourinaire qui ne porte rien car il ne possède rien, le maire, le bûcheron, l'aveugle et son fils, le sympathique bourgeois Roustido avec son

Naissance à l'italienne

En 1223, dans une étable des Abruzzes, François d'Assise aurait fait représenter la Nativité par des personnages et des animaux vivants. Quant aux santons (le mot vient du provençal *santoun*, « petit saint »), ils voient le jour au

Choisir ses santons

Modelées dans de l'argile crue d'Aubagne (p. 145), moulées entre deux coquilles de plâtre, séchées, ébarbées puis peintes à la gouache après cuisson, les figurines conservent le costume provençal de la Restauration. On trouvera des « puces » (de 1 à 3 cm), les cigales et grands santons de 7 à plus de 20 cm. Le prix s'échelonne entre 5 et 80 € selon la taille.

Reflets d'ocre

La nature est souvent stupéfiante en Provence : gorges profondes, volumes découpés, le pays d'Apt est un Colorado mordoré. Une véritable palette s'offre au regard : du blanc au rouge le plus vif, du jaune au violet, toutes les teintes sont là et changent à chaque heure du jour. Dans les anciennes carrières d'ocre à ciel ouvert, les hommes ont laissé leurs traces et l'érosion a fait le reste, créant des reliefs extraordinaires : buttes, mamelons, falaises et cheminées de fées.

Triste légende

On raconte que dame Sermonde, épouse de Raimond d'Avignon, était éprise d'un troubadour. Jaloux, son mari conduisit son rival à la chasse et le poignarda. De retour au château, il ne dit mot de son forfait et ordonna de cuisiner le cœur de sa victime pour en faire un plat savoureux qu'il fit servir à son épouse. Mais quand il lui avoua l'origine du plat qu'elle venait de terminer, Sermonde se précipita du haut de la falaise et la terre se teinta de son sang.

Aux sources de l'ocre

Loin de la cruauté fictive, l'origine de l'ocre s'explique par la présence de la mer sur les lieux pendant 120 millions d'années. Sans les sables verts qu'elle laissa en se retirant et sans les pluies abondantes du déluge qui suivit, il n'y aurait jamais eu de sable ocreux ni de pigments dans ce coin de Provence.

Exploitée par les Romains et redécouverte sous la Révolution, l'ocre connaît son apogée entre 1919 et 1940. Depuis l'apparition des colorants chimiques, son développement s'est ralenti et on est loin des 40 000 t produites à cet âge d'or. L'ocre est pourtant très stable et moins chère que ses substituts. Seule la Société des ocres de France, à Apt, est encore en activité et produit 2 000 t par an.

Blanc de Meudon	Ocre Jaune Clair	Ocre Jaune	Havane
Sienne Naturelle	Ocre Rouge	Sienne Calcinée	Ombre Calcinée
Noir de Vigne	Terre Verte	Ombre Naturelle	Ardoise

La fabrication

L'ocre est un mélange d'argile et de sables colorés par les oxydes de fer. La première opération consiste à séparer les sables (80 %) des oxydes. Le minerai est alors brassé puis lavé avant d'être décanté par le soleil dans des bassins. Mise à sécher pendant un mois, l'ocre est ensuite broyée jusqu'à obtention d'une poudre fine. C'est la cuisson dans un four à 550 °C qui permet de transformer l'ocre jaune en ocre rouge.

Mémoires d'ocre

En Luberon, Roussillon et son conservatoire des ocres et pigments appliqués (p. 162-163) mais aussi Gargas, Apt, Gignac où commence le Colorado provençal, Rustrel, Villars, Saint-Saturnin-les-Apt et Joucas gardent en mémoire leur passé ocrier, de même que Mormoiron et Villes-sur-Auzon au pied du mont Ventoux.

Itinéraires ocrés

Au départ de Rustrel, 8 km d'Apt par la D 22
Plusieurs itinéraires s'offrent à vous pour admirer les différents colorados : sentier des Ocres à Roussillon (p. 162-163), Colorado provençal et ses nombreux sentiers au départ de Rustrel (de 1 h 30 à 4 h de marche, accès gratuit), Sahara (45 min), Cheminées de fées (30 min), Morenas (2 h et un panorama spectaculaire), Blaces (3 h 30)… Un plan détaillé des itinéraires est distribué sur le parking municipal de Bouvène (rens. au service tourisme de Rustrel, ☎ 04 90 04 98 49). D'autres balades « ocrées » sont aussi possible au départ de Saint-Saturnin-les-Apt, Villars et Mormoiron. Enfin, une route de l'ocre en vélo fait une boucle de 50 km et passe par Roussillon, Rustrel, Gargas, Apt et Villars (rens. à la Maison du parc naturel régional du Luberon : ☎ 04 90 04 42 00).

GRAINE D'ARTISTE

L'ocre est essentiellement utile aux peintres, mais fait merveille pour donner un éclat lumineux à un pan de mur sombre ou à une façade terne. Diluez un de ces pigments naturels (il existe plus de 20 nuances d'ocre naturelle) avec de l'eau et ajoutez un liant de type acrylique ou vinylique. Vous obtiendrez ainsi une couleur qui se fixera sur n'importe quel support. Avec la mode des patines et des badigeons, pourquoi ne pas essayer ? Pour 35 m², il faut un pot de gel chiffonné, 150 g de pigment. Les produits sont en vente au Conservatoire des ocres et pigments appliqués de Roussillon (p.162-163) et à l'établissement Chauvin à Apt (Rte Viton, ☎ 04 90 74 21 68).

La chine en Provence

Les antiquaires de Provence accumulent les souvenirs de la vie des bastides d'antan : sièges paillés, mobilier ancien, objets de décoration, ustensiles de cuisine… En bois ou en argile, en fer ou en pierre, les emblèmes de la culture traditionnelle du Midi continuent de se fabriquer et sont présents sur les marchés du pays. Pour donner une touche ensoleillée à un coin de la maison ou pour présenter ses recettes dans des plats typiques, vous trouverez la perle rare dans les brocantes.

Antiquaires et brocanteurs

Généralistes ou spécialistes très chic, et très chers, ils rassemblent le patrimoine régional depuis la carte postale jaunie jusqu'à l'authentique vaisselier. Les antiquaires sont des techniciens des objets passés dont la passion rappelle parfois celle des conservateurs de musée. Plus accessibles, les brocanteurs proposent un généreux bric-à-brac sans soucis de classement ni de dates. Parfois regroupés en « villages » (à L'Isle-sur-la-Sorgue, p. 188), on les trouve aussi à Apt (foire aux antiquaires en juillet), Avignon (rue Petite-Fusterie) et Villeneuve-lès-Avignon, à Roquemaure (p. 179), Ménerbes, Arles, Marseille, Aix-en-Provence, Puyricard, Toulon, Montauroux (p. 247), Salernes, Sanary-sur-Mer, Fayence… (Le grand jardin de Fayence, salon des antiquaires, a lieu cinq fois par an. ☎ 04 94 76 20 08).

Le mobilier traditionnel

Spécifiquement provençales, la panetière, l'armoire garde-manger (*manjaou*) et les étagères en bois sont devenues au fil du temps des meubles d'apparat, de plus en plus

richement sculptés. Repérez l'*estagnié*, pour ranger la vaisselle d'étain, le *veiriau* pour les verres ou le coutelier pour

les couteaux… Et, dans votre chambre, installez une armoire de mariage avec son joli décor de cœurs entrelacés, d'épis de blés ou de colombes…

L'argile

En Provence, les tomettes en argile rouge recouvrent le sol des habitations depuis le XVIIe s. Le matériau étant fragile, les pièces d'époque sont devenues rares. Chez les maîtres potiers, on en trouve encore, à côté des services de table, des poteries culinaires traditionnelles, des vases, des lampes, etc. Plus élaborées, les délicates faïences aux tons chauds et colorés ainsi que d'anciens santons de Provence sont également présents.

Les étoffes

Tissées en coton, en lin ou en soie, les étoffes provençales arborent des motifs de couleur inspirés par leurs lointaines origines orientales. Cette tradition des indiennes s'est enrichie de créations contemporaines qui ornent avec goût les nappes, serviettes, rideaux, couvre-lits, tentures, vêtements et robes de mariée. Deux maisons réputées vous permettront de trouver les plus belles pièces de cet artisanat très vivant : Souleïado (p. 176) et Les Olivades (p. 175).

Les pierres de Provence

Dénichez un cadran solaire, une fontaine, un dallage, un banc de jardin, une statue romantique ou même une cheminée chez les tailleurs de pierre du pays. Comme leurs ancêtres, ils utilisent la grande panoplie des pierres régionales et certains créent même des mosaïques qui les rassemblent toutes : marbre rose de Brignoles, pierre du Luberon (celles du palais des Papes d'Avignon), pierre de Cassis, de Fontvieille ou de Rognes. De quoi donner à votre nid une allure grandiose de mas provençal !

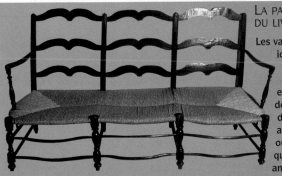

LA PASSION DU LIVRE

Les vacances sont idéales pour dénicher un livre cherché en vain, s'abandonner à la découverte d'un auteur inconnu ou trouver quelque ouvrage ancien sur la Provence. À Aix-en-Provence, à la librairie Rue des Bouquinistes Obscurs (2, rue Boulegon, ☎ 04 42 96 03 19, F. dim.), vous trouverez assurément votre bonheur. Et, quelques mètres plus loin, à L'Abécédaire, tirages de têtes et éditions rares vous ouvrent toutes grandes leurs pages, avec un petit coin lecture et jeux pour les enfants. Excellente librairie provençale également à Apt : librairie Dumas, (pl. Gabriel-Péri, ☎ 04 90 74 23 81) ainsi qu'à Marseille : les Arcenaulx (p. 139).

Châteaux, bories et villages perchés

Ces émouvants témoignages de pierre qui émaillent la Provence sont si nombreux qu'on ne saurait les citer tous. En voici quelques-uns à découvrir sans tarder.

Châteaux

① **Ansouis :** architecture Renaissance et jardin à la française. **p. 152.**

② **Mane :** château de Sauvan. **p. 194.**

③ **Cagnes-sur-Mer :** château féodal. **p. 256.**

④ **Cannes :** château-musée de la Castre. **p. 241.**

⑤ **Château-Arnoux-Saint-Alban :** monument de la Renaissance. **p. 193.**

⑥ **Entrecasteaux :** jardin de Le Nôtre. **p. 209.**

⑦ **Entrevaux :** citadelle fortifiée. **p. 298.**

⑧ **Gordes :** château de style Renaissance. **p. 164.**

⑨ **Gourdon :** édifice médiéval et musée. **p. 266.**

⑩ **Grimaud :** ruines médiévales. **p. 230.**

⑪ **Hyères :** le château Sainte-Claire. **p. 219.**

⑫ **Îles-de-Lérins :** la prison du Masque de Fer. **p. 243.**

⑬ **Le Tholonet :** panorama sur le pays de Cézanne. **p. 154.**

⑭ **Lourmarin :** château de la Renaissance. **p. 161.**

⑮ **Marseille :** le château d'If. **p. 140.**

⑯ **Roquebrune :** forteresse carolingienne. **p. 286.**

⑰ **Sisteron :** la citadelle militaire. **p. 192.**

⑱ **Tarascon :** château-fort. **p. 174.**

⑲ **Valréas :** château de Sauvan. **p. 183.**

⑳ **Vence :** architecture médiévale et art contemporain. **p. 260.**

0 10 20 30 40 50 km

Gap

Ubaye

Barcellonnette

A51

Durance

17 Sisteron

5

Digne-les-Bains

Verdon

N85

N202

7

30

28

Castellane

Lac de Sainte-Croix

Verdon

N85

9

27 31 20

Grasse

3

25

Nice

Antibes

6

Draguignan

Cannes

4

12

Massif de l'Estérel

24

Fréjus

Brignoles

A8

A57

Massif des Maures

10

Saint-Tropez

Toulon

N98

11 Hyères

Île du Levant

Île de Porquerolles

Île de Port-Cros

Argens

A8

Massif du Mercantour

Cime du Gélas 3 143 m

Var

Roya

29

ITALIE

16

Menton

26

Monaco

Villages perchés

Les zones en rose sur la carte indiquent les régions, dans les Alpes-de-Haute-Provence, les Bouches-du-Rhône, le Luberon, le Var, l'arrière-pays niçois, sur le plateau du Vaucluse et autour du Ventoux, qui comptent de nombreux villages perchés.
p. 62.

24 **Biot :** domine la vallée de la Brague.
p. 262.

25 **Entrevaux :** cité fortifiée dans les airs.
p. 298.

26 **Èze :** à pic sur la corniche.
p. 276.

27 **Gourdon :** s'élève à 760 m.
p. 266.

28 **Moustiers-Sainte-Marie :** à l'abri des gorges du Verdon.
p. 198.

29 **Saorge :** village en amphithéâtre.
p. 294.

30 **Touët-sur-Var :** suspendu au-dessus des gorges.
p. 63.

31 **Tourettes-sur-Loup :** perché et creusé dans le calcaire.
p. 264.

32 **Cadenet :** village perché aux habitations troglodytes.
p. 157.

33 **Oppède-le-Vieux :** village dressé sur un éperon rocheux.
p. 160.

21 **Lacoste :** château du marquis de Sade.
p. 160.

22 **La Tour-d'Aigues** et sa porte triomphale.
p. 159.

Bories

23 **Gordes :** un village de bories.
p. 165.

Architecture traditionnelle

Mas ou bastide, ces mots séduisent immédiatement parce qu'ils évoquent la Provence, une couleur, un espace, une ambiance, un art de vivre. Mais ils cachent une réalité très concrète : l'homme a dû lutter pendant des siècles pour trouver un équilibre architectural lui permettant de vivre dans un paysage soumis aux assauts d'un vent souvent très fort, aux ardeurs caniculaires et aux hivers rigoureux. L'habitat de Provence reflète ce long apprentissage.

En harmonie avec la nature

La maison provençale présente des lignes et des volumes simples, des matériaux nobles et un mur aveugle au nord pour se protéger du mistral. Elle est conçue pour traverser les pires canicules et ses murs sont épais et colorés, ses fenêtres habillées de persiennes. À l'intérieur, portes cintrées, voûtes de pierre blanche, jeu d'embrasures, tomettes et céramiques sont la touche finale de cet habitat campagnard et raffiné.

Tuiles et pierres

Caractéristiques de l'habitat du Midi, les tuiles sont rondes (tuile canal ou romaine), en terre cuite et façonnées en forme de gouttière sur un moule en bois (parfois sur la cuisse !). Quant aux pierres, elles servent aussi bien à élever les murs des maisons qu'à paver les rues, qui répondent alors au nom de calades (du provençal *calado*,

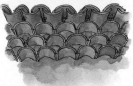

petits galets roulés dans le sable des cours d'eau). Ces dallages sont typiques des villages perchés qui émaillent les paysages de la Provence.

Le mas

Jadis conçu pour les besoins de la ferme, le mas est toujours exposé au sud et donc protégé à l'est de la pluie et au nord du

Ci-contre à gauche : tuiles canal ; ci-dessus : génoise

mistral. En L ou fermé, il est composé d'une maison principale et de dépendances (bergerie, grange, magnanerie, puits, four). Dans le Vaucluse, les fermes sont des « campagnes » ; plus petites, on les appelle « granges » ou *ousaus*.

La bastide

Surnommée le « cabanon des riches », elle se donne des airs de châteaux avec sa noble façade à l'ordonnance classique et son jardin à la française. Habitation de propriétaires terriens ou résidence de campagne, elle est de dimensions plus importantes que le mas

et comporte un ou deux étages. On trouve encore quelques « bastidons », constructions d'inspiration antique composées d'une seule pièce.

Le cabanon

De dimensions réduites, c'est là que toute la famille se réunit le dimanche autour d'une bouillabaisse pour passer une journée au grand air. Caché sous un olivier ou dans les calanques, il est réservé à ceux qui ont résolument l'âme provençale : car, pour aller au cabanon, il faut savoir ne rien faire sans l'ombre d'un remords… On appelle aussi cabanon (ou *bastidou*) les constructions souvent visibles au milieu des vignes et servant de réserve à outils.

La cabane camarguaise

C'est le domaine du gardian. L'intérieur en est très simple : une cuisine et une chambre séparées par une cloison de roseaux. Sa forme rectangulaire se termine sur l'arrière en arrondi pour permettre au vent de glisser. L'ouverture est située sur la façade opposée. Murs bas et toit de roseaux, elle est sobre jusque dans ses matériaux.

Borie dans la région de Gordes

Les bories

Un savant empilement de pierres sèches, qui tiennent entre elles sans aucun ciment, forme ces petits abris coniques fort singuliers. Très répandues en Provence (on en compte plus de 5 000, dont 1 610 dans le Vaucluse), on les trouve essentiellement dans la région de Forcalquier et de la montagne de Lure, où la pierre ne manque pas. Les plus jolies se situent autour de Gordes (p. 165). Elles faisaient surtout office d'abri temporaire : jas (bergerie), cabanons ou huttes. Aujourd'hui, elles peuvent être luxueusement aménagées.

Les villages perchés

A ccrochés à un piton ou enroulés autour d'une colline, les villages perchés puisent leurs racines dans l'histoire ancienne. Souvent fortifiés et couronnés d'un château ou d'une église, se tenant comme en équilibre sur le roc, ils sont difficilement accessibles mais de leur point le plus haut, on ne se lasse pas de découvrir la mosaïque des toits imbriqués les uns dans les autres, le lacis des ruelles caladées et les vues grandioses sur la plaine.

Les Baux-de-Provence, dans les Bouches-du-Rhône

Citadelles du vertige

Ces vestiges du Moyen Âge témoignent encore des préoccupations de leurs premiers habitants. Il fallait impérativement se protéger de l'air malsain des plaines envahies par l'eau à la première crue et se mettre à l'abri des guerres incessantes : du haut d'un rocher, on voit venir l'ennemi et on peut mieux s'en protéger…
Si aujourd'hui on se plaît à contempler la vue du haut de ces villages perchés, leurs fondateurs ont choisi ces sommets pour survivre, ce qui n'allait pas sans inconvénients (pour acheminer l'eau, par exemple).

Villages retrouvés

À partir du XVIe s., les villageois quittent ces habitations austères et isolées pour redescendre dans les plaines mieux desservies par les voies de communication et plus favorables à l'exploitation agricole. Au fil des ans, certains villages ont été ainsi complètement désertés, d'autres ont tenté de survivre. Aujourd'hui restaurés, nombre d'entre eux ont retrouvé une seconde jeunesse grâce aux visiteurs enthousiastes.

Moustiers-Sainte-Marie

Dans les Alpes-de-Haute-Provence

Le paysage du département est émaillé de plus de 100 villages perchés. Les plus connus sont Moustiers-Sainte-Marie (p. 198), Entrevaux (p. 298), Thoard, Saint-Vincent-les-Forts, Simiane-la-Rotonde, Banon (p. 195), Dauphin, Montfort ou Lurs (p. 195). D'autres, moins célèbres, séduiront ceux qui aiment sortir des sentiers battus : Villevieille, Rougon, Montfuron, Montjustin, Vachères, Montsallier, Oppedette ou encore Le Rocher-d'Ongles.

Une ruelle du village du Peillon

Dans les Alpes-Maritimes

Ici aussi, les hommes ont façonné un paysage où les villages épousent les reliefs naturels. On citera Touët-sur-Var (entre les gorges de la Mescla et celles du Cians), Saorge (étagé en amphithéâtre à plus de 100 m au-dessus de la vallée de la Roya, p. 296), Gourdon (le balcon de la Côte d'Azur à 760 m au-dessus de la vallée du Loup, p. 264), Tourrettes-sur-Loup (p. 264) ou encore Bonson, Auribeau-sur-Siagne (p. 246), Peillon (p. 278), Sainte-Agnès, Coaraze (p. 279) et Lucéram (p. 279) dans l'arrière-pays niçois.

Dans les Bouches-du-Rhône

Il y a peu de villages perchés dans ce département car le relief ne s'y prête guère. Les plus beaux se trouvent dans les Alpilles : Eygalières qui domine la plaine de Saint-Rémy ou les Baux-de-Provence (p. 170), en équilibre sur le rebord de son piton rocheux.

> ### TOPOGRAPHIE DES VILLAGES
> **Les particularités de chaque site ont été exploitées lors de la construction. Le village peut occuper toute la colline et s'enrouler autour du château comme un escargot, se cacher sur un plateau protégé par une barre rocheuse ou encore s'accrocher à mi-pente. L'espace bâti y est toujours très dense (pour créer un maximum d'ombre fraîche) et les habitations sont toutes en pierre de taille du pays.**

Dans le Var

Le plus haut village du département est Bargème, perché à 1 097 m d'altitude. Non loin, Mons (p. 239) et Seillans (p. 239) ont eux aussi la folie des hauteurs. Plus au centre, Cotignac (p. 207) et Barjols (p. 208) sont accrochés à flanc de montagne. Au-dessus de Bandol, La Cadière-d'Azur (p. 146) fait face au Castellet (p. 147), Le Beausset (p. 147) et Évenos surplombent les gorges d'Ollioules. Dans le massif des Maures, Grimaud (p. 230) et La Garde-Freinet (p. 233) narguent le ciel tandis que, plus près de la côte, Gassin (p. 227) et Ramatuelle flirtent avec le vide.

Dans le Vaucluse

On pourra découvrir avec ravissement les villages édifiés autour du Ventoux (Bédoin, Crillon-le-Brave, Le Barroux, Brantes ou Aurel), ceux du plateau du Vaucluse comme Venasque (p. 169), Murs, Caseneuve et Viens ou encore ceux du Luberon : Gordes (p. 187), Roussillon (p. 163), Goult (p. 163), Ménerbes, Oppède-le-Vieux, Lacoste, Bonnieux, Buoux, Saignon ou Ansouis (p. 158 à 161).

La structure en escargot de Ramatuelle, sur la presqu'île de Saint-Tropez

Sites préhistoriques, vestiges romains et art roman

Grottes peintes, arènes romaines, abbayes romanes aux cloîtres de silence, prieuré perdu dans les lavandes : autant de haltes et de moments précieux.

Sites préhistoriques

(1) **Draguignan :** gorges de la Nartuby. **p. 205.**

(2) **Beausoleil :** le Mont des Mules. **p. 287.**

(3) **Saint-Vallier-de-Thiey :** domaine des Audides. **p. 202.**

(4) **Quinson :** Musée préhistorique des gorges du Verdon et grotte de la Baume Bonne. **p. 201.**

(5) **Vallée de la Roya :** vallée des Merveilles (gravures rupestres). **p. 295.**

(6) **Digne, Sisteron, Castellane :** réserve géologique de Haute-Provence. **p. 303.**

(10) **La Turbie :** trophée d'Auguste. **p. 276.**

(11) **Fréjus :** baptistère (Ve s.) et porte des Gaules. **p. 234.**

(12) **Bonnieux :** pont (IIIe s.). **p. 160.**

Vestiges romains

(7) **Arles :** arènes et nécropole des Alyscamps. **p. 124.**

(8) **Carpentras :** arc de triomphe (Ier s.). **p. 184.**

(9) **Arles :** musée de l'Arles antique. **p. 125.**

(13) **Orange :** théâtre et arc de triomphe. **p. 180.**

(14) **Saint-Rémy-de-Provence :** site de Glanum. **p. 173.**

(15) **Vaison-la-Romaine :** théâtre antique. **p. 182.**

0 10 20 30 40 50 km

Gap

Ubaye

Durance

A51

Barcelonnette

6 32 Sisteron

6 Digne-les-Bains

Verdon

A51

N85

N202

Massif du Mercantour

Cime du Gélas 3 143 m

Roya

5

ITALIE

Var

35

28

Lac de Sainte-Croix

6 Castellane

N85

Verdon

4

26

3

Grasse

A8

10 2 Menton

Monaco

19 Nice

Draguignan

29

1

Cannes

Antibes

33

A8

25

Massif de l'Estérel

Brignoles

11

Fréjus

A57

Massif des Maures

23 • Saint-Tropez

Toulon

N98

24 Hyères

Île du Levant

Île de Porquerolles

Île de Port-Cros

Art roman

20 Arles : église Saint-Trophime (XIIe s.). p. 124.

21 Cavaillon : cathédrale Saint-Véran (XIIIe s.). p. 166.

22 Ganagobie : prieuré (Xe s.). p. 195.

23 Grimaud : église (XIe s.). p. 230.

24 Hyères : collégiale (XIIe s.). p. 218.

25 Iles de Lérins : le monastère forteresse (XIe s.). p. 243.

16 Marseille : Jardin des Vestiges. p. 140.

17 Carpentras : arc de triomphe. p. 184.

18 Cavaillon : site fortifié sur la colline Saint-Jacques. p. 166.

19 Nice : les arènes et thermes de Cimiez. p. 272.

26 Mons : église (XIe s.). p. 239.

27 Montmajour : abbaye (Xe s.). p. 168.

28 Moustiers-Sainte-Marie : église (XIIe s.). p. 198.

29 Salernes : église (XIIIe s.). p. 207.

30 Senanque : abbaye (XIIe s.). p. 165.

31 Silvacane : abbaye (XIIe s.). p. 157.

32 Sisteron : cathédrale. p. 192.

33 Le Thoronet : abbaye. p. 209.

34 Vaison-la-Romaine : cathédrale Notre-Dame-de-Nazareth (XIIe s.). p. 182.

35 Senez : cathédrale (XIIe s.). p. 202.

Au temps des cavernes

Dans ses montagnes, la Provence possède un incroyable patrimoine préhistorique, dont un joyau en plein air : la vallée des Merveilles. À plus de 2 000 mètres d'altitude, les hommes de l'âge du bronze ont laissé, il y a trente-sept siècles, un témoignage extraordinaire de leur présence avec des dizaines de milliers de gravures rupestres. Aujourd'hui, elles commencent à peine à livrer leur très mystérieux message…

Les signes du diable

Jusqu'à leur identification, ces milliers de dessins éparpillés sur les parois rocheuses ont été attribués au diable. Au Moyen Âge, l'Église a même tenté de les faire disparaître et a envoyé une délégation de moines pour purifier l'infernal périmètre… Interdit et maudit jusqu'au XIXᵉ s., ce site – disait-on – abritait Satan en personne, qui transformait les promeneurs imprudents en mélèzes au cours de violents orages !

Premières hypothèses

Ce n'est qu'au début du XIXᵉ s. que les premières explications rationnelles ont été formulées. En 1821, un historien a d'abord assuré que les gravures étaient dues au passage des troupes carthaginoises d'Hannibal en 237 av. J.-C. Puis, un deuxième a parlé de « motifs phéniciens » réalisés quatre siècles plus tôt. Un troisième historien a prétendu qu'il s'agissait de simple stries calcaires… Il fallut attendre 1882 pour que l'homme de l'âge du bronze (véritable auteur de ces merveilles) soit enfin évoqué.

Recensement

Pour comprendre et étudier les gravures parfois enchevêtrées les unes sur les autres de la vallée des Merveilles (p. 295), il fallait les isoler, les recenser et les classer. Clarence Bicknell, botaniste anglais, a été le premier à se lancer dans cette vaste entreprise. Dès 1878, puis au cours de douze étés laborieux, il en comptabilisa 14 000, qu'il mit parfois au jour en ôtant une couche de 30 à 50 cm de terre. Puis un Italien, Carlo Conti, en découvrit 36 000 entre 1927 et 1939. Aujourd'hui, le profes-

en pierre ou en métal. Ils ont utilisé deux techniques : la percussion directe avec une pierre, ou la percussion indirecte, qui permettait d'obtenir un trait plus précis, notamment dans le détail des cornes, toujours très soignées, des animaux.

seur de Lumley, de l'université de Marseille, a dépassé le chiffre de 100 000 ! Un total qui demeure provisoire…

Avant la vallée des Merveilles

La présence de l'homme en Provence est visible bien avant l'âge du bronze. Les archéologues ont retrouvé sa trace dès le paléolithique ancien (il y a 400 000 ans) sur le site de Terra Amata, à Nice (p. 268 à 273). De nombreuses grottes témoignent de son existence, notamment à Saint-Cézaire-sur-Siagne (p. 245) et à la grotte de la Baume Bonne à Quinson (p. 201), et de sa créativité artistique. Dernière découverte, les splendides peintures murales de la grotte de Cosquer, à Sormiou au large de Cassis, qui ne seront visibles que sur CD-Rom afin d'en conserver toute la beauté… Récemment ouvert à Quinson, le musée préhistorique des gorges du Verdon est aujourd'hui l'un des plus grands musées européens consacrés à cette période de notre histoire (p. 198). Aux Baux (p. 170), des stages d'archéologie sont proposés aux enfants.

Les dessins

Les animaux à cornes sont de loin les plus représentés (60 %) sous une forme très schématisée. Puis on reconnaît des armes et

des outils (poignards, faucilles, attelages…), de simples figures géométriques et quelques figures humaines, baptisées par les découvreurs la « Danseuse », le « Christ » ou le « Sorcier ». On pense aujourd'hui que ce site a été habité et décoré entre 1700 et 1000 av. J.-C.

La technique de la gravure

Toutes les gravures rupestres (ou pétroglyphes) ont été « piquetées ». C'est-à-dire que leurs auteurs ont marqué la roche à l'aide d'un instrument plus ou moins pointu,

Pourquoi ?

Voilà une énigme qui est loin d'être résolue… Il s'agissait peut-être d'un site de chasseurs-guerriers car les armes sont très présentes. On suppose encore que les animaux à cornes représentés dans les gravures désignent le bétail que les hommes préhistoriques plaçaient sous la protection d'une divinité ayant les traits d'un taureau. Le mont Bégo aurait donc été choisi pour sa ressemblance avec la divinité (son sommet effilé symboliserait la pointe d'une corne). Pour étayer cette hypothèse, la rivière qui coule sur ses flancs était autrefois appelée « rivière des Bœufs ».

La Provence d'Astérix

Les thermes romains de Nice

Les Arènes d'Arles

Venus à la rescousse de Marseille en 125 av. J.-C., les Romains ont pris goût à la Gaule et s'y sont établis. Soucieux de contrôler le passage entre l'Espagne et l'Italie, ils créent la Provincia et entreprennent une importante romanisation de la région. Des vétérans viennent alors y vivre et apportent avec eux tout le génie artistique et social de l'empire. Les traces de ces influences fondamentales pour le développement de la région sont encore visibles dans de nombreux sites.

Le pont romain de Vaison-la-Romaine, franchissant la rivière de l'Ouvèze

Au temps de la Pax romana

Les territoires conquis par les Romains étaient certes soumis à leur autorité mais ces fins stratèges avaient compris qu'il était important pour les populations autochtones de conserver leurs rites et leurs coutumes. Les Romains imposaient donc une organisation sociale hiérarchisée tout en tolérant d'anciennes mœurs. Leur grande pratique des techniques de l'urbanisme leur permit ainsi de fonder quelques cités comme Orange, organisée autour des axes nord-sud, le *cardo*, et est-ouest, le *decumanus*, (p. 180), d'assainir les villes, de multiplier les réseaux de communication en créant des voies (Via Agrippa, Via Domitia, Via Julia Augusta, Via Aurelia) et d'aménager des ports le long du Rhône et de la Durance.

Les *villae*

À l'origine, les Gaulois étaient un peuple d'agriculteurs et

Le trophée d'Auguste, à La Turbie

les inventions romaines leur furent très utiles pour développer leur production et rendre la région prospère grâce au commerce. S'ils commencèrent par résister, les Gaulois adoptèrent rapidement un mode de vie romanisé, surtout dans leurs habitations rurales : les *villae*. Il s'agit d'un vaste ensemble de bâtiments divisé entre la maison du maître (*pars urbana*) et les communs (*pars agraria*) qui ressemblait aux bastides provençales. Les *villae* de Provence étaient parmi les plus fantaisistes et les plus richement décorées (mosaïques, fresques, statues, marbre…).

Spectacles et loisirs romains

Les Romains étaient de valeureux soldats et des citoyens raffinés. Les jeux et les spectacles occupaient une

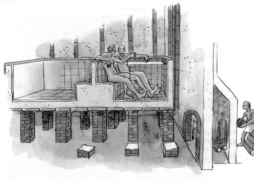

Traditionnellement, les thermes romains sont divisés en trois zones distinctes : le bain chaud (caldarium), le bain tiède (tepidarium) et le bain froid (frigidarium). Le caldarium était chauffé par hypocauste, c'est-à-dire par un savant système où l'air chaud, alimenté par un feu, circulait dans le sous-sol par des galeries en briques réfractaires.

ÉDIFICES PUBLICS

Ce sont les édifices publics qui témoignent le mieux de nos jours de la très importante romanisation de la région : acqueducs et thermes (Vaison-la-Romaine, p. 182), théâtres (Orange, Arles), arcs de triomphe (Orange p. 180, site de Glanum à Saint-Rémy p. 172, Cavaillon p. 166 et Carpentras p. 184) et trophées tel celui d'Auguste à La Turbie (p. 277).

Saint-Rémy-de-Provence : le Glanum

grande place dans leur vie quotidienne car ils croyaient s'attirer la bienveillance des dieux en les distrayant. Dans les cirques, on pouvait voir des courses de chevaux montés ou attelés ; les représentations de drames ou de comédies, accompagnées de chants et de mimes, étaient données dans les théâtres ; enfin, dans les amphithéâtres, les sacrifices humains furent rapidement remplacés par les combats de gladiateurs. Ce sont les Romains qui créèrent les espaces de loisirs et, dans toutes les villes colonisées, on trouvait des jardins et des plans d'eau, des portiques (nos galeries actuelles), et des thermes permettant de se détendre et de pratiquer des exercices physiques.

La prépondérance arlésienne

Si Avignon ou Apt ont subi l'influence romaine, c'est Arles (p. 124) qui intégra le mieux ces conquérants. Surnommée la « petite Rome des Gaules » par le poète Ausone, la cité abonde en vestiges splendides : thermes de Constantin, théâtre, arènes, nécropole des Alyscamps… Elle fut la capitale régionale du IVᵉ au Vᵉ s. Les empereurs aimaient y résider et y firent battre monnaie. Non loin, Aix-en-Provence (Aquae Sextiae), première ville fondée par les Romains en 122 av. J.-C., deviendra plus tard le grand centre administratif de la Provincia.

Aix-en-Provence : l'oppidum d'Entremont

Dans le silence des monastères

L es paysages de Provence invitent au calme et à la méditation… Certes, il y a les vestiges du passé et les chefs-d'œuvre de l'art roman, mais les grands ordres sont encore actifs. Plusieurs communautés font vivre ces lieux chargés d'histoire et proposent une petite production artisanale. Tournés vers Dieu mais ouverts sur le monde, moines et moniales accueillent souvent des retraitants…

L'abbaye de Sénanque

Les bénédictins

Benoît de Nursie (env. 480-547) fonda son ordre en Italie, à Subiaco. Ouvert sur le monde, l'ordre connaît son apogée avec la fondation de Cluny en 910. L'habit sombre de ses membres leur a donné le surnom de « moines noirs ». Au nord de Manosque, l'abbaye de Ganagobie domine la magnifique vallée de la Durance (p. 195) et possède une très belle église romane ornée de mosaïque du XIIᵉ s. Les retraitants y sont accueillis pour une semaine.

Bethléem

Cet ordre récent (1951) s'inspire de la stricte règle des chartreux, fondé par saint Bruno en 1084. Il tend à une vie érémitique vouée à l'étude et à la contemplation. Cette communauté a redonné un souffle spirituel à deux hauts lieux religieux : Le Thoronet (p. 209), cistercien, lumineux et silencieux qui propose quelques ermitages isolés aux retraitants, et la chartreuse de la Verne (p. 232), véritable bijou posé dans la nature, mais qui n'accueille pas de retraitants.

Les cisterciens

Ces moines observent très strictement la règle de saint Benoît de Nursie et sont soumis à un ascétisme rigoureux. C'est Robert de Molesme qui fonda cet ordre en 1098. Cîteaux et Clairvaux furent de grands centres cisterciens et ces esprits éclairés édifièrent les plus beaux monuments romans. Leur vêtement écru différencie ces moines des bénédictins. En 429, le monastère de Lérins (p. 242), fondé vers 410 par Honoratus, était l'un des plus célèbres d'Occident. Il devint cistercien au XIIᵉ s. Après les troubles révolutionnaires, il est de nouveau actif depuis 1869 grâce aux moines de Sénanque. L'abbaye de Sénanque (p. 165), merveille de l'art roman, fut fondée en 1148. Expulsés, puis repliés à Lérins, les moines l'ont de nouveau investie depuis 1988.

Saint-Rémy-de-Provence : cloître du monastère de Saint-Paul-de-Mausole

Voûte en berceau

Voûte en croisée d'ogives

Les franciscains

En réaction aux magnificences ecclésiastiques, saint François d'Assise créa cet ordre mendiant en 1209. Vêtus d'une robe de bure serrée par une simple corde, les moines se vouent au plus grand dénuement. C'est le splendide monastère de Cimiez (p. 272) qui les représente en Provence.

Les prémontrés

Obéissant à la règle de saint Augustin, l'ordre fut fondé par un religieux allemand, Norbert, en 1120 à Prémontré. Les chanoines prononcent des vœux mais la clôture est moins stricte que dans d'autres ordres. En 1858, le père Edmond Boulbon choisit Saint-Michel-de-Frigolet (p. 175), fondée en 1133 par une communauté de chanoines, pour y restaurer cet ordre disparu depuis la Révolution. Les retraitants sont accueillis pour des durées variables.

Portail roman

L'ART ROMAN EN PROVENCE

Entre le XIe et le XIIIe s., les édifices de pierre inspirés de l'architecture romaine antique succèdent aux fragiles chapelles de bois. Les trois sœurs provençales (Le Thoronet, Sénanque, Silvacane) sont la plus belle image de cet art inspiré de l'idéal monastique : paix, retrait, silence, simplicité des formes et pureté des lignes. Complétant Le Thoronet et Sénanque, Silvacane (p. 157) préfigure déjà le gothique dans sa splendide salle capitulaire.

À Arles, Saint-Trophime (p. 124) est typique du roman provençal : portail superbement orné et dépouillement intérieur. On peut encore voir un authentique cloître roman à Montmajour (p. 168). Enfin, Saint-Gilles-du-Gard (à 16 km O. d'Arles) mérite un saut de puce vers le Languedoc-Roussillon car on peut y voir les plus belles sculptures romanes de la région.

Digne : cathédrale Notre-Dame du Bourg

Chevet roman

Jardins et parfums

Ses jardins regorgent de lauriers roses, de cyprès sombres,
d'agaves étoilées, de rosiers envoûtants, de jasmins et de lavandes.
Pas étonnant que la Provence soit devenue la patrie des parfumeurs.

Jardins

1. **Bouc Bel-Air** :
   jardins Albertas.
   p. 153.
2. **Cap d'Antibes** : jardins
   Eilenroc et Thuret.
   p. 254.
3. **Dignes-les-Bains** : jardin
   botanique des Cordeliers.
   p. 302.
4. **Avignon** : parc
   du Rocher des Doms.
   p. 178.
5. **Sanary** : jardin exotique.
   p. 210.
6. **Biot** : bonzaïs.
   p. 262.
7. **Le Rayol-Canadel** :
   domaine de Rayol.
   p. 225.
8. **Graveson** :
   jardins extraordinaires.
   p. 175.
9. **Èze** : jardin exotique.
   p. 277.
10. **Gémenos** :
    parc de Saint-Pons.
    p. 145.
11. **Gourdon** :
    jardin du château.
    p. 266.
12. **Saignon** :
    potager d'un curieux.
    p. 163.
13. **La Gaude** : jardin de buis.
    p. 153.
14. **Menton** : la ville-jardin.
    p. 289.
15. **Monaco** : jardin exotique.
    p. 282.
16. **Monte-Carlo** :
    jardin japonais.
    p. 285.
17. **La Roquebrussanne** :
    jardin d'Elie.
    p. 215.
18. **Nice** : parc exotique
    Phœnix.
    p. 271.
19. **Oppède-le-Vieux** : terrasses
    perchées de Sainte-Cécile.
    p. 160.
20. **Le Muy** :
    jardin de César et Léonie.
    p. 235.
21. **Mane** : jardin
    ethnobotanique au
    prieuré de Salagon.
    p. 194.
22. **Saint-Jean-Cap-Ferrat** :
    villa Ephrussi de Rotschild.
    p. 274.

23. **Saint-Zacharie** :
    parc du Moulin-Blanc.
    p. 214.
24. **Vence** : jardin de
    Notre-Dame-des-Fleurs.
    p. 260.
25. **Pont-de-Siagne** :
    bambous du Mandarin.
    p. 246.

Parfums

26. **Goult** : chemin de la
    Roche-Redonne.
    p. 163.
27. **Bormes-les-Mimosas** :
    pépinière de mimosas.
    p. 224.
28. **Giens** :
    pépinières Decugis.
    p. 217.

0   10   25 km

Orange

Mont
Ventoux ▲
1 909 m

Carpentras

Forcalquier

Rhône

Avignon

Apt

Massif
du Luberon

Manosque

Alpilles

Durance

N7

A54

A51

Arles

Aix-en-Provence

A8

Rhône

Étang
de Berre

Camargue

A55

A7

A52

L'Estaque

A50

Marseille

Calanques

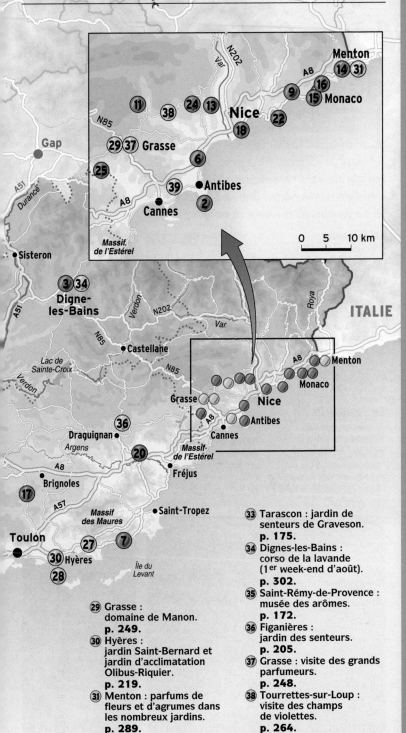

29 Grasse :
domaine de Manon.
p. 249.
30 Hyères :
jardin Saint-Bernard et
jardin d'acclimatation
Olibus-Riquier.
p. 219.
31 Menton : parfums de
fleurs et d'agrumes dans
les nombreux jardins.
p. 289.
32 Sault :
jardin des lavandes.
p. 190.

33 Tarascon : jardin de
senteurs de Graveson.
p. 175.
34 Dignes-les-Bains :
corso de la lavande
(1er week-end d'août).
p. 302.
35 Saint-Rémy-de-Provence :
musée des arômes.
p. 172.
36 Figanières :
jardin des senteurs.
p. 205.
37 Grasse : visite des grands
parfumeurs.
p. 248.
38 Tourrettes-sur-Loup :
visite des champs
de violettes.
p. 264.
39 Vallauris : fleurs
d'orangers.
p. 251.

Un paradis de fleurs

L avande, mimosa, œillet, tulipe, rose, violette et fleur d'oranger recouvrent la Provence d'un charmant tapis parfumé. À lui seul, le Var produit un tiers des fleurs de France ! Essences classiques ou variétés nouvelles : les horticulteurs travaillent sur place depuis deux siècles et axent aujourd'hui leurs recherches sur la « tenue en vase ».

La lavande

C'est sans nul doute la reine des fleurs de Provence. Elle embaume le pays et, en plein été, quand elle est la plus odorante, on assiste aux défilés traditionnels des corsos fleuris qui célèbrent sa récolte à Valréas, Sault (p. 190). Son hybride, le lavandin, est très prisé des abeilles qui en font un miel exquis (p. 31 et 191).

Le mimosa

Cet arbuste originaire d'Australie fut planté la première fois en 1880 en Provence. Cette année-là, un jardinier cannois avait offert à un horticulteur local l'un des premiers pieds de mimosa rapportés d'Australie par son maître. L'horticulteur jeta négligemment le rameau sur un tas de fumier… Et le lendemain matin, il découvrit avec stupeur que les fleurs s'étaient magnifiquement épanouies ! .

Il en profita aussitôt pour mettre au point la technique du forçage qui consiste à faire séjourner des rameaux non fleuris dans un local chaud et humide (la forcerie) qui accélère leur floraison. Cette technique permet encore aujourd'hui de prolonger la durée de commercialisation du mimosa. En février, lorsque ses petites boules jaunes éclosent, on le fête à Bormes-les-Mimosas (p. 224), à Saint-Raphaël, Fréjus, Ollioules, Mandalieu et au Lavandou. Jusqu'en mars, il se marie merveilleusement bien avec les rouges du massif de l'Estérel.

L'œillet et la tulipe

83 % de la production française d'œillets proviennent de la Côte d'Azur. Essentiellement cultivés sur les terrasses qui environnent la ville de Nice, on les trouve également à Cagnes-sur-Mer et à Saint-Laurent-du-Var. Carqueiranne cultive ses tulipes d'octobre à mars, dont une variété géante qui a fait le tour du monde sous le titre de « tulipe de Carqueiranne ». Allez en acheter à petits prix chez ASO fleurs (D 559, près du stade de la ville, ☎ 04 94 58 47 71. Ouv. t. l. j. sf dim., 8 h-17 h 30).

La rose

Elle profite comme aucune autre de l'ensoleillement exceptionnel de la Côte d'Azur. Depuis la guerre, Antibes en est devenue la capitale grâce aux recherches locales de l'INRA et, au travail des créateurs de variétés nouvelles. 63 % des roses françaises sont produites en Provence, et dans la région de Grasse, la rose de mai est utilisée en parfumerie. La Baccara et la Sonia (les roses les plus vendues au monde) proviennent des pépinières Meilland qui produisent un tiers des roses de la planète ! Jetez aussi un œil chez Astoux (p. 253).

La violette

Au nord de Cannes, Tourettes-sur-Loup (p. 264) est le pays des violettes. Premier producteur de France (avant Toulouse), ce village alimente régulièrement les marchés de Paris, Nice et Antibes. Récoltées une à une à la main, les violettes sont toujours en bouquets de 25. On les cultive de mars à octobre sur les terrasses alentour. Les pétales servent à la fabrication de confiseries et les feuilles à celle de parfums.

La fleur d'oranger

De plus en plus rare, elle pousse dans le petit village des Alpes-Maritimes de Bar-sur-Loup. En mai, les fleurs d'oranger sont

cueillies à la main avant d'être distillées. Elles deviennent essence de néroli, pour la parfumerie (on en trouve à Vallauris, p. 251) ou eau de fleur d'oranger, pour la pâtisserie. Plus tard, les oranges amères (encore vertes) sont coupées en novembre et vendues aux parfumeries pour la fabrication d'huile essentielle (le musée des Arômes de Saint-Rémy en détaille toutes les étapes p. 172).

Douce lavande

De la même famille que le thym, le romarin et la sarriette, cette plante millénaire, rude et sauvage, tiendrait son nom du latin *lavare* (« laver »). Utilisée en parfumerie, en pâtisserie, ou pour parfumer la maison, la lavande est l'une des plantes les plus agréables. Son odeur et sa couleur admirables enchantent la Provence, sa terre d'élection.

Plateau de Valensole

Un brin de botanique

Il convient de distinguer trois variétés : la lavande « aspic », dont la production a été abandonnée en raison d'un prix de revient élevé et d'un faible rendement ; la lavande « vraie » ou « fine », de 30 cm de hauteur, qui pousse en altitude et fournit une essence odorante et recherchée. C'est aussi la plus chère ! Enfin, le « lavandin », un hybride de l'aspic et de la lavande vraie, plus grand, cultivé dans les plaines et dont la reproduction se fait par bouturage.

Cueillette et distillation

La lavande fleurit en juillet et est alors coupée mécaniquement. Jadis, une douzaine de coupeurs récoltaient de 500 à 800 kg de fleurs par jour et étaient payés, en 1960, 10 centimes le kg ! Liée en botte, la lavande est portée à la distillerie. Là, sous l'action de la vapeur d'eau, les micro-gouttes d'arôme contenues dans la fleur éclateront. Puis, par réfrigération, l'eau plus lourde se séparera de l'essence. Pour obtenir 1 kg d'essence de lavande, il faut distiller 120 à 130 kg de paille. Le rende-

ment du lavandin est plus élevé puisque 50 à 60 kg suffisent. Actuellement, le cours du kilo d'essence de lavande se situe aux alentours de 53,36 €, celui du lavandin est en moyenne à 9,91 €.

Usages de la lavande

Glissée dans les armoires, elle embaume le linge et chasse les mites. Utilisée en parfumerie, elle entre dans la composition des eaux de toilette, savons ou déodorants. Les artisans de l'Occitane dont la maison mère se trouve à Manosque (p. 196) ont même

élaboré une eau de linge à la lavande qui rend le repassage bien agréable ! On trouve plus rarement du vin de lavande mais le célèbre miel est toujours soigneusement extrait à froid.

Les routes de la lavande

Elles s'éparpillent entre quatre départements dont les Alpes-de-Haute-Provence et le Vaucluse. « Lavandes et beaux villages » regroupe deux itinéraires de 52 km en

voiture et 23 km à vélo qui partent à la découverte du pays de Sault et du Mont Ventoux. « Plateau de blé et lavandin » couvre quant à lui le plateau de Valensole sur 73 km (en voiture) et 33 km (à vélo). Et « Lavande et plantes aromatiques » chemine à travers la Haute-Provence (circuit de 100 km en voiture, 52 km à vélo). Itinéraires disponibles auprès des Routes de la Lavande (☎ 04 75 26 65 91) ou des différents CDT.

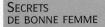

Les tiges de lavande, coupées puis séchées, sont tassées dans une cuve plongée dans un bain-marie chauffé à haute température. Sous l'action de la chaleur, la vapeur traverse les pailles à distiller d'où s'échappe un mélange de vapeur d'eau et d'essence. Ce mélange traverse ensuite un serpentin installé dans une cuve réfrigérante. En se refroidissant, le mélange donne un liquide recueilli dans l'essencier ; après décantation, l'essence, plus légère que l'eau, remonte à la surface.

Senteurs et parfums

Les parfums de Grasse règnent sur le monde entier. Depuis deux siècles, la capitale incontestée des fragrances brasse dans ses trente usines des senteurs de rose, jasmin, violette, lavande, mimosa, oranger… et autres plantes odorantes. Conçues à l'origine pour masquer l'entêtante odeur du cuir, ces « eaux admirables » naissent

sur des couches de graisse ou dans des nuages de vapeur et finissent dans de splendides flacons puis sur le cou des élégantes…

Masquer l'odeur des tanneries

Réputée au Moyen Âge pour ses tanneries de peaux et ses ganteries fines, Grasse a développé l'industrie du parfum afin de neutraliser l'odeur trop forte des pièces de cuir. Sous l'impulsion de Catherine de Médicis, séduite par la vogue des gants parfumés, les gantiers sont alors devenus gantiers-parfumeurs. Puis la mode aidant, ils se sont entièrement consacrés au métier de parfumeur dès la fin du XVIIIe s. pour sublimer nos épidermes.

L'extraction

La technique du solvant est aujourd'hui la plus utilisée pour extraire les essences florales, c'est la plus rapide et la plus performante. Lavées à plusieurs reprises avec du benzène ou de l'héxane, les fleurs livrent leur secret au cours de multiples et complexes opérations qui passent par l'évaporation du solvant, le filtrage, le glaçage, la pression, etc. Au terme du processus, on récupère l'« absolue », concentré de parfum extrêmement pur.

La distillation

Les fleurs, dont les solvants pourraient altérer les parfums, sont traitées à la vapeur d'eau. Placées dans une chaudière avec une à cinq fois leur poids d'eau, la vapeur se charge de leurs essences. Refroidie à la sortie dans des réfrigérateurs, elle se condense alors et délivre un mélange d'eau et d'huile essentielle, aussitôt séparé dans un essencier par différence de densité. Cette huile, moins pure que l'absolue, est appelée « concrète ».

Le mélange d'eau et d'huile est ensuite séparé.

Les fleurs sont placées dans une chaudière. Leurs essences s'évaporent puis se condensent.

Le prix de l'essentiel

Les essences de fleurs sont plus chères que l'or. Pour obtenir 1 kg d'essence de jasmin, une cueilleuse doit d'abord travailler deux mille heures pour récolter 1 million de fleurs à la main. Puis s'ajoutent les coûts d'extraction… et le litre d'absolue atteint rapidement 18 293 à 22 867 €. Mais il permet à lui seul d'obtenir 3 000 l de parfums, ce qui relativise les choses. Toutefois, le nom prestigieux associé au parfum relèvera rapidement les prix.

LES « MUST » DE GRASSE

Les nez prodiges de Grasse sont célèbres pour avoir créé des parfums légendaires. Au début des années 1920, Ernest Baux a élaboré l'indémodable Chanel n° 5. Sa trouvaille : utiliser une dose d'aldéhydes pour exalter la puissance du jasmin de Grasse. Plus tard, Jean Carles a marié la rose bulgare et le même jasmin dans Joy de Jean Patou. Vers le milieu des années 1960, Edmond Roudnitska, nez génial, a composé l'Eau Sauvage et Diorella pour Christian Dior. Ce maître vénéré de la parfumerie a même avoué qu'il portait en lui l'idée d'un parfum au moins deux ans avant de le réaliser…

L'enfleurage à froid

On extrait le parfum des fleurs très fragiles (jasmin, jacinthe) en posant leurs pétales sur une épaisse couche de graisse (porc ou bœuf) qui absorbe lentement leurs essences jusqu'à saturation. La pâte obtenue est ensuite lavée à l'alcool et livre la matière première du parfum. Il faut 700 kg de fleurs (environ 5 millions de pétales) pour obtenir 1 kg d'absolue.

Une question de « nez »

La création d'un parfum est l'œuvre d'un « nez », maître en fragrances, qui règne sur chaque maison de parfumerie. Entouré d'ordinateurs et de formules chimiques, il est capable de reconnaître des milliers d'odeurs différentes. Il mélange les senteurs à longueur d'année et élabore des mixtures subtiles qui tiennent compte de son élan créateur et de la tendance du moment. On naît nez, on ne le devient jamais. Sa production annuelle est de trois à quatre parfums au maximum.

Vacances sportives

Vol en planeur, plongée, tennis, escalade, parachute ascensionnel, planche à voile, golf, ski ou spéléologie : à vous de choisir ! Toutes les adresses utiles sont données pages suivantes. Voir également, pour les randonnées, la carte p. 90-91.

Sports d'eau

1 Vallée de l'Argens : pêche et canoë. **p. 209.**

2 Barcelonnette : baby-raft et rafting. **p. 305.**

3 Daluis : canyoning dans les gorges. **p. 300.**

4 Estérel : baptême de plongée. **p. 237.**

5 Giens : pêche en haute mer. **p. 217.**

6 Vallée du Loup : canyoning dans les cascades. **p. 266.**

7 Gorges du Verdon : pêche et sports nautiques. **p. 299.**

8 Grimaud : planche à voile et pédalo. **p. 231.**

9 L'Isle-sur-la-Sorgue : kayak et canoë sur la Sorgue. **p. 189.**

10 Istres : vélo nautique sur l'étang de l'Olivier. **p. 133.**

11 Saint-André-les-Alpes : randonnées aquatiques. **p. 301.**

12 Marseille : plongée. **p. 84 et 140.**

13 Monaco : plongée au pied du Rocher. **p. 283.**

14 Monte-Carlo : ski nautique et scooter de mer. **p. 285.**

15 Sainte-Croix-du-Verdon : le lac Sainte-Croix. **p. 199.**

16 Port-Cros : plongée sur le sentier sous-marin. **p. 222.**

17 Roquebrune-Cap-Martin : planche à voile et kayak de mer. **p. 287.**

18 Vallée de la Roya : eaux vives. **p. 295.**

19 Saint-Jean-Cap-Ferrat : voile et planche à voile. **p. 274.**

20 Sainte-Maxime : pêche. **p. 229.**

21 Saintes-Maries-de-la-Mer : kayak sur le Petit Rhône. **p. 131.**

22 Le Lavandou : escapade en voilier et plongée. **p. 224.**

23 Le Muy : canoë-kayak sur l'Argens. **p. 234.**

24 Saint-Martin-Vésubie : pêche en vallée du Boréon. **p. 291.**

29 Buoux :
900 voies sur les falaises.
p. 82.

30 Plateau de Caussols :
sites spéléo.
p. 267.

Sports aériens

31 Fayence :
vol à voile et planeur.
p. 238.

32 Gorges du Loup :
parapente à Gréolières.
p. 267.

33 Lac d'Allos : parapente.
p. 301.

---

0 10 20 30 40 50 km

Gap

Barcelonnette **2**

33

37 Sisteron

Digne-les-Bains

Massif du Mercantour ▲ Cime du Gélas 3 143 m

24

18

ITALIE

3

11

Var

Castellane

Lac de Sainte-Croix

32

30 **6**

38

17 **35**

19 **13** **34**

14 **40** Monaco

15 **7**

Grasse

Nice

31

Draguignan

Massif de l'Estérel

Antibes

Cannes

25

1 *Argens*

23

Fréjus **41** **4**

Brignoles

34 Monte-Carlo :
parachutisme ascentionnel.
p. 287.

35 Roquebrune-Cap-Martin :
vol libre.
p. 289.

20

8 Saint-Tropez

Massif des Maures

36 Saint-Rémy-de-Provence :
baptême de planeur.
p. 138.

Toulon

Hyères **22**

37 Sisteron : parapente et
baptême en biplace.
p. 186.

5

16 *Île de Port-Cros*

Île du Levant

Île de Porquerolles

Sports de montagne

25 Barjols :
escalade au vallon Sourn.
p. 208.

26 Cassis : escalade
dans les Calanques.
p. 82.

27 Cavaillon : escalade de
la colline Saint-Jacques.
p. 166.

28 Gigondas : escalade sur
la falaise de Montmirail.
p. 183.

Sports de ville

38 Gorges-du-Loup :
karting à Bar-sur-Loup.
p. 266.

39 Marseille :
football avec l'OM.
p. 143.

40 Monte-Carlo : tennis.
p. 287.

41 Saint-Raphaël et Estérel :
4 golfs.
p. 235.

Le sport sous toutes ses formes

(Vous pouvez également consulter l'index à la rubrique « sports ».)

facile qu'en escalade ou alpinisme, il est tout de même prudent de s'adjoindre un moniteur professionnel. Parmi les nombreuses *via ferrata* : Eden parc à Méounes (p. 215), les trois circuits des Comtes Lescaris : Peille, la Brigue et Tende (p. 294), les Demoiselles du Castagnet à Puget-Théniers (☎ 04 93 05 05 05).

Ski alpin
Voir p. 88-89.

Spéléologie
Le nombre de montagnes calcaires et de cavités souterraines, impressionnant dans le sud de la France, favorise particulièrement la spéléo : plateaux de Caussols et de Saint-Cézaire (guide Randoxygène du conseil général des Alpes-Maritimes dispo. dans les OT) et plateau d'Albion (☎ 04 90 75 08 33), Val et Néoules dans le Var (rens. au CDT du Var, cf. carnet d'adresses) sont parmi les sites les plus importants.

Les sports de montagne

Escalade
La région possède de nombreux sites naturels, principalement sur de la roche calcaire. Plusieurs d'entre eux sont à signaler : dans le Vaucluse, les falaises de Buoux en Luberon rivalisent de trous, bossettes et à plats de niveaux différents répartis sur 30 secteurs et 900 voies (rens. à la FF de montagne à Avignon, ☎ 04 90 82 34 82).
Dans le Var, les rochers de

Roquebrune-sur-Argens (derrière Saint-Raphaël) et d'Aiguine (Gorges du Verdon) font partie des 20 sites équipés du département (rens. ☎ 04 94 46 27 61). Dans les Alpes-de-Haute-Provence, à noter les falaises du Verdon (plus de 900 voies), Sisteron, Château-Arnoux (rens. ☎ 04 92 72 39 40). Les Alpes-Maritimes ont de beaux sites dans le parc du Mercantour et les vallées Roya-Bévéra et Vésubie (rens. ☎ 04 93 96 17 43). Massif de la Sainte-Baume, Sainte-Victoire (une paroi de 250 m de haut), Alpilles et calanques regroupent les principales voies des Bouches-du-Rhône (Club alpin français, ☎ 04 91 76 19 35).

Via ferrata
Falaises et roches se sont équipées de voies d'escalade « clé en main » avec échelons scellés, rampes, passerelles et câbles. Si l'ascension est plus

Les sports d'eau

Eaux vives

La vivacité des rivières et des torrents donne immanquablement envie de s'y jeter, en raft, en canoë ou en canyoning. Kayak de mer et canoë dans le Var (Provence Canoë Loisirs, ☎ 04 94 29 52 48, Internet : www.provencecanoeloisirs.fr), canoë dans les gorges de Toulourenc, à Malaucène et de Fontaine-de-Vaucluse à l'Isle-

Pêche

Vous n'aurez que l'embarras du choix pour lancer votre ligne : lacs de retenue, lacs de montagne, rivières de 1re et 2e catégorie sont en très grand nombre. Vous pêcherez surtout des truites, des brochets et ombles chevaliers. Pour avoir la liste des cours d'eaux et de leur réglementation très stricte n'hésitez pas à vous renseigner dans les fédérations. Une mention spéciale pour les lacs d'altitude de Sainte-Croix (p. 199), de Serre-Ponçon, et le cours d'eau de la Sorgue (p. 188) dont la qualité de l'eau et de la faune est exceptionnelle.

sur-la-Sorgue (rens. ☎ 04 90 27 90 63), raft dans le Verdon et le Var (rens. ☎ 04 66 89 47 71), canyoning dans une trentaine de sites des Alpes-Maritimes, spécialistes de cette discipline décoiffante ! (guide Randoxygène « Clues et Canyons » dispo. dans les OT). Le département excelle également en raft et canoë dans les vallées de Vésubie, Roya-Bévéra, Var et haut Var (rens. ☎ 04 93 89 54 40).

Fédérations départementales pour la pêche

• **Alpes-de-Haute-Provence :**
☎ 04 92 32 25 40
• **Alpes-Maritimes :**
☎ 04 93 72 06 04
• **Var :**
☎ 04 94 69 05 56 et chez Verdon Pêche, spécialiste de la pêche à la mouche
(☎ 04 94 68 83 57).

• **Vaucluse :**
☎ 04 90 86 62 68
• **Bouches-du-Rhône :**
☎ 04 42 26 59 15

Plongée

Il existe plus d'une quarantaine de spots de plongée sur la côte où vous pourrez particulièrement admirer le corail rouge si spécifique à la Méditerranée. Vous apercevrez également facilement des dauphins.

Voile et planche à voile

Une mer d'azur, un soleil de plomb, une légère brise... les conditions idéales pour pratiquer la voile !
• Alpes-de-Haute-Provence : lacs et plans d'eau offrent de nombreux espaces, du lac de Sainte-Croix aux bases nautiques d'Allos, Sisteron, Digne, etc.
• Alpes-Maritimes : Ligue Côte d'Azur voile (☎ 04 93 74 77 05)
• Bouches-du-Rhône : la voile est le moyen de locomotion idéal pour admirer les calanques. Martigues est la première station-voile du département (☎ 04 42 80 12 48). Contactez également la Ligue Alpes Provence de voile (☎ 04 91 11 61 78)

• Var : 4 stations-voile et Fréjus (en cours de classement station-voile) sont particulièrement recommandées si l'on veut bien prendre le vent : elles centralisent toute l'offre nautique et permettent en un coup de fil d'obtenir une synthèse de ce qui est proposé :
• Bandol : ☎ 04 94 29 37 21
• Six-Fours-les-Plages, les Embiez :
☎ 04 94 07 02 21
Internet : www.six-fours-les-plages.com
• Hyères : ☎ 04 94 01 48 93 et 06 74 09 89 96
Internet : www.provence-azur.com
• Saint-Raphaël : (5 ports) ☎ 04 94 95 77 64
Internet : www.saintraphael-mer.com
• Fréjus : ☎ 04 94 51 83 83
Internet : www.ville-frejus.fr
Vaucluse : se renseigner auprès du Comité départemental de voile et planche à voile : ☎ 04 90 40 83 04
Internet : www.perso.wanadoo.fr/cdv84

• **Fédération française d'études et de sports sous-marins**
24, quai de Rive-Neuve, 13284 Marseille Cedex 7
☎ 04 91 33 99 31

Ski nautique

Il existe une trentaine de clubs pour l'ensemble de la région. La plupart sont en bord de mer mais il est également possible de s'adonner aux joies de ce sport sur certains lacs.

• **Ligue Méditerranée-Côte d'Azur**
22, rue du 11-Novembre, 06400 Cannes
☎ 04 93 38 64 85
• **Ligue Alpes-Provence**
38, route des Trois-Frères, 13220 La Mede
☎ 04 42 40 33 02

Les sports d'air

Parachutisme

Si vous voulez connaître le grand frisson, tentez le grand saut ! Pour un saut d'initiation accompagné d'un moniteur, il faut compter de 153 à 305 € env. ; Pour un stage individuel, de 200 à 460 €.

• Ligue de Provence de parachutisme
84, chemin de Morgiou,
13009 Marseille
☎ 04 91 40 04 14

Parapente, deltaplane, vol libre

Très « tendance », ces sports sont de plus en plus pratiqués. Comptez de 53,36 à 76,22 € env. le vol découverte en biplace, de 304,90 à 533,57 €env. le stage de six jours. Quarante sites vous attendent dans les Alpes d'Azur.

En Haute-Provence, l'aérologie est également propice aux sports aériens. Planeur et vol à voile bénéficient de bons courants dans les Alpilles. En Vaucluse, Rustrel pour le parapente et Carpentras pour le vol à voile sont conseillés. Enfin, Fayence, Signes et Vinon-sur-Verdon sont les sites propices du Var.

• Fédération française de vol libre
4, rue de Suisse,
06000 Nice
☎ 04 97 03 82 82
Internet : www.vl.fr

Les sports de ville

Golf

Climat, végétation et panoramas sur la mer ou la montagne offrent à l'activité golf de magnifiques domaines. Une quarantaine de golfs se répartissent en Provence-Côte d'Azur. Les plus importants sont dans le Var et les Alpes-Maritimes. Vous aimez prendre de l'altitude pour swinguer ? Isola 2000 possède le golf le plus haut d'Europe, à 2 000 m entre torrents et mélèzes (☎ 04 93 23 90 10). Vous aimez avoir de la place ? Choisissez le golf Grand Avignon à Védène (☎ 04 90 31 49 94) : il dispose de 60 hectares, 5 lacs et un practice sur l'eau. Ou celui de Sainte-Maxime, même surface et très technique (☎ 04 94 55 02 02). Du très chic ? Sans contestation les golfs de Mougins (p. 244) et celui de Roquebrune (☎ 04 94 19 60 35). Rens. auprès de la Ligue de golf Provence-Alpes-Côte-d'Azur, ☎ 04 42 39 86 83.

RANDONNÉES
Pour les randonnées, reportez-vous à l'index aux rubriques « randonnée » et « sentier pédestre » et à la carte p. 90-91. Une adresse utile toutefois :
Centre d'informations de la Fédération française de randonnées pédestres,
14, rue Riquet,
75019 Paris,
☎ 01 44 89 93 93
Pour les balades à cheval, à vélo et en mer, voir p. 99, et dans les OT, CDT et fédérations françaises (cf. carnet d'adresses).

La pétanque
sport national

Dès les beaux jours, tous les Provençaux se retrouvent sur les terrains de boules, et, le premier week-end de juillet, le parc Borély de Marseille devient un véritable « Roland-Garros des boules ». Qui s'étonnera alors que la France détienne dans cette compétition le record des titres de champion du monde ? Vous pouvez vous aussi devenir un roi du carreau… ou mieux comprendre l'enthousiasme de vos amis !

Petite histoire du jeu de boules

On y joue depuis l'Antiquité : les Grecs utilisaient des pièces de monnaie, les Romains de simples galets. Puis, au XIXe s., la Provence remit le jeu au goût du jour sous le nom de « provençale » ou « longue ». Les boules utilisées à cette époque sont en buis et cloutées.

La longue ou la pétanque ?

Ne vous avisez pas de les confondre ou vous risquez fort de passer pour un « estranger » ! La longue se joue sur un terrain d'au moins 25 m de long et le but (ou bouchon) est placé à une distance de 15 à 21 m des joueurs. Les pointeurs ne peuvent avancer que d'un pas pour lancer la boule, les tireurs peuvent faire trois pas sautés hors du cercle. Un jour de juin 1910 à La Ciotat, Jules le Noir, un joueur de longue très réputé, fut dans l'impossibilité de faire les trois pas traditionnels pour tirer sa boule parce qu'il souffrait de rhumatismes. Il décida donc de lancer à l'arrêt, les « pieds tanqués » (c'est-à-dire joints et plantés au sol), expression qui donna son nom au jeu qu'il venait d'inventer.

Règles du jeu

La pétanque oppose deux joueurs ou deux équipes. Chaque participant joue trois boules qui doivent approcher au plus près du bouchon, lancé entre 6 et 10 m. Une partie se joue en 13 points. Dans ce jeu simple en apparence, tout est question de rondeur. Balancez le bras de manière calculée, tenez la boule au creux de la paume, les doigts refermés mais souples.

Selon le type de lancer choisi,

tenez-vous debout, accroupi ou les genoux un peu fléchis. Il faut aussi savoir observer et se montrer fin stratège : étudiez le sol, choisissez la « donnée », tirez ou pointez, à vous de choisir. Un petit tour à la Maison de la pétanque de Vallauris (p. 251) vous donnera notions et astuces sur la meilleure façon de tirer.

Un véritable sport

Loin d'être un simple loisir, le jeu de boules est un sport qui a pris une ampleur internationale (43 pays inscrits à la fédération) avec ses 460 000 licenciés en France. Mais si celle de la

pétanque est la quatrième plus importante fédération de France (après celles du football, du tennis et du ski), elle n'est toujours pas reconnue comme une discipline olympique.

Savoir choisir

Les pointeurs prendront un modèle moyen mais un peu lourd (72 à 73 mm de diamètre, 710 à 740 g) avec une ou plusieurs stries. Les tireurs préféreront une boule lisse d'un diamètre plus important (76 à 78 mm) et d'un poids moindre (680 à 710 g). Enfin, sachez qu'une boule en acier Inox « part »

plus facilement car le métal est plus poli, tandis qu'en acier carbone elle devient plus mate à l'usage, ce qui facilite la tenue en main.

Petit vocabulaire bouliste

Carreau : se dit lorque la boule remplace celle qui était visée.
Gratonnée : boule freinée par une succession d'obstacles.
Embouchonner : faire coller la boule pointée au but.
Estanquer : toucher une boule.
Faire une casquette : passer par-dessus la boule visée.
Le petit : autre nom du bouchon.
Téton : boule collée au but.

LA BOULE BLEUE
Montée de Saint-Menet, Z I La Valentine, Marseille (XIe arr.)
☎ 04 91 43 27 20
Internet : www.laboulebleue.fr
Ouv. de 7 h 30 à 16 h 30, sf w.-e.
Créée en 1904, c'est la dernière entreprise artisanale de la région. Ici, chaque jeu peut être personnalisé (nom, numéro fétiche) et réalisé sur mesure (poids, diamètre, nombre de stries). Carbone ou Inox, avec ou sans traitement antirebond ? On vous conseillera très bien dans un cadre ancien qui donne sur l'atelier. Homologuée compétition et garantie 5 ans, la triplette vous coûtera entre 50,31 et 172,27 €. Sans oublier les buts (3,05 € les 4), la sacoche 3 boules (entre 4,57 et 22,87 €), le mètre à tirette (15,24 €) ou le kit bouliste (6,86 €)... Une affaire de spécialistes ! Et si vous les voulez à vos mesures, il faudra compter cinq jours.

Alpes du Sud
tapis blanc et ciel d'azur

Imaginez le tableau : skis aux pieds sous un soleil de plomb, vous glissez dans une neige légère avec pour toile de fond... la Méditerranée ! Bien sûr, les 65 stations des Alpes du Sud n'ont pas toutes vue sur la mer mais elles affichent en moyenne 2 500 heures d'ensoleillement par an, une neige suffisamment abondante et des villages bien équipés.

La preuve par trois

Trois départements forment l'entité Alpes du Sud : Hautes-Alpes, Alpes-de-Haute-Provence et Alpes-Maritimes. Ensemble, ils totalisent 2 500 km de pistes de ski alpin et 1 200 km de ski de fond. Leurs remontées mécaniques réalisent un chiffre d'affaires de 98,48 millions d'euros : presqu'une goutte d'eau – un peu plus de 12 % – dans le chiffre d'affaires global des remontées mécaniques françaises. En comparaison, les Alpes du Nord font vraiment poids lourd : elles totalisent à elles seules près de 80 % du chiffre d'affaires des remontées !

Le début du tout blanc

Bien avant le phénomène « or blanc », les Alpes du sud se sont équipées en vue des sports d'hiver. La première compétition de ski des Alpes-Maritimes eut lieu à Beuil en 1910 : on y accédait encore en voiture à cheval ! En 1936, on skiait déjà sur les pentes de la montagne de Lure. En 1937, Auron installa son premier téléphérique et Valberg inaugura sa remontée mécanique.

Les grands domaines

L'espace Lumière de Praloup-Val d'Allos (Alpes-de-Haute-Provence) fut créé en 1977. Il propose aujourd'hui 167 km de pistes qui s'échelonnent entre sapins et mélèzes, de

1 500 à 2 600 m d'altitude. Dans les Alpes-Maritimes, la station d'Auron est la plus célèbre de la côte : les Niçois l'adorent ! Ses 130 km de pistes et son beau village avec chalets et résidences de luxe y sont pour quelque chose. Plus familiaux, les deux villages de Beuil et Valberg ont uni leurs pistes et se partagent eux aussi un beau domaine skiable alpin de 90 km et 26 km de ski de fond.

Stations-villages

Gros chalets croulant sous la neige, petits immeubles bien intégrés au paysage et ambiance familiale : c'est la

SUR LA ROUTE DES CHAPELLES
Petite pause au ski, la route des chapelles peintes (Alpes-Maritimes) est un vrai livre d'images orné de fresques, retables et triptyques. D'églises en chapelles, elle dévoile tout l'art des primitifs niçois. Rendez-vous à Roubion (Saint-Sébastien), Auron (église Saint-Erige), Isola Village (Sainte-Alle), Beuil (Notre-Dame du Rosaire) et Saint-Étienne de Tinée (Saint-Sébastien et Saint-Maurice).

depuis le Sistron, perché à 2 610 m d'altitude ! Née la même année dans les Alpes-de-Haute-Provence, Saint-Jean-Montclar est une station-village avec accès sur la vallée de la Blanche et la vallée de l'Ubaye.

Reynard est le point de départ de quelques remontées mécaniques et de pistes de ski de fond, mais les enfants viennent surtout y faire de la luge (rens. à l'OT de Bedoin, ☎ 04 90 12 81 55). Côté nord, la station du mont

montagne authentique comme on peut la trouver à Chabanon-Selonnet et Colmars-Ratery (Alpes-de-Haute-Provence), à Saint-Martin-Vésubie et au Val d'Allos 1500 (Alpes-de-Haute-Provence), deux stations qui respirant la montagne, été comme hiver.

Nouvelles stations

Isola 2000, tout un symbole ! La benjamine des stations des Alpes d'Azur a eu 30 ans en 2001. Son architecture des années 1970 – barres et béton – n'est pas des plus réussies mais elle correspond vraiment à une époque, celle de l'or blanc et des investissements à tour de bras. Le point fort de la station est la qualité de son domaine skiable, une neige abondante et la vue sur la Méditerranée

En Vaucluse aussi !

En hiver, on skie lorsque la neige est suffisante (ce qui n'est malheureusement pas le cas depuis plusieurs années !) sur les deux faces du mont Ventoux qui culmine à 1 912 m. Côté sud, le restaurant d'altitude le Chalet

Serein est plus grande et l'on y pratique ski de piste et surf (rens. au chalet d'accueil du mont Serein, ☎ 04 90 63 42 02 ou à l'OT de Malaucène, ☎ 04 90 65 22 59).

Toutes les glisses

Ski, fond, raquettes, surf et nouvelles glisses : on avance et l'on glisse comme on veut dans les Alpes du Sud, prêtes à toutes les techniques. Plus originale, la conduite sur glace est le domaine de Val d'Allos, Auron et d'Isola 2000 qui propose également une plongée sous-glace en lac… Saisissant !

Balades et randonnées

De la promenade facile à faire en famille à la vraie randonnée d'une ou plusieurs journées, la région offre de nombreuses et très variées possibilités. En voici une bonne sélection.

Balades

① Roussillon :
le sentier des ocres.
p. 55.

② Bonnieux : promenade
sous les cèdres.
p. 160.

③ Villeneuve-Loubet :
parc de Vaugrenier.
p. 257.

④ Cavaillon : ascension de
la colline Saint-Jacques.
p. 166.

⑤ Collobrières : de col en col.
p. 232.

⑥ Iles de Lérins : tour de l'île
Sainte-Marguerite et
sentiers botaniques.
p. 243.

⑦ Mons :
le circuit des dolmens.
p. 239.

⑧ Mougins :
parc de la Valmasque.
p. 245.

⑯ Vallée de la Roya :
train Nice-Cuneo.
p. 295.

⑰ Vallée du Var : train
montagnard des Pignes.
p. 300.

⑨ Nice : parc forestier
du mont Boron
et train Nice-Cuneo.
p. 272 et 295.

⑩ Pontis : balade en famille
au-dessus du lac de Serre-
Ponçon.
p. 305.

⑪ Porquerolles :
sentiers du maquis.
p. 221.

⑫ Port-Cros :
parc national protégé.
p. 223.

⑬ Saint-Paul-de-Vence :
le long du chemin du canal.
p. 259.

⑭ Les Issambres : sentiers
du vallon de la Gaillarde.
p. 229.

⑮ Mérindol : sentier pour
l'observation des oiseaux.
p. 156.

⑱ Vence :
la route de l'art sacré.
p. 260.

⑲ Eze : sentier Nietzsche.
p. 276.

Randonnées

⑳ Aix-en-Provence :
ascension de
la Sainte-Victoire.
p. 154.

㉑ Le Lubéron à vélo.
p. 159.

㉒ Cassis : excursions
dans les Calanques.
p. 195.

㉓ Daluis : dans les gorges
de schistes.
p. 301.

28 Gorges du Verdon :
au-dessus des gorges
et route des crêtes.
p. 200.

29 La Ciotat : le long du
sentier du Littoral.
p. 144.

30 Mercantour : nombreuses
randonnées dans le parc.
p. 297.

31 Roquebrune : le mont gros
et sentier Le Corbusier.
p. 287.

32 Saint-Raphaël :
circuit autour de l'Estérel.
p. 234.

33 Malaucène, Carpentras,
Bedouin : ascension
nocturne du Ventoux.
p. 190.

34 Sainte-Baume :
autour du Saint-Pilon.
p. 214.

35 Sault :
gorges de la Nesque.
p. 190.

36 Beausoleil :
le mont des Mules.
p. 287.

37 Vallée de la Roya :
découverte de
la vallée des Merveilles.
p. 295.

38 Vallée de La Vésubie :
nombreuses randonnées
au lac Besson.
p. 292.

39 Vallée du Var :
gorges de Cians.
p. 300.

40 Val d'Allos :
lac d'Allos et mont Pelat.
p. 301.

24 Joucas : dans
les gorges de Véroncle.
p. 165.

25 La Camargue :
à pied, à vélo, à cheval.
p. 130.

26 Gorges du Loup :
randonnée dans les gorges.
p. 265.

27 Gorges de Daluis : autour
de la grotte du Chat.
p. 93.

Gorges et cascades

P endant des millénaires, les torrents fougueux des Alpes ont creusé la roche tendre de Provence pour rejoindre au plus vite la Méditerranée, terme naturel de la vie d'un cours d'eau… Tout le sud de la région est sillonné par ces eaux énergiques et indomptées qui gardent un caractère souvent très sauvage. Leur acharnement a ouvert des sillons prodigieux, qui constituent aujourd'hui d'extraordinaires sites de promenades et de loisirs (assez) sportifs.

Sur près de 170 km, le lit du Verdon est encombré d'éboulis et d'amas de roches qui rendent la navigation dangereuse.

Les gorges du Verdon
45 km O. de Castellane
Uniques par leur ampleur et saisissantes de beauté. Sur plus de 20 km, elles accompagnent un torrent de couleur verte (d'où son nom) qui s'écoule au pied de parois dont la hauteur varie entre 250 et 750 m ! Le plus américain des grands canyons d'Europe est encadré par deux lacs immenses (Castillon et Sainte-Croix, p. 201) qui offrent leurs surfaces sereines à tous les loisirs nautiques. Suivez le circuit complet, par les deux rives, qui permet de découvrir la physionomie époustouflante de ces gorges et arrêtez-vous dans les jolis villages de Rougon, La Palus, Moustiers-Sainte-Marie et Aiguines.

Les gorges du haut Var
65 km N. de Nice
Torrent alpestre qui prend sa source dans les Alpes-Maritimes, le Cians (p. 300) a sculpté de magnifiques paysages qui s'accrochent à son imposant dénivelé. Les gorges de Daluis (p. 300) accueillent quant à elles le fougueux Var et sont fréquentées depuis 4 500 ans : l'homme préhistorique venait déjà y chercher du cuivre, d'où la couleur des roches, véritable « Colorado ».

Les gorges du Loup
12 km N.-E. de Grasse
Les plus courtes et les plus proches de la côte (p. 265). Sur moins de 10 km, le Loup a fendu l'énorme falaise de calcaire qui se trouvait devant lui… Dans sa course vers la Méditerranée, il a pris quelques raccourcis spectaculaires : la cascade de Courmes le projette, à mi-course, 40 m plus bas. Une route sinueuse surplombe ces gorges incroyables, à mi-chemin entre des pistes de ski de la station de Gréolières-les-Neiges (1 400 m) et de la plage de Cagnes-sur-Mer.

Les gorges de la Vésubie
24 km N. de Nice
À 35 km de la mer, la Vésubie a entaillé le rocher calcaire qui la séparait du Var (p. 293). Empruntez la route en lacet qui serpente au-dessus de ces gorges profondes et admirez leurs couleurs qui varient du blanc éclatant au gris strié d'une infinité de verts.

du Vaucluse et s'est enfoncée à plus de 400 m à l'intérieur (p. 191). Ce canyon profond a sans doute été l'un des plus habités : rempli de grottes, on y a découvert des traces d'occupation humaine depuis le paléolithique jusqu'au Moyen Âge… Suivez la route en corniche, parsemée de tunnels, qui épouse les méandres de ce site aride et impressionnant.

LA CASCADE DE LA NARTUBY

Le fameux sumac s'y accroche encore, dont la sève servait aux Romains à teindre les étoffes en brun-vert.

Les gorges Rouges
70 km N.-O. de Nice par N 202

Sur la carte, elle ont pour nom gorges de Daluis (p. 300). Dans sa haute vallée, le Var a entaillé le schiste rouge de la falaise et ouvert un chemin flamboyant qui se dessine entre le vert des arbres et le bleu du ciel… Sur 5 km, la route sinueuse, accrochée en corniche ou en balcon à la paroi, survole ce splendide couloir coloré. Notez, à l'entrée, un château féodal, et, à la sortie, la grotte du Chat, la plus grande des Alpes-Maritimes. Voisines, les gorges supérieures du Cians sont, vers l'est, plus étroites encore et d'un rouge plus vif (p. 300).

Les gorges de la Nesque
20 km E. de Carpentras

Au pied du mont Ventoux, elles constituent selon les scientifiques « l'une des plus belles percées hydrogéologiques du Midi ». La Nesque a creusé et suivi les courbes tourmentées de la roche calcaire qui borde le plateau

À la sortie de Draguignan (à 4 km, voir aussi p. 205), la Nartuby commence par se dégourdir les jambes en effectuant devant vous une série de jolies cascades et cascatelles (à Trans-en-Provence). Puis elle fait soudain le grand plongeon (35 m !) 6 km plus loin, au Saut-de-Capelan, près de La Motte. La petite histoire rapporte que ce site très spectaculaire a pris le nom d'un prêtre de la région qui se retrouva sain et sauf après avoir été précipité du haut de la falaise par les sans-culottes… D'autres cascades font également le grand saut à Sillans-la-Cascade et Villecroze dans le haut Var (p. 207).

Végétation méditerranéenne

L a Provence est une région douce et harmonieuse où la flore est riche et variée. À côté des stars de la nature que sont la lavande, l'olivier, les herbes aromatiques, le mimosa et autres violettes, la Provence possède encore bien d'autres richesses. Pour en savoir un peu plus sur quelques espèces typiques que l'on rencontrera au cours de ses promenades…

maux de tête. Mais son bois reste l'un des plus beaux et les savoureuses noix sont depuis longtemps un fruit sec recherché.

Les pins

Trois variétés dominent en Provence. Le pin maritime, pourvu d'un feuillage sombre aux reflets bleutés et d'une écorce d'un beau rouge violacé.

La garrigue

Ce nom désignait à l'origine des coteaux calcaires situés au pied des Cévennes, brûlés par le soleil, couverts de chênes verts et d'herbes parfumées, sillonnés de combes profondes et de torrents. Par extension, on l'emploie aujourd'hui pour tout terrain aride à sous-sol calcaire, couvert de végétation broussailleuse (romarin, thym, genévrier). On trouve des garrigues à une altitude de 200 m dans toute la Provence. Les sols très durs sont le domaine du chêne kermès, arbre nain à feuilles piquantes.

Le noyer

Si son bois sombre a séduit les menuisiers depuis des siècles, cet arbre prisé en Provence est entouré de mystère. Il ne peut pousser en forêt car ses racines profondément enfouies contiennent une substance toxique (la juglone) qui détruit les espèces avoisinantes. Le feuillage est également imprégné de cette substance et gare au promeneur qui ferait sa sieste sous un noyer… il risquerait de se réveiller avec de forts

Mélèze

Le pin parasol est assez solitaire et se reconnaît aisément par sa silhouette caractéristique. Le pin d'Alep pousse sur les sols calcaires. Son tronc est noueux, son écorce grise, et on le trouve souvent près du chêne

L'arbousier

vert. Dans les montagnes de Lure poussent le pin noir d'Autriche et le pin à crochets. Le pin noir a un tronc très droit, une écorce brun foncé et peut atteindre 35 mètres. Le pin

Pin sylvestre

à crochets est un arbre solitaire d'altitude au feuillage sombre qui doit son nom aux crochets recourbés que l'on peut voir sur ses cônes.

Cyprès

Le chêne vert

Pourvu de feuilles qui persistent toute l'année, on l'appelle aussi yeuse. Ses frondaisons colorent la Provence tandis que ses

Chêne-liège

Chêne blanc

branches basses sont épineuses comme celles du houx. Il peut atteindre 20 mètres de haut et résiste très bien à la sécheresse des sols méditerranéens.

L'amandier

Venu d'Asie, il fut introduit en France au XVIe s. De la famille des rosacées, il s'épanouit pleinement dans la région méditerranéenne. Il ressemble au pêcher et son fruit d'un vert si tendre est également duveteux. Ses fleurs sont très précoces.

Le champignon des connaisseurs

Le sanguin est un champignon sauvage qui pousse dans les bois de conifères au printemps et à l'automne. Ce lactaire à lait rouge est très apprécié dans la cuisine provençale et peut servir pour de nombreuses recettes. On le cuit au grill, on le présente en beignets, séché ou encore conservé dans de l'huile d'olive vinaigrée relevée d'herbes aromatiques.

LA FORÊT, UN BIENFAIT À PROTÉGER

Sur les 1 740 000 ha de surface boisée que comporte la région, pas moins de 92 140 ha ont été brûlés ces dix dernières années (dont 71 000 ha en 1989 et 1990 !). Plus de 200 000 arbres ont été replantés, mais la vigilance reste de mise pour éviter aux sols d'être stérilisés pour longtemps. Pour respecter cet environnement fragile, sec et soumis au mistral, voici notre petit traité de bonne conduite : pas de feu, de barbecue ni de Camping Gaz ; évitez de fumer… profitez-en, ça sent bon ; ne jetez pas vos mégots par la fenêtre de votre voiture en traversant une forêt ; laissez toujours la forêt propre (un simple tesson de bouteille provoque un effet de loupe au soleil et peut générer un incendie) ; ne cueillez pas de fleurs sous peine de les voir peu à peu disparaître ; respectez les indications permettant, ou interdisant, l'accès aux massifs. Vous contribuerez ainsi à lutter contre les incendies.

À la plage et sur les îles

Qu'elles soient de sable ou de galets, sauvages et protégées, privées ou très courues, les plages ont fait la Côte d'Azur. Quant à ses îles, elles réservent encore bien des surprises à qui sait les découvrir.

Camargue

① **Plages des Saintes-Maries-de-la-Mer. p. 128.**

② **Plage du Grand Radeau. p. 129.**

La Ciotat

③ **Plages sur le littoral et criques sur l'île verte. p. 146.**

Plages

Îles

Martigues

④ **Côte Bleue. p. 134.**

Marseille

⑤ **Iles d'If, Ratonneau et Frioul. p. 140.**

⑥ **Plage du Prado. p. 140.**

Bandol

⑦ **Ile des Embiez. p. 211.**

⑧ **Les criques du Gaou. p. 211.**

⑨ **Plage du Mourillon. p. 213.**

Presqu'île de Giens

⑩ **Plages du Tombolo. p. 216.**

⑪ **Plages de Porquerolles. p. 221.**

⑫ **Plages du Palud à Port-Cros. p. 222.**

⑬ **Plage des Grottes, sur l'île du Levant. p. 222.**

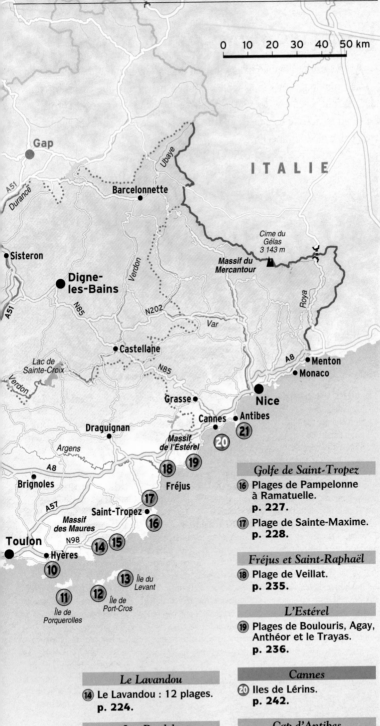

0 10 20 30 40 50 km

ITALIE

Gap

A51

Durance

Barcelonnette

Ubaye

Sisteron

Digne-les-Bains

Verdon

Cime du Gélas 3 143 m

Massif du Mercantour

Roya

A51

N85

N202

Var

Castellane

Lac de Sainte-Croix

Verdon

N85

A8

Menton

Monaco

Grasse

Nice

Cannes Antibes

㉑

Draguignan

Massif de l'Estérel

⑳

Argens

⑲

A8

⑱

Brignoles

Fréjus

A57

⑰

Saint-Tropez

Massif des Maures

⑯

Toulon

N98

⑭ ⑮

Hyères

⑩

⑬ *Île du Levant*

⑪

⑫ *Île de Port-Cros*

Île de Porquerolles

Golfe de Saint-Tropez

⑯ Plages de Pampelonne à Ramatuelle. **p. 227.**

⑰ Plage de Sainte-Maxime. **p. 228.**

Fréjus et Saint-Raphaël

⑱ Plage de Veillat. **p. 235.**

L'Estérel

⑲ Plages de Boulouris, Agay, Anthéor et le Trayas. **p. 236.**

Cannes

⑳ Îles de Lérins. **p. 242.**

Cap d'Antibes

㉑ Chemin du tire-poil. **p. 252.**

Le Lavandou

⑭ Le Lavandou : 12 plages. **p. 224.**

Les Pradels

⑮ Plage de la Cavalière. **p. 233.**

Excursions en mer

Aventuriers, amoureux des mers et de leurs habitants, que vous ayez ou non le pied marin, la Côte d'Azur est riche en petites excursions qui font rêver. Les îles sont généralement proches des côtes et la balade est sublime. Sous le bleu de l'eau, vous pouvez également observer la flore et la faune méditerranéennes.

Le vent en poupe !

La promenade des Calanques est probablement la plus belle (au départ de Cassis, p. 145, ou de Marseille, p. 142). Depuis le Lavandou (p. 224), le voilier *Hoëdic* vous emmène à son bord dans la plus pure tradition maritime. Depuis Marseille, on ira voir le château d'If et les îles du Frioul, Pomègue et Ratonneau (p. 140). Et de La Ciotat, on s'embarque pour l'île Verte. Pour tout savoir sur le Masque de fer, c'est aux îles de Lérins qu'il faut aller (p. 242). D'autres excursions jusqu'à San Remo ou Saint-Tropez sont possibles

depuis Nice (p. 270). Devant Hyères, Porquerolles est l'une des plus belles îles protégées de la Méditerranée (p. 220). Enfin, en face de Bandol vous attend l'île des Embiez et son musée océanographique (p. 210-211).

Visions sous-marine

Ces étranges machines colorées sont des bateaux à fond transparent qui permettent d'observer les dessous de la mer dans les meilleures conditions. La promenade dure en général une bonne demi-heure et les fonds marins les plus intéressants

sont au Lavandou (p. 225), à Nice (p. 270), à Port-Cros (p. 222), à Agay (p. 236), à Sainte-Maxime (p. 228) et aux Embiez (p. 211).

À la rencontre des dauphins et des baleines

Le bassin des Ligures s'étend de la Provence à l'Italie, avec une profondeur moyenne de 2 500 m. Près d'un millier de rorquals (baleines de 8 à 9 m de long, pesant entre 6 et 8 t) peuvent y être observés. En avril et mai, ils sont présents entre la Corse et la côte provençale. Cachalots et dauphins évoluent, quant à eux, toute l'année dans cette zone. On peut partir les observer au départ de Toulon pour une durée de trois à sept jours (rens. à l'OT, ☎ 04 94 18 53 00). Mais, attention, ces excursions passionnantes ne sont pas de tout repos sur le bateau !

Balades à cheval ou à vélo

C'est le meilleur moyen pour découvrir les merveilles de la Camargue et du delta du Rhône. Seul ou accompagné pour plusieurs jours, vous partagerez avec le meilleur ami de l'homme les bonheurs d'une nature riche aux lignes épurées.

Le cheval camarguais

Certains affirment qu'il descend du cheval des steppes d'Asie centrale. Épris de liberté, rapide et maniable, il ne peut être confondu avec aucun autre. Sa robe est grise, sa tête carrée, son encolure courte et sa crinière fournie. C'est l'allié indispensable du gardian pour surveiller les troupeaux dans les marais inaccessibles par la route. Il est remarquablement adapté aux marécages, aux écarts de température et, surtout, il est insensible aux piqûres de moustiques…

Tous en selle !

Vous trouverez toutes les adresses de loueurs au Centre d'information du parc naturel régional de Camargue (p. 130). Au départ des manades, ces élevages camarguais de taureaux, partez en balade pour quelques heures avec un manadier (à partir de 22 € les 2 h), à travers la beauté sauvage des terres et des plages. Et si vous voulez vraiment découvrir l'univers du cheval, passez une « journée camarguaise » : visite de la manade, course de vachettes, dégustation de taureau et présentation du cheptel (rens. OT des Saintes-Maries-de-la-Mer). Des promenades équestres sont également possibles à Mougins (p. 244), Nice (p. 274) et dans le Grand Luberon (p. 159).

Et le vélo… ?

Pour ceux que le cheval ne tente pas, il reste l'indémodable bicyclette qui permet des promenades agréables sur les reliefs peu escarpés de la Provence. On peut ainsi découvrir des coins perdus et profiter de paysages exceptionnels, inaccessibles en voiture. À Porquerolles (p. 220), Pernes-les-Fontaines (p. 186), Grasse (p. 249) et en Camargue (p. 129).

Parcs de loisirs, aquariums et zoos

Observer les oiseaux, descendre un toboggan aquatique, découvrir la faune sous-marine ou visiter un élevage de lamas ? Vous avez le choix.

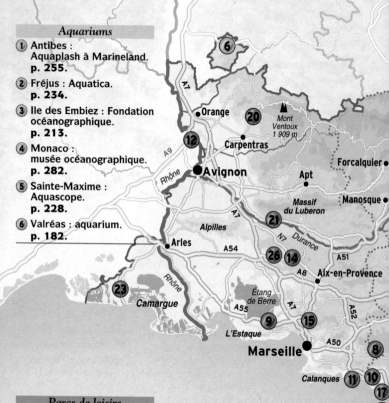

Aquariums

① **Antibes :**
Aquaplash à Marineland.
p. 255.

② **Fréjus : Aquatica.**
p. 234.

③ **Ile des Embiez : Fondation océanographique.**
p. 213.

④ **Monaco :**
musée océanographique.
p. 282.

⑤ **Sainte-Maxime :**
Aquascope.
p. 228.

⑥ **Valréas : aquarium.**
p. 182.

Parcs de loisirs et parcs aquatiques

⑦ **Brignoles : mini-France.**
p. 208.

⑧ **Cuges-les-Pins :**
Eden Parc.
p. 215.

⑨ **Châteauneuf-les-Martigues : El Dorado City.**
p. 143.

⑩ **Saint-Cyr-sur-Mer :**
Aqualand.
p. 146.

⑪ **La Ciotat :**
parc de la Guillaumière.
p. 146.

⑫ **Roquemaure : Amazonia.**
p. 179.

⑬ **La Môle :**
parc nautique Niagara.
p. 225.

⑭ **Saint-Cannat :**
village des automates.
p. 153.

⑮ **Septèmes-les-Vallons :**
Aquacity.
p. 143.

⑯ **Menton : Koaland.**
p. 289.

Palaces et casinos

De table de baccara en grand restaurant, de course hippique en grand hôtel, la Côte d'Azur est aussi le royaume du luxe.

Casinos

1. Cannes : Le Carlton
   et casino-Croisette.
   p. 240.

2. Monte-Carlo : le plus
   grand casino.
   p. 284.

3. Saint-Raphaël :
   une institution.
   p. 235.

4. Aix-en-Provence :
   le Pasino.
   p. 152.

5. Antibes et Juan-les-Pins.
   p. 254.

Courses

6. Cagnes-sur-Mer :
   Hippodrome pour
   élégantes.
   p. 257.

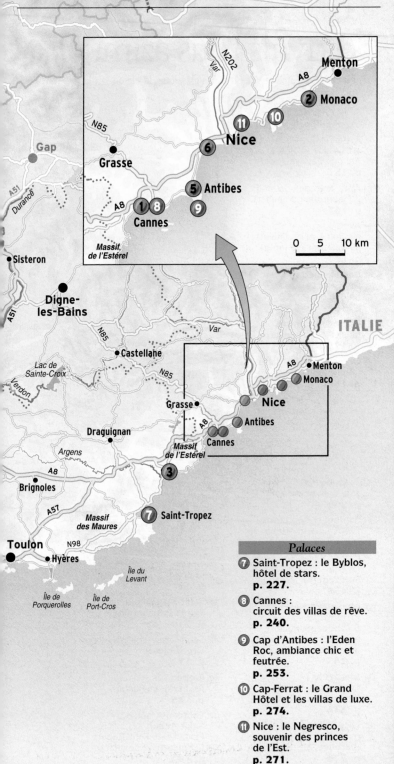

Festivals tous azimuts

Jazz ou opéra, théâtre de rue ou danse classique, la région fait la fête tout l'été.

Musique
(classique, jazz, monde)

(1) **Aix-en-Provence :**
art lyrique (juillet) et
Aix jazz Festival (août).
p. 151.

(2) **Apt : Tréteaux de nuit**
(2e quinzaine de juillet).
p. 163.

(3) **Arles :**
les Sud à Arles (juillet)
et Âmes gitane (août).
p. 127.

(4) **Barcelonnette :**
Les Enfants du Jazz
(mi-juillet).
p. 304.

(5) **Mane : rencontres**
musicales (mi-juillet).
p. 195.

(6) **Gordes : soirées d'été**
(début-août).
p. 165.

(7) **Juan-les-Pins :**
Jazz à Juan (mi-août).
p. 255.

(8) **La Roque-d'Anthéron :**
Festival international de
piano (juillet-août).
p. 157.

(9) **La Tour-d'Aigues :**
Sud Luberon (été).
p. 159.

(10) **Marseille : Fiesta des Sud**
(octobre), Jazz des
5 continents (juillet),
Musique à Saint-Victor
(de mars à octobre).
p. 143.

(11) **Martigues :**
Cultures du monde
(fin-juillet à début-août).
p. 134.

(12) **Nice : Nice Jazz Festival**
(juillet) et L'Escarène
(baroque, été).
p. 270.

(13) **Orange :**
Chorégies (juillet-août).
p. 181.

(14) **Saint-Maximin-de-la-**
Sainte-Baume : orgue.
p. 214.

(15) **Saint-Rémy-de-Provence :**
Organa (été).
p. 172.

(16) **Carpentras :**
les Estivales (juillet).
p. 185.

(17) **Château-Arnoux-**
Saint-Auban :
Festives de Font-Robert
(2e quinzaine de juillet).
p. 193.

Sur les traces des écrivains provençaux

Cette terre de soleil a donné à la littérature une vaste palette d'écrivains mais aussi des personnages qui sont devenus des emblèmes de la vie provençale comme Marius, Angelo, Manon, Tartarin… Ses auteurs chantent leur Provence à chaque page : Marcel Pagnol, Frédéric Mistral, Jean Giono ou Henri Bosco.

Elle séduisit aussi des écrivains de tous les horizons comme Pétrarque, le marquis de Sade, Saint-John Perse, Daudet ou, plus près de nous, Edmonde Charles-Roux, Pierre-Jean Rémy, François Nourissier et Jean Lacouture.

Écritoire et manuscrit de Giono conservés à Manosque

encore inconnu et sans fortune, Daudet se voit refuser la main d'une demoiselle Barbarin, fille d'un notable de Tarascon. Humilié, il utilise la littérature pour se venger et règle ses comptes avec le père de la demoiselle… qui deviendra Tartarin de Tarascon.

Alphonse Daudet

À la recherche de Tartarin

Le nom d'Alphonse Daudet est lié à celui de son héros. Né à Nîmes en 1840, c'est à 20 ans qu'il découvre Fontvieille, au château de Montauban. C'est là qu'il imagina les personnages qu'il allait camper dans ses écrits : maître Cornille ou monsieur Seguin et sa célèbre petite chèvre. Alors qu'il est

Les ruines du château du marquis de Sade, à Lacoste

Frédéric Mistral, défenseur de la culture provençale

En 1854, il fonde le Félibrige, école littéraire ayant pour vocation de maintenir la langue d'oc et ses dialectes (p. 108). Prix Nobel de littérature en 1904, il est aussi le créateur du remarquable Museon Arlaten à Arles (p. 125). L'enfant de Maillane (1830-1914) laisse aussi son nom dans l'histoire littéraire pour son très beau poème épique *Miréio*, publié en 1859.

Henri Bosco, le secret des cœurs

Né à Avignon en 1888, agrégé d'italien, il enseigna de Belgrade, à Naples et au Maroc. Très inspiré par la religion et l'Antiquité, son œuvre tout en contrastes célèbre l'ombre et la lumière de la Provence. Ses ouvrages les plus lus sont l'*Âne Culotte*.

Henri Bosco

SUR LES PAS DES ÉCRIVAINS

À l'ombre des ailes du moulin de Fontvieille, un petit musée est consacré à Alphonse Daudet (p. 168). Marcel Pagnol, lui, n'a jamais réalisé son rêve de fonder une cité du cinéma à Aubagne mais ses personnages trônent sur l'esplanade De-Gaulle (p. 144). Giono a été heureux à Manosque et sa maison n'a pas bougé (p. 196). Pétrarque était amoureux de Laure... et du mont Ventoux (p. 190) : pourquoi ne pas s'y promener en relisant son *Chansonnier* ? Zola vécut quinze ans à Aix-en-Provence. Une promenade littéraire lui est consacrée (p. 153). Pour les aventuriers des voyages et de l'esprit, la maison de Digne-les-Bains qui appartenait à l'exploratrice Alexandra David-Néel est aujourd'hui une fondation consacrée à ses souvenirs du Tibet (p. 302). Le poète René Char est né et a vécu à L'Isle-sur-la-Sorgue : son musée sera bientôt ouvert.

et *Le Mas Théotime* (prix Renaudot en 1945). Après de nombreux prix, il mourut à Nice en 1976 et repose à Lourmarin. Il laisse aussi un émouvant livre de souvenirs, *Un oubli moins profond* (1961).

Marcel Pagnol, magicien de la mémoire

Cet écrivain, qui ne se détacha jamais de son enfance provençale, est né le 28 février 1895. Dramaturge et cinéaste, fondateur de la revue *Massilia* (qui deviendra les « Cahiers du Sud »), académicien, traducteur d'anglais

Marcel Pagnol

et romancier, le prolixe Marcel Pagnol a puisé son inspiration entre Marseille, Allauch, Aubagne et le petit village de La Treille où il repose depuis le 18 avril 1974. Son œuvre est traduite en sept langues et continue d'enchanter des générations.

Jean Giono, chantre de la haute Provence

Manosque est le pays de Giono (1895-1970) qui y demeura toute sa vie. Le « pays bleu » nous est inlassablement décrit par ce fils d'un cordonnier originaire d'Italie et d'une repasseuse. Son œuvre est imprégnée de toute la beauté de ses paysages et abonde en fines analyses psychologiques (notamment dans « le cycle du Hussard »).

La culture provençale

De cette culture du soleil, on connaît les loisirs, l'artisanat et la gastronomie, mais ce qui fait son identité, c'est avant tout sa grande richesse linguistique. Monégasque, mentonnais, gavot ou rhodanien, vous les entendrez ici et là. Toutes ces langues régionales témoignent de la vivacité et de la diversité de la culture provençale. Une région de traditions où fêtes et costumes sont également bien présents.

De lointaines racines

La France était jadis partagée entre la langue d'oïl (au Nord) et la langue d'oc, ou provençal (au Sud). Langue romane issue du bas latin, le provençal est d'abord une langue orale au vocabulaire très riche permettant une infinité de nuances. Sur les doux reliefs du Midi, les troubadours chantèrent l'amour courtois pendant le Moyen Âge et la beauté de leurs vers influença tous les poètes du Sud, jusqu'à Dante lui-même. Un peu plus tard, Pétrarque, installé à Fontaine-de-Vaucluse (p. 189), succombait aussi au charme de cette langue et au raffinement de cette culture.

Les âges d'or

Si les troubadours donnèrent au provençal ses lettres de noblesse, il fut peu à peu délaissé au profit d'un français mâtiné de patois. Mais en 1854, les félibres (du groupe d'écrivains régionaux, Félibrige) le remirent au goût du jour sous l'impulsion de Frédéric Mistral. Le Félibrige existe toujours et continue de défendre la langue (et l'identité) de la Provence grâce à des associations présentes dans toute la région.

Le renouveau

Depuis quelques années, le provençal séduit de nouveau. Certaines régions revendiquent son utilisation dans la vie quotidienne et les anciens le parlent encore. Il est enseigné et les lycéens peuvent le choisir en épreuve facultative au baccalauréat. La langue est loin d'être morte et elle pimente un grand nombre d'expressions courantes qui retentissent sur les marchés…

« Parlen provenço »

Pour ne pas être complètement perdu et vous fondre dans le décor… Si l'on vous regarde avec insistance, dites : « Qu'est-ce qu'il a à me regarder celui-là avec ses yeux de bogue ? » Si vous vous faites une tache en mangeant, on vous signalera que vous avez fait une *bougnette*. Pour une grosse bêtise, employez le mot *cagade*. *Fada* désigne une personne un peu simple et *toti*

est réservé à un imbécile. *Gari* est un terme affectueux destiné aux *pitchouns* (enfants). Un commerçant malhonnête est un *caraque*. Un peu trop de vin et vous êtes *empégué*. On désigne un joli brin de fille par le mot *chatto* et si le fou rire vous prend, vous pourrez toujours vous *estrassez*.

Provence en fêtes

Chaque village accueille une manifestation artistique, un marché artisanal, une fête traditionnelle ou patronale. Du pastrage de Noël aux feux de la Saint-Jean, les occasions ne manquent pas. Fêtes de la transhumance (Saint-Rémy-de-Provence), ferrades (Camargue), férias (Arles), Carreto Ramado (Maussane-les-Alpilles), pastorales, joutes nautiques, oursinades (Carry-le-Rouet), fête de la dive bouteille (Boulbon) ou de l'arbre de mai (Cucuron)… Impossible de les recenser toutes et comme il se passe toujours quelque chose en Provence (surtout aux beaux jours), n'hésitez pas à vous renseigner sur votre lieu de vacances.

Les costumes

Pas de festivités sans costumes traditionnels. Celui des Arlésiennes est l'un des plus élaborés et il faut plus de une heure trente pour le placer avec exactitude sur le corps de la belle… Composé d'un corsage à manches longues et d'une jupe, il est complété d'éléments multiples : guimpe de dentelle et fichu de mousseline ou de tulle brodé, coiffes variées. Boucles d'oreilles et croix en pendentif complètent la tenue. Une visite au Museon Arlaten d'Arles donnera aux amateurs l'occasion de mieux connaître cet art élaboré (p. 125).

Les peintres et la lumière de Provence

Grands et petits maîtres, natifs ou non de la région, ils sont nombreux à avoir tenté, depuis la fin du XIXe s., de fixer sur leurs toiles un peu de cette mystérieuse clarté. Van Gogh avait fait figure de précurseur dès 1888 en proclamant : « Tout l'avenir de l'Art nouveau est dans le Midi. » La Provence attire les peintres, apaise leur soif de couleurs et de motifs. Certains resteront fidèles à la tradition figurative, d'autres deviendront les chantres visionnaires de l'impressionnisme, du fauvisme ou du cubisme.

Paul Cézanne, Vue de l'Estaque

Félix Ziem (1821-1911)

Ce peintre, d'origine polonaise par son père, se passionna dès 1839 pour Martigues, peignant le chenal de Caronte et les tartanes des pêcheurs. À sa suite, d'autres peintres comme Raoul Dufy, Francis Picabia, André Derain ou Nicolas de Staël furent inspirés par Martigues. Un musée abrite une belle collection des œuvres de Ziem (p. 152).

Paul Cézanne (1839-1906)

Ayant quitté en 1874 la vallée de l'Oise pour le Midi, il ne cesse de vanter les merveilles de la Provence dans ses lettres à son ami Pissarro. Il vient y vivre définitivement en 1890. Plantant son chevalet en pleine nature, il peint et repeint la montagne Sainte-Victoire, la carrière de Bibémus ou le château Noir. Son traitement si particulier de la couleur reste unique dans l'histoire de la peinture (voir aussi p. 150).

Vincent Van Gogh, L'Arlésienne

Vincent Van Gogh (1853-1890)

Il part pour Arles en février 1888 y chercher davantage de couleurs. La lumière du Midi est une révélation pour Vincent qui peut oublier la tristesse de son Nord natal. Les œuvres de cette période sont parmi les plus belles et témoignent de son désir de fixer cette intensité lumineuse. Il peignit 200 tableaux à Arles et 150 à Saint-Rémy-de-Provence. Le seul Van Gogh exposé en permanence en Provence se trouve au musée Angladon d'Avignon (p. 178).

Raoul Dufy, Les Martigues

Vincent Van Gogh, Soir à Arles

Paul Signac
(1863-1935)

Conquis par Saint-Tropez, il s'y installe en 1892 et y vit une partie de l'année jusqu'en 1911. Ce précurseur du pointillisme a trouvé dans la lumière de ce petit port une matière abondante pour ses recherches picturales. Par petites touches, avec une multitude de points et de tons variés, il essaie de capter les couleurs changeantes du paysage. (voir aussi le musée de l'Annonciade à Saint-Tropez p. 226).

Henri Matisse
(1869-1954)

En 1904, Matisse passe l'été ans la maison de Signac à Saint-Tropez. Élève de l'impressionnisme, il se convertit à la touche séparée de son aîné avant de s'en libérer progressivement pour exalter la couleur dans toute sa lumineuse

Paul Signac, Antibes *(détail)*

opacité… Le fauvisme est né (voir aussi p. 260 et 272).

Georges Braque
(1882-1963)

Converti au fauvisme pendant l'hiver 1905-1906, il séjourne à La Ciotat, puis à L'Estaque avec Raoul Dufy. La couleur règne sur les peintures qu'il réalise à cette époque. Puis ses paysages très tumultueux se réduisent progressivement à quelques formes géométriques et compactes. Avec Picasso, Braque est à l'origine du cubisme. Son magnifique *Atelier 6* se trouve à la fondation Maeght de Saint-Paul-de-Vence (p. 259).

Nicolas de Staël
(1914-1955)

Originaire de Russie, il s'installe à Nice en 1942. Il fait la connaissance de Braque, illustre des poèmes de René Char et connaît un succès international en 1953. Peintre tourmenté, ce grand artiste mena les avancées de ses illustres prédécesseurs à leur limite. Majestueuses, ses toiles abstraites présentent de grands pans de couleurs contrastées qui restituent le choc des paysages du Midi.

Picasso, génie du XXᵉ siècle
(1881-1973)

L'artiste prolifique qui peint presque jusqu'à sa mort a beaucoup marqué Provence et Côte d'Azur. Il hante toujours

les sites qu'il a habités et aimés : Mougins où il vécut jusqu'à sa mort (p. 245), le château de Vauvenargues (p. 155) où il est enterré. Peinture, sculpture, dessins, poteries : aucune technique n'arrête sa passion et son intensité créatrice. À Vallauris, sa somptueuse fresque *la Guerre et la Paix* éblouit la chapelle romane du musée Picasso (p. 250). À Antibes, l'ancien château Grimaldi qui lui servit d'abord d'atelier, abrite aujourd'hui quelques-unes de ses œuvres (p. 254).

Voir les œuvres des maîtres

L'atelier de Cézanne était dans la nature et c'est sur ses pas qu'il faut aller, sur les flancs de la Sainte-Victoire (p. 150). Ou bien dans la pénombre du musée Granet, à Aix (p. 150). À Saint-Tropez, le musée de L'Annonciade rassemble des toiles de tous les peintres qui succombèrent à son charme, Signac ou Bonnard (p. 226). Nice conserve les œuvres de Chagall et de Matisse (p. 272). Les amoureux de ce dernier iront en pèlerinage à la Chapelle du Rosaire (p. 260). Les toiles lumineuses de Van Gogh se trouvent à la fondation dont il rêvait, à Arles (p. 126). Provençal d'adoption, Cocteau est présent à Menton (p. 288) et à Cap-Ferrat (p. 275). Fernand Léger a posé ses pinceaux à Biot (p. 263). La maison de Picasso se visite à Mougins (p. 245). Et pour l'impressionnisme, une visite à la maison de Renoir à Cagnes s'impose (p. 256).

La Côte d'Azur fait son cinéma

Cogolin a son musée consacré à Raimu, Nice héberge les fameux studios de la Victorine et, un peu partout sur la Côte d'Azur, les villes ont servi de décor aux plus grands cinéastes : Pagnol, Godard, Truffaut, Vadim. Aucun doute, depuis que les frères Lumière ont filmé *L'Entrée d'un train en gare de La Ciotat*, depuis que le festival du film a pris ses quartiers à Cannes, le Midi adore faire son cinéma.

Silence, on tourne
Sur les hauteurs de Nice, face à l'aéroport, les studios de la Victorine ont été créés en 1919 (pas de visites). De grands classiques du cinéma y ont vu le jour : *Les Visiteurs du soir* de Marcel Carné, les joyeuses fantaisies de *Mon Oncle* par Jacques Tati, *Fanfan la Tulipe* et *Till l'Espiègle*, incarnés par Gérard Philipe, ou encore la triste destinée de *Lola Montes* par Max Ophuls avec Martine Carol.

Le regard de Marcel Pagnol
Le grand ami de Jean Giono avait toujours rêvé de faire du cinéma pour donner chair à ses écrits. C'est en 1935 qu'il fonde sa société de production et installe ses studios à Marseille. Mais les tournages en extérieur auront toujours sa préférence : une façon de chanter sa Provence adorée et de lui rendre hommage.

Tu me fends le cœur !
Né à Toulon en 1883, Raimu commença par le café-concert et c'est avec *César* (1929) qu'il accède à la notoriété. Sa fille et sa petite-fille ont dédié un charmant musée à leur illustre ancêtre, à Cogolin (p. 230).

Cannes à l'heure du Festival
Le septième art s'est un jour offert un royal pied-de-nez au cinéma hollywoodien en faisant de la Côte d'Azur l'antichambre de la Californie. Le premier festival aurait dû être inauguré en septembre 1939 sur la Croisette, mais la guerre l'empêcha. Ce n'est que le

20 septembre 1946 qu'il ouvre ses portes pour une aventure promise au succès. La compétition internationale se déroule désormais au mois de mai dans le Palais, édifié en 1982, et

rapidement rebaptisé le « Bunker ». On y compte plus de 20 000 visiteurs par an ! Entre palmes et quinzaine des réalisateurs, le Festival remplit toujours son rôle de découvreur de talents venus de tous les horizons.
Et, avec les Oscars américains, cet événement est aujourd'hui le plus grand rendez-vous de stars internationales.

Truffaut et Godard à Hyères

Sur l'un des murs de la cité administrative, place Théodore-Lefèvre, une fresque d'Ernest Pignon-Ernest représente la dernière scène de *Pierrot le fou*. Tourné à l'Ayguade et à Porquerolles en 1965, Godard y réunissait dans une aventure Nouvelle Vague le troublant Belmondo et la pétillante Anna Karina. Dans les petites rues d'Hyères voisines de l'église, Truffaut avait installé l'agence immobilière de son dernier film, *Vivement dimanche !* (1983), un polar piquant avec Fanny Ardant et Jean-Louis Trintignant.

Et Vadim choisit Saint-Tropez…

Bien sûr, il y avait Louis de Funès et ses gendarmes. Mais en 1956, la divine Bardot attirait tous les regards de ce côté du golfe avec le scandaleux premier film de Roger Vadim, *Et Dieu créa la femme*. Son déhanchement torride sur le port de Saint-Tropez a fait le tour du monde et y a attiré des foules…

CANNES SUR PETIT ET GRAND ÉCRAN

La ville du Festival séduit également les réalisateurs : outre Hitchcock (*La main au collet*, 1954) Henri Verneuil (*Mélodie en sous-sol*, 1962), le trio des Nuls est aussi venu tourner *La cité de la peur* (1993), suivi de Michel Blanc (*Grosse fatigue*, 1994) et de Lawrence Kasdan pour *French Kiss* (Kevin Kline et Meg Ryan en 1995). Et sur le petit écran, on retiendra quelques moments forts de la *Cérémonie* : Maurice Pialat le poing levé, répondant aux sifflements : « Moi non plus, je ne vous aime pas ! », le bafouillage de Sophie Marceau et, suprême moment de grâce, le « Tourbillon » chanté par Vanessa Paradis et repris par Jeanne Moreau.

Avignon sur les planches

Chaque année en juillet, la cour d'honneur du palais des Papes retentit de ses trois coups, reprise en écho par une vingtaine de lieux scéniques. Un événement à vivre avec intensité, porté par les somptueuses mises en scène et chorégraphies des créateurs actuels.

Histoire d'une naissance

En 1947, lors d'une exposition de peinture organisée dans la grande chapelle du palais des Papes, on propose à Jean Vilar (alors remarqué en tant qu'acteur dans *Les Portes de la nuit* de Marcel Carné et metteur en scène dans *Meurtre dans la cathédrale* de T.S. Eliot)

L'HOMME-SYMBOLE

Maison Jean-Vilar
☎ 04 90 86 59 64
Ouv. mar.-ven. 9 h-12 h et 13 h 30-17 h 30 (accueil et vidéothèque), 13 h 30-17 h 30 (centre de documentation), le sam. 10 h-17 h.
La providence plaça un jour Jean Vilar sur la route d'Avignon. Ce bel hôtel particulier en galets du Rhône abrite aujourd'hui un centre de documentation sur les arts du spectacle qui porte son nom. Toute l'année exposi-tions, vidéos et spectacles animent cette antenne de la Bibliothèque nationale.

de venir y jouer sa pièce. Il refuse mais propose trois autres pièces de Shakespeare, Claudel et Clavel. C'est le premier programme du festival, alors baptisé : « Une semaine d'art en Avignon » et complété par des concerts de musique ancienne. La belle aventure commence, avec Jean Vilar pour régisseur.

Les grandes voix

De l'époque Vilar, il y en eut beaucoup, presque toutes issues du TNP : Gérard Philipe, bien sûr, qui donna un nouveau charme au *Cid* et au *Prince de Hambourg*, mais aussi Georges Wilson, Maria Casarès, Michel Bouquet, Philippe Noiret... Côté mise en scène, le festival s'ouvre à d'autres esthétiques, toutes aussi magnifiques : Bob Wilson présente *Einstein on the beach* (1976) qui fera grand bruit, Antoine Vitez ses « Molière » en 1978, Ariane Mnouchkine *Mephisto*, un extraordinaire *Richard III* de Georges Lavaudant en 1984 et l'année suivante, le splendide *Mahabharata* de Peter Brook... La création continue !

Pas de deux

Comme le souhaitait Jean Vilar, le festival s'est également ouvert à d'autres disciplines artistiques. En 1966, Maurice Béjart présente son « Ballet du XXᵉ siècle » et installe définitivement la danse au répertoire d'Avignon.

Avignon en version off...

Le festival se passe aussi dans les rues : plus de 500 compagnies toutes disciplines confondues se relaient sur la place publique et dans des salles de spectacles, des cours, des caves, des entrepôts. (rens. Avignon Festival off ☎ 01 48 05 01 19).

Lectures sous le parasol

Quoi de plus divin que de paresser sur la plage ou au bord de la piscine en retrouvant le plaisir de la lecture… ? Écrivains classiques ou contemporains, voici une sélection de livres qui parlent de la Provence et chantent ses plus beaux accents.

Les auteurs de notre enfance

Si vous connaissez Tartarin par cœur, il existe aussi un Daudet chroniqueur à découvrir dans *Les Femmes d'artistes* (Actes Sud). Les éditions De Fallois ont édité l'œuvre complète de Pagnol : on y trouve en bonne place ses classiques mais aussi tous les scénarios de ses films. Loin de sa Normandie, le génial Maupassant a situé deux stupéfiantes nouvelles en Provence : *Le Port, ou les mésaventures d'un marin normand à Marseille*, et *Le Champ d'olivier* qui abrite le terrible secret de l'abbé Vilbois.

L'aventure en Provence

Qui mieux que Giono a fait de la Provence une terre de mystères et d'histoire en racontant la vie de ses habitants ? Sa grande épopée est *Le Hussard sur le toit*, suivi du *Bonheur fou* (Folio). *Manosque-des-Plateaux* et *Provence* (Folio) sont deux volumes réunissant des articles et des chroniques superbes. L'aventure, c'est également celle que vécut Edmond Dantès lorsqu'il s'enfuit du château d'If, sous la plume d'Alexandre Dumas dans *Comte de Monte-Cristo*.

Suspense marseillais

Fabio Montale est un flic trop sensible. Il vit à Marseille et partage son temps entre des amours improbables, des amitiés chaleureuses et les petits

vins des Calanques. La trilogie de J.-C. Izzo (*Total Khéops*, *Chourmo* et *Solea*) est éditée en coffret dans la collection « Série noire » (Gallimard).

À l'heure du thé

Aspects de la Provence, de J. Pope-Hennessy (Salvy), est le grand classique du livre de voyage et le récit d'un esthète. Un autre Anglo-Saxon, Francis Scott Fitzgerald, a situé le début de *Tendre est la nuit* (Poche) à l'hôtel L'Eden Roc, au cap d'Antibes. *L'Hôtel Pastis* raconte les aventures de Simon Shaw… double probable de Peter Mayle, l'amoureux de Ménerbes et l'auteur à succès de *Une saison en Provence* (Point Seuil).

Provence toujours

Le grand classique, c'est *Miréio*, poème provençal de F. Mistral (Grasset, bilingue). Un volume de la collection « Découverte » vous dira tout sur Avignon (Gallimard). *Histoire de Provence* (Sortilèges) est un florilège de textes sur la Provence. Deux jeunes amoureux de la ville laissent parler les écrivains, de l'Antiquité à nos jours, dans *Les Écrivains et Marseille* (J. Laffitte). J.-C. Clébert vit dans la région depuis quarante ans et en livre (presque) tous les secrets dans *Mémoire du Luberon* (Aubanel). Sans oublier J.-M. G Le Clézio et Patrick Modiano qui donnent leur vision de Nice dans plusieurs de leurs livres.

Le carnaval de Nice

Quoi de plus joyeux que ces fêtes et ces rites pour enterrer l'hiver et saluer l'arrivée du printemps ? Faire « belle flambe » au bûcher du carnaval est une tradition très ancienne que nombre de villes n'ont pas jetée par-dessus bord en entrant dans l'ère moderne. Nice est de celles-là, qui célèbre allègrement mardi gras en multipliant chars et têtes en carton.

15 février-3 mars 96
NICE CARNAVAL
Roy de la Musique
Office du Tourisme et des Congrès de Nice
Rens. : 92 14 60 60
RMC

Sa Majesté Carnaval

Pas moins de 2 000 enfants déguisés entourent Sa Majesté Carnaval au milieu d'un concert d'instruments des plus entraînants. Jeudi soir, le char du roi pénètre dans la cité par l'avenue Jean-Médecin pour venir s'arrêter place Masséna. C'est là qu'il trônera pendant les dix-huit jours de

son règne, soit la durée du carnaval de Nice. Il a généralement lieu trois semaines avant mardi gras.

Permis de se moquer

Le carnaval, c'est le monde à l'envers qui marque la fin des anciennes pénitences religieuses (carême) qui suivaient Noël. Les rois sont ridiculisés, les gueux ont la parole. L'escorte des grosses têtes se livre à des fantaisies truculentes sur tout le trajet, les chars multiplient les représentations facétieuses sur un thème qui change chaque année, la promenade des Anglais vit au rythme des batailles de fleurs et de confettis. Enfin, le soir du mardi gras, Sa Majesté

Carnaval est brûlée dans un concert d'applaudissements et, pour fêter l'événement, tout s'achève dans un gigantesque feu d'artifice.

LES ROIS DU CARNAVAL

Concept, Animations, Festivités
Z I Roseyre
La Pointe des Contes
☎ 04 93 91 64 64
De tous les carnavaliers niçois, la famille Povigna est l'une des plus anciennes, se passant le flambeau depuis quatre générations. Dans leur atelier, ils façonnent ainsi plusieurs chars pour le grand événement. Le reste de l'année, ils réalisent également des déguisements, vendent maquillage et feux d'artifice.

20 chars et 500 grosses têtes.
5 sociétés regroupent chacune
plusieurs carnavaliers
(une vingtaine en tout) qui
travaillent dans le secret de
leurs ateliers : sculpteurs, ferronniers, métalliers, électri-
ciens, peintres, couturiers…
Si les procédés et les techniques modernes ont permis la
mécanisation et l'articulation
des chars et de leurs personnages, leur fabrication de base
n'a pas changé : on continue
d'employer le carton-pâte,
comme au bon vieux temps.

Nice se pare
de mille couleurs

Le corso fleuri de Nice est
le rendez-vous annuel de
l'horticulture azuréenne.

Chars fleuris, batailles de
pétales, distribution de brassées par les plus jolis minois
de la côte, ce sont
plus de 10 000 t de fleurs
(œillets, glaïeuls, roses,
tokyos, mimosas, dahlias,
liliums, gerberas ou mufliers)
qui donnent à la ville ses
couleurs éclatantes. Sans
oublier les oriflammes – dont
les couleurs changent selon
l'année – battant pavillon
de fête sur les principaux
lieux de passage du défilé.

Préparer
le carnaval

L'instant est certes à la fête
mais il est prudent de réserver
une place assise sur le parcours du défilé de Sa Majesté.
Comptez de 10 € pour une
entrée debout et 20 € pour
une place en tribune. Il est
aussi possible de combiner
défilé et batailles de fleurs
(rens. de novembre à
février ☎ 04 92 14 48 14).
L'achat des billets peut
également se faire directement dans les deux
bureaux d'accueil de Nice
(à la gare et sur la promenade des Anglais) ou
par correspondance à l'office
du tourisme et des congrès
de Nice (☎ 04 92 14 48 00).
Rens. sur Internet :
www.nicecarnaval.com

Le char
de Sa Majesté

Pour le réaliser, il faut 1,5 t
de papier, 2 t de fer, 1 t de
matériel électrique, des
moteurs mécaniques et
hydrauliques, 20 kg de peinture et de clous, du grillage, de
la mousse, du bois, 250 kg de
farine pour faire la colle,
300 m de tissu et… six mois
de travail. Une fois terminé, le
char pèse près de 7 t.

Les métiers
du carnaval

Pour chaque sortie
carnavalesque, pas
moins de 1 500 per-
sonnes sont mobilisées
pour préparer et assurer
le joyeux défilé des

Visites industrielles et scientifiques

Pour tout apprendre sur la fabrication du savon de Marseille
ou le fonctionnement d'un observatoire astronomique,
la création d'un parfum ou la construction d'un barrage.

Visites industrielles

1 Roussillon :
conservatoire des ocres.
p. 163.

2 Valréas :
musée du cartonnage
et de l'imprimerie.
p. 183.

3 Èze : fabrique de savons
Galimard et Fragonard.
p. 279.

4 Le Pradet :
mine de Cap-Garonne.
p. 207.

5 Grasse : parfumerie.
p. 248.

6 Fontaine-de-Vaucluse :
moulin à papier
Vallis Clausa.
p. 167.

7 Marseille : savonnerie.
p. 142.

8 Martigues :
centrale thermique.
p. 134.

9 Sainte-Croix-du-Verdon :
centrale hydroélectrique.
p. 199.

10 Salon-de-Provence :
savonnerie, acierie,
raffinerie et port
autonome.
p. 132.

11 Manosque : savonnerie,
produits de beauté
et d 'hygiène l'Occitane.
p. 197.

0 10 20 30 40 50 km

Gap

ITALIE

Ubaye

Durance

A51

Barcelonnette

Sisteron

Cime du
Gélas
3 143 m

Massif du
Mercantour

⑬ Digne-
les-Bains

Verdon

N85

N202

A51

Var

Roya

Castellane

N85

Lac de
Sainte-Croix

⑨

⑫

A8

⑭ Menton

Verdon

⑯

Grasse

⑮

③ Monaco

⑤

Nice

Draguignan

Antibes

Argens

A8

Massif
de l'Estérel

Cannes

Brignoles

Fréjus

A57

Massif
des Maures

Saint-Tropez

Toulon

④

N98

Hyères

Île du
Levant

Île de
Porquerolles

Île de
Port-Cros

Visites scientifiques

⑫ Caussols :
observatoire de Calern.
p. 203.

⑬ Digne-les-Bains, Sisteron,
Castellane : réserve
géologique de Haute-
Provence.
p. 195.

⑭ Èze : astrorama.
p. 276.

⑮ Nice : observatoire
astronomique.
p. 273.

⑯ Quinson :
le musée préhistoriques
des gorges du Verdon.
p. 201.

Visiter la Provence
régions, villes et sites

Visiter la Provence

Vous trouverez dans les pages qui suivent, toutes les clés pour visiter la Provence. Par commodité, la région a été découpée en zones touristiques. À chacune d'elles correspond une couleur qui vous permettra de la repérer facilement.

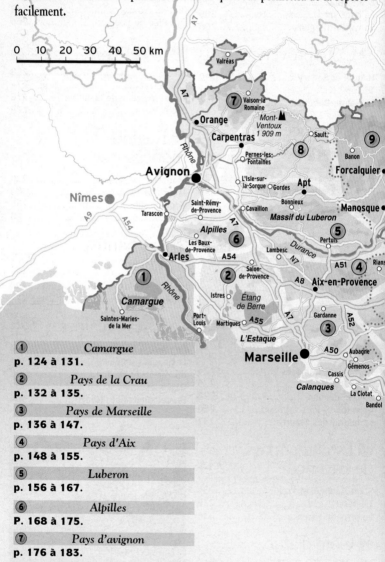

Arles
la belle
Romaine

Arles, à la naissance du delta du Rhône, peut être fière de son patrimoine architectural exceptionnel. Colonie romaine fondée par César en 46 av. J.-C., elle offre de remarquables antiquités gallo-romaines. Des itinéraires thématiques proposés par l'OT vous feront découvrir les sept monuments classés au patrimoine mondial de l'Unesco. Pourtant, Arles n'est pas tournée vers le passé : férias et fêtes populaires, la ville ne s'est pas assoupie à l'ombre de ses pierres.

Thermes de Constantin

Musée Réattu

Hôtel de ville

Arènes

Museon Arlaten

Saint-Trophime

Pl. de la République

Espace Van-Gogh

Théâtre antique

Les Alyscamps

Ier s. av. J.-C.), le théâtre n'a conservé que deux colonnes d'origine de son mur de scène. Ces deux « témoins » de l'Arles antique sont encore vivants : des fêtes traditionnelles s'y déroulent.

La nécropole des Alyscamps

Visites commentées
t. l. j. 15 juin-30 sept. ;
hors saison, le sam. r.-v.

Le théâtre antique d'Arles témoigne de l'importance de la ville au début de notre ère.

Théâtre et amphithéâtre (arènes)

☎ 04 90 18 41 22
Ouv. t. l. j. sf j. fér.,
avr.-sept., 10 h-12 h ;
oct.-mars,14 h-16 h 30.
Accès payant.
Creusées dans le roc, les arènes datent du Ier s. de notre ère. Elles n'ont cessé d'être restaurées et réaménagées à partir de 1846. Autrefois, elles accueillaient jusqu'à 25 000 spectateurs. Plus ancien (fin du

aux Alyscamps à 17 h. Ruine d'une nécropole romaine qui bordait la ville au sud-est, le long de la voie Aurélienne, les Alyscamps forment une large allée ombragée, bordée de sarcophages et de monuments religieux et funéraires chrétiens datant des IVe et XIIe s. Tout au bout se dresse l'église Saint-Honorat.
La promenade a inspiré Rilke

Amphithéâtre des arènes, avec ses deux niveaux d'arcades percées de 60 baies

et Saint-John Perse. Van Gogh et Gauguin y ont souvent planté leur chevalet.

Les Alyscamps

MUSEON ARLATEN

29, rue de la République
☎ **04 90 93 58 11**
Ouv. t. l. j. 9 h 30-12 h 30 et 14 h-17 h (18 h 30 en été). F. lun. sf juil., août et sept.
Accès payant.
Dans l'ancien palais de Laval-Castellane (XVIᵉ s.), ce musée ethnographique créé par Frédéric Mistral en 1896 constitue un répertoire majeur des divers aspects de la vie traditionnelle en Provence : herbier local, collections de costumes, de meubles et de poteries, évocations des coutumes et des légendes de la région, vieux métiers, histoire de la ville, etc.

Le portail et le cloître de Saint-Trophime

Mêmes horaires que les arènes.
Accès payant.
Grand centre religieux au Moyen Âge, Arles s'enorgueillit de deux joyaux de l'art roman provençal datant du XIIᵉ s. Le splendide portail, au très beau décor sculpté évoquant le Jugement dernier, rappelle l'arc de Glanum, à Saint-Rémy-de-Provence. L'ancien cloître jouxte l'église et offre, dans une architecture dépouillée, de belles pièces sculptées.

Place de la République : la fontaine de Péru (XVIIᵉ s.) et le très beau portail de Saint-Trophime

Musée de l'Arles antique

Presqu'île du Cirque romain
☎ **04 90 18 88 88**
Ouv. t. l. j. mars-oct., 9 h-19 h ; nov.-fév., 10 h-17 h.

Repères

A3 *(rabat avant)*

Bouches-du-Rhône

Activités et loisirs

Fêtes et jeux taurins
Le marché des Lices
Rencontres photographiques
Promenade sur les traces de Van Gogh
Visite des salins

À proximité

Les Baux-de-Provence (16 km N.-E.), p. 170. Saint-Rémy-de-Provence (24 km N.-E.), p. 172. Tarascon (20 km N.), p. 174.

Office de tourisme

Arles : ☎ 04 90 18 41 20
www.arles.org

Ce bâtiment contemporain de couleur bleu acier est une excellente introduction à la visite des monuments romains d'Arles : belles et nombreuses maquettes explicatives, fières statues, sarcophages et mosaïques : c'est la version antique d'Arles qui vous saute immédiatement aux yeux. Une exposition temporaire complète cet agréable cheminement à travers l'histoire.

La cité Renaissance

Arles possède quelques monuments Renaissance comme la **tour de l'Horloge**, l'hôtel de ville construit par Mansart (splendide voûte plate dans le vestibule) et de nombreux hôtels particuliers. C'est d'ailleurs dans un édifice du XIVe s. agrandi au XVIe s. que se tient le **musée Réattu**, un des pôles de la vie culturelle de la ville. On peut y découvrir des œuvres provençales des XVIIe-XVIIIe s., la quasi-totalité de l'œuvre du peintre arlésien Jacques Réattu, mais aussi des pièces du XXe s., comme une suite de 57 dessins de Picasso. Sans oublier la section d'art photographique. (10, rue du Grand-Prieuré, ☎ 04 90 49 38 34. Ouv. t. l. j. 9 h-12 h 30 et 14 h-19 h ; hors saison, 10 h-12 h. Accès payant.)

Sur les traces de Van Gogh
Fondation Van-Gogh
☎ 04 90 93 08 08
Ouv. t. l. j. avr. à mi-oct., 10 h-19 h ; mi-oct. à mars, 9 h 30-12 h et 14 h-17 h 30 sf lun. Vincent Van Gogh demeura quinze mois en Arles à partir de février 1888. Pendant son séjour, il peignit plus de

FONDATION VINCENT VAN GOGH ARLES

C'est aujourd'hui chose faite grâce à la **fondation Vincent-Van-Gogh** installée dans le palais de Luppé, rond-point des Arènes, où de nombreux artistes contemporains lui rendent un magnifique hommage. L'office du tourisme organise également des visites guidées de 2 h environ intitulées « Sur les traces de Van Gogh ». Une brochure « Arles et Vincent Van Gogh », disponible à l'OT permet, de faire le parcours seul : des chevalets avec les reproductions de ses tableaux sont installés dans les rues.

ARLES EN HIVER
Passées les chaleurs d'été, la ville ne s'endort pas sur ses lauriers : les « Journées de la harpe » (fin oct. ☎ 04 90 93 37 07) prennent chaque année de l'importance et proposent une cinquantaine d'animations, de promenades musicales et de spectacles gratuits. Le soir, les concerts (payants) accueillent de grands noms de la harpe. À l'approche de Noël (fin nov. au palais des Congrès, ☎ 04 90 99 08 08), le salon Provence Prestige est un véritable marché de Noël à la mode provençale auquel s'adjoint le salon international des Santonniers d'Arles (de nov. à janv., ☎ 04 90 96 22 88) : dans les salles du cloître Saint-Trophime, tout l'art des maîtres santonniers est somptueusement mis en scène.

Le saucisson
La recette du charcutier Godard fut créée pour l'avènement de Louis XIII, le 6 juillet 1655. Composé de viande de bœuf hachée, de viande de porc, d'herbes de Provence et de lardons macérés dans du vin de pays, puis séché pendant six mois, le véritable saucisson d'Arles reste fabriqué traditionnellement par certains charcutiers. C'est le cas de la **maison Genin** (15, rue des Porcelets, ☎ 04 90 96 01 12) et de **Pierre Milhau** (11, rue Réattu, ☎ 04 90 96 16 05), ce fou du saucisson qui détient le record du plus long saucisson du monde : 350 kg de viande hachée dans 80 m de boyaux !

300 toiles dont *Le Pont de Langlois*, *La Maison jaune* qu'il habitait à l'époque, le portrait de son ami le facteur Joseph Roulin, *La Nuit étoilée*, *L'Arlésienne*, les cafés ou encore le *Jardin de l'Hôtel-Dieu*. Avec son ami Gauguin, le peintre rêvait de créer un atelier du Midi.

Marché sur le boulevard des Lices
C'est le centre de la vie arlésienne. Bordé de terrasses de cafés à l'ombre des platanes, il accueille le marché du samedi matin (l'autre marché d'Arles se tient le mercredi au départ de la place Lamartine).

Les Rencontres internationales de la photographie

10, rond-point
des Arènes
☎ 04 90 96 63 39
www.rip-arles.org

Créées en 1970, les Rencontres transforment Arles, chaque année en juillet, en capitale de la photographie. De tous horizons et de toutes tendances, des artistes du monde entier s'y retrouvent. Nombreuses expositions (ouvertes jusqu'à fin août), projections thématiques

Salin-de-Giraud

suivies de débats sont programmées. Depuis 1982, la ville accueille aussi l'École nationale de photographie.

Musiques du monde

Rens. à l'OT

La seconde quinzaine de juillet, le festival « Les Sud à Arles » invite à de belles soirées latino et orientales avec des stages de danse et de musique. À la mi-août, c'est au tour des gitans : le festival « Âme gitane » accueille spectacles de danse et concerts tziganes.

Salin-de-Giraud

Découverte en calèche

Domaine de la
Palissade
☎ 06 87 84 33 72
ou 04 42 86 81 28

Ouv. t. l. j. avr.-oct.
Aire de pique-nique.
Accès payant.
Pour rejoindre Salin-de-Giraud, ne résistez pas au plaisir de prendre le bac ! Après avoir traversé le Grand Rhône au bac de Barcarin, rendez-vous pour une balade en calèche à la rencontre de la nature camarguaise.
Trop « pépère » pour vous ? Les chevaux vous attendent pour vous conduire sur un sentier de découverte qui longe le Rhône… enchanteur au coucher du soleil !

Récolte du sel

Le sel imprègne la terre camarguaise. Les salins de Giraud sont les plus grands d'Europe et produisent près de 700 000 t de sel par an. Le principe est simple : l'eau de mer est pompée puis envoyée dans des lagunes de pré-concentration. L'eau finit par s'évaporer, laissant des « tables » prêtes pour la récolte mécanique d'un sel destiné soit à l'industrie chimique, soit au déneigement. À la sortie de Salin-de-Giraud, un point de vue impressionnant a été aménagé à côté d'une camelle (montagne de sel) avec des panneaux d'informations très bien faits (pour les visites, se renseigner à l'OT d'Arles). Les Salins du Midi proposent une visite des salins en petit train avec commentaire explicatif (d'avr. à oct.).

FÊTES ET JEUX TAURINS

Rens. à l'OT

Ils rythment l'année des Arlésiens dans un concert de couleurs et de costumes : féria de Pâques, fête des Gardians (1er mai) avec élection de la reine d'Arles tous les trois ans (prochaine en 2005), fêtes d'Arles (fin juin-début juil.) et pégoulade avec retraite aux flambeaux en costumes traditionnels (1er ven. de juil.), fêtes des Prémices du riz et féria du riz (mi-sept.). Point d'orgue à ces fêtes, la course à la cocarde ou course camarguaise (tout l'été) : le ruban rouge placé entre les cornes du taureau doit être retiré par les razeteurs tout de blanc vêtus. L'animal n'est pas mis à mort et les spectateurs s'enflamment lorsque celui-ci franchit la talanquière, entraîné par son élan ! Et, nec plus ultra des courses à la cocarde, la « Cocarde d'Or » qui a lieu une fois par an début juillet.

La Camargue
flamants, chevaux, taureaux…

Entre les deux bras impétueux du Rhône, la Camargue demeure le paradis des oiseaux migrateurs, des taureaux et des chevaux. Cette nature encore sauvage se découvre au rythme lent des balades à pied, à cheval, à vélo ou en bateau. Vaste plaine alluviale, elle forme un triangle de 1 400 km^2. La Grande Camargue couvre 750 km^2 entre les deux bras du Rhône, la Petite Camargue se situe à l'ouest du Petit Rhône, et le plan de Bourg, à l'est du Grand Rhône.

Le Musée camarguais
Mas du Pont-de-Rousty
10 km d'Arles sur la route des Saintes-Maries-de-la-Mer
☎ 04 90 97 10 82
Ouv. oct.-fin mars, 10 h 15-16 h 45 ; avr.-fin sept., 9 h 15-17 h 45 (18 h 45 en été). F. mar. oct.-fin sept. et certains j. fér.
Accès payant.
Dans une ancienne bergerie, voici une intéressante évocation de l'histoire de la Camargue, à travers les activités de ses habitants.
La visite s'accompagne d'un parcours pédestre de 3,5 km qui permet de découvrir successivement les cultures, les herbages et les marais qui composent le paysage camarguais.

Le parc naturel régional de Camargue
Ses 86 000 ha sont consacrés à la préservation du milieu naturel et des espèces.
Au **Centre d'information du parc** (Pont-de-Gau, ☎ 04 90 97 86 32. Ouv. t. l. j. avr.-fin sept., 9 h-18 h ; oct.-fin mars, 9 h 30-17 h. F. ven., 1er mai, Noël et Jour de l'an),

vous trouverez les informations pour organiser vos promenades, mais aussi une exposition sur les milieux protégés de la Camargue.

Les flamants roses de Pont-de-Gau
Parc ornithologique du Pont-de-Gau
☎ 04 90 97 82 62
Ouv. t. l. j. de 9 h (10 h en hiver) au coucher du soleil.
Accès payant.
Paradis des oiseaux, cette véritable vitrine vivante permet de découvrir, en volière ou en liberté, plus de 350 espèces dont des aigrettes, des hérons, des canards et, surtout, des flamants roses. N'oubliez pas les jumelles.

Côté plages
Bordée de 60 km de sable fin, la Camargue est aussi le paradis des amoureux du soleil et des naturistes. Faciles d'accès, les plages du centre des

Saintes-Maries-de-la-Mer sont surveillées en saison. Vous pouvez choisir la **plage de Piémançon** (au sud de Salin-de-Giraud), Beauduc (à l'ouest de Piémançon) ou, plus loin, Pertuis-de-la-Comtesse, près du phare de la Gacholle (plage naturiste).

Bateaux rois au pays des canaux
Au départ du port des Saintes, que diriez-vous d'une petite croisière à l'intérieur du delta ? De nombreux bateaux remontent le Petit Rhône et vous proposent des promenades commentées.
Sur le port :
Le Camargue
(☎ 04 90 97 84 72), et
Les Quatre Maries
(☎ 04 90 97 70 10).
À l'ouest des Saintes par la D 38, à l'embouchure du petit Rhône,
Le Tiki III
(☎ 04 90 97 81 68) vous

PRÉLUDES À LA COURSE

Présent dans le delta depuis la haute Antiquité, le taureau de Camargue a d'abord été utilisé pour les travaux agricoles avant d'être exploité pour sa viande au goût racé (son label AOC). Mais est aussi le héros des courses et des arènes. Son pelage noir, ses longues cornes fines en font une bête aussi redoutée qu'admirée. Environ 15 000 taureaux répartis sur une centaine de manades vivent ici en semi-liberté. Participer à la vie d'un troupeau et de ses gardians, rien de plus facile. Plusieurs manades (liste à l'OT des Saintes-Maries-de-la-Mer) vous proposent d'assister à la capture, à la ferrade, mais aussi à une course à la cocarde (dim. et j. fér. des Rameaux à fin juin. Accès payant).

invite à remonter le temps à son bord, grâce à ses roues à aubes. Toujours à l'embouchure du Petit Rhône, la *Cavale en Barque* de style Louisiane

(☎ 04 90 97 94 59) peut vous conduire à la plage du Grand-Radeau, inaccessible par la route.

À bicyclette

La route de la Digue à la Mer (25 km), construite au XIXe s. entre l'étang de Vaccarès et la Méditerranée depuis Les Saintes jusqu'à Salin-de-Giraud, est fermée aux voitures. **Locations de vélos** au mas Saint-Bertrand (à 7 km des Salins-de-Giraud, ☎ 04 42 48 80 69) ou au Vélociste (Les Saintes, ☎ 04 90 97 83 26) et au Vélo Saintois (Les Saintes, ☎ 04 90 97 74 56).

À cheval

La promenade à cheval est le moyen rêvé pour accéder aux coins les plus reculés de cette terre sauvage. L'OT fournit la liste des loueurs de chevaux de la région (comptez 38,11 € la demi-journée).

Le musée du Riz

La Rizerie du Petit Manusclat, Le Sambuc
S. d'Arles, dir. Salin-de-Giraud par D 570 puis D 36
☎ 04 90 97 20 29

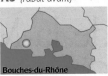
Visite guidée sur r.-v. *Accès payant.*
Le riz recouvre aujourd'hui un peu plus de la moitié des terres cultivables. En septembre, la féria du riz d'Arles célèbre avec ferveur cette ancestrale graminée. Le musée du Riz raconte son histoire.

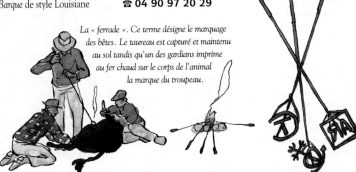

La « ferrade ». Ce terme désigne le marquage des bêtes. Le taureau est capturé et maintenu au sol tandis qu'un des gardians imprime au fer chaud sur le corps de l'animal la marque du troupeau.

Les Saintes-Maries-de-la-Mer, le pèlerinage des gitans

Selon la légende, une barque arrivée miraculeusement de Palestine et portant à son bord Marie-Jacobé, sœur de la Vierge, Marie-Madeleine, son frère Lazare, sa sœur Marthe, Marie-Salomé, mère des apôtres Jacques et Jean, et leur servante noire Sarah, échoua sur le

Musée du panorama du voyage à Pioch-Badet

rivage des Saintes vers l'an 40. Les saintes se fixèrent ici et évangélisèrent la région. Quant à Sarah, les gitans en ont fait leur patronne et la vénèrent chaque année au printemps lors d'un grand pèlerinage.

L'église des Saintes-Maries

Point culminant de la Camargue visible à des kilomètres alentour, elle est le berceau de la légende des saintes Marie. Elle abrite leurs reliques ainsi que la barque processionnelle. Dans la crypte se trouvent les reliques de Sarah et la statue de la Vierge noire que les gitans transportent lors de la procession. Ne

redoutez pas de grimper les 53 marches conduisant au toit-terrasse de l'église : la vue sur la Camargue et sur la mer le mérite.

Le pèlerinage des gitans

Une fois par an, les Saintes-Maries-de-la-Mer sont le rendez-vous des gens du voyage. Ils sont des milliers, venus de tous les pays d'Europe, à retrouver pour

cette occasion les routes du pèlerinage : les 24 et 25 mai pour célébrer sainte Sarah. Le dimanche le plus proche du 22 octobre, jour anniversaire de sainte Marie-Salomé, gardians à cheval et Arlésiennes en costume se retrouvent après la messe pour emmener la barque des saintes jusqu'à la mer, où elle sera bénie.

Sainte-Sarah

La Maison du cheval

12 km des Saintes-Maries sur la route d'Arles, face au château d'Avignon
Mas de la Cure
☎ 04 90 97 58 47
Visite guidée (env. 2 h) sur r.-v.
Ce n'est pas à cheval, mais à pied que l'on découvre la vie d'un mas au XIX⁰ s., les activités agricoles et l'élevage extensif du cheval camarguais et du taureau. En chemin sur le sentier nature, on approche les différents milieux camarguais, la faune et la flore. Gare aux moustiques !

La Festo Vierginenco

Créée en 1904 par Mistral, la fête des vierges, chaque dernier dimanche de juillet, honore les jeunes filles de 16 ans qui, pour la première fois, sont autorisées à porter le ruban d'Arlésienne (le costume). Après la messe, tous se rendent aux arènes pour assister aux jeux équestres et aux danses provençales, dans une ambiance chaleureuse et une débauche de costumes magnifiques.

Le panorama du voyage

Écomusée tzigane
Pioch-Badet
☎ 04 90 97 52 85
Ouv. t. l. j. 10 h-20 h ;

LA FÉRIA DU CHEVAL

Rés. ☎ 04 90 97 10 60 et rens. à l'OT
Durant quatre jours, autour du week-end du 14 juillet, le cheval est à l'honneur : ferrades, corrida à cheval, courses camarguaises, concours de maniabilité et nombreux spectacles équestres animent alors les arènes des Saintes-Maries, avec en interludes, flamenco et danses sévillanes pour enflammer l'atmosphère.

hors saison 10 h-17 h.
Accès payant.
À 10 km au nord des Saintes-Maries, une évocation de l'histoire tsigane, du monde du cirque et de la fête foraine. Des verdines (7 anciennes roulottes de nomades de 60 ans d'âge toujours prêtes à repartir) permettent d'imaginer l'univers des gens du voyage. Écomusée tsigane, Pioch-Badet, à 9 km des Saintes-Maries, ☎ 04 90 97 52 85.

Tout pour le gardian

11, rue Victor-Hugo
☎ 04 90 97 82 33
Ouv. t. l. j. en été, 9 h 30-12 h 30 et 14 h-19 h.
Dans cette boutique vous trouverez le véritable équipement du gardian :

veste de velours noir doublée de satin rouge (200 €), pantalon beige orné de liserés sur les côtés, chapeau à bords retournés et bottes.

La Camargue en kayak

Kayak vert Camargue
Quartier des Baumelles
☎ 04 66 73 57 17
Découvrez la Camargue au fil de l'eau en descendant le Petit Rhône (plusieurs circuits sont proposés : à la demi-journée ou à la journée de 10 à 16 km à partir de 15,24 €/pers. avec retour en minibus).

De Salon-de-Provence à l'étang de Berre

le pays de la Crau

Aux portes de Marseille, Salon s'offre des allures nonchalantes avec ses jolis cours ombragés de platanes. Connue pour sa patrouille de France et son école de l'Air, la ville fut au XIXe s. un grand centre de commerce dont témoignent encore quelques belles demeures bourgeoises. On y fabrique toujours du savon et l'ombre de Nostradamus semble encore planer près de la curieuse fontaine Moussue.

Musées tous azimuts

Dominant la ville, la forteresse médiévale de l'Empéri abrite un riche **musée militaire** (☎ 04 90 56 22 36. Vis. t. l. j sf mar., 10 h-12 h, 14 h-17 h ; avr.-fin sept., 10 h-12 h, 14 h 30-18 h 30. Accès payant) qui décline son histoire à partir de Louis XIV. Les arts et traditions populaires sont à découvrir au **musée de Salon et de la Crau** (☎ 04 90 56 28 37. Horaires d'ouv. selon dates. Accès payant). Enfin, pour voyager dans l'histoire et les légendes de la Provence, rendez-vous au **musée Grévin de la Provence** (☎ 04 90 56 36 30. Horaires d'ouv. selon dates.

Accès payant) : 26 siècles se déroulent sous vos yeux… et vos narines, 15 scènes étant même parfumées !

La maison de Nostradamus

Rue Nostradamus
☎ **04 90 56 64 31**
Ouv. lun.-ven., 9 h-12 h et 14 h-18 h ; hors

saison et w.-e., 14 h-18 h. F. j. fér. *Accès payant.*
C'est à 45 ans que Nostradamus se fixe à Salon et rien, pas même la mort, n'a pu l'en arracher. Dans la rue qui porte son nom, un musée est consacré à ce médecin et astrologue, devenu célèbre par ses prophéties. Son tombeau se trouve dans les murs gothiques de la collégiale Saint-Laurent (☎ 04 90 56 06 40).

Les savonneries

En 1924, Marseille en comptait 108 et Salon-de-Provence, 14 ! Aujourd'hui, 3 savonneries subsistent à Marseille et 2 à Salon. Chez le célèbre savonnier Marius Fabre (148, avenue Paul-Bourret, ☎ 04 90 53 24 77), le musée du savon vous dit

L'INDUSTRIE AU BORD DE LA MÉDITERRANÉE

Fos-sur-Mer

29 km au S.-O. de Salon-de-Provence

OT ☎ 04 42 47 71 96.
Internet :
www.fos-tourisme.com
Visites programmées en juil. et août. Sur r.-v. le reste de l'année.

Triste privilège, cette partie de la Provence possède un complexe industriel très imposant. Alors mieux vaut faire contre mauvaise fortune bon cœur. Passionnantes et accessibles aux enfants à partir de 9 ans, les visites proposées par l'office du tourisme de Fos vous mèneront chez les aciéristes et raffineurs ainsi qu'au port autonome de Fos.

tout sur la fabrication de ces petits et gros carrés à l'huile d'olive. La savonnerie Rampal Patou se visite aussi (71, rue Félix-Pyat, ☎ 04 90 56 07 28).

La Barben

8 km à l'E. de Salon-de-Provence

Un château plein d'animaux

Château et parc zoologique
Ouv. t. l. j. 10 h-18 h (10 h-12 h, 14 h-17 h sept.-mai. F. mar. et janv.).
☎ 04 90 55 25 41/19 12
Dans cette imposante forteresse médiévale agrandie et remaniée au fil des siècles, il y

en a pour tous les goûts : un château magnifiquement meublé, des jardins à la française dessinés par Le Nôtre et un grand parc animalier.

Saint-Chamas

15 km au S. de Salon-de-Provence

Vestiges et douceurs
En bordure de l'étang de Berre, le village est divisé en deux (le Delà et le Pertuis) par une colline percée de grottes. On y flânera à la recherche des vestiges de sa muraille médiévale (dont la porte du Fort du XVᵉ s.). Le pont Flavien (Iᵉʳ s.), avec ses **2 arcs de triomphe**, enjambe le Touloubre d'une seule arche. La spécialité de la ville, ce sont les **pichoulines** : friandises à base de pâte d'amande, de pistaches et de chocolat blanc).

Istres

23 km au S.-O. de Salon-de-Provence

Sports nautiques
Les 3 étangs qui l'entourent (Berre, l'Olivier et Entressen) voisinent avec les collines boisées et la plaine de la Crau. Les marais salants couvrent 115 ha et produisent 50 000 t de sel par an. Le centre médiéval, l'église

Repères
B3-B4 *(rabat avant)*

Bouches-du-Rhône

Activités et loisirs
Visite d'une savonnerie

Avec les enfants
Château et parc animalier de La Barben
Bateaux électriques sur l'étang de l'Olivier
Visites industrielles à Fos
Musée Grévin de la Provence

À proximité
La Camargue (env. 30 km S.-O.), p. 128.
Cavaillon (env. 30 km N.), p. 166.
Aix-en-Provence (env. 40 km E.), p. 148.

Offices de tourisme
Salon-de-Provence :
☎ 04 90 56 27 60
Istres : ☎ 04 42 55 51 15

Notre-Dame-de-Beauvoir, la chapelle Saint-Sulpice et les amphores du musée d'Istres méritent le déplacement (☎ 04 42 55 50 08, t. l. j. 14 h-18 h). À l'étang de l'Olivier, on peut tester le vélo nautique à une ou deux places et les amusants bateaux électriques. Embarcadère : ☎ 04 42 55 50 94.

Notre-Dame-de-Beauvoir à Istres

Martigues, Venise provençale

Chaque année en août, Martigues résonne des échos du festival mondial de Folklore. Puis, le petit port baigné par la délicate lumière de l'étang de Berre retrouve sa tranquillité et le charme de ses canaux. Face à la mer, la Côte Bleue séduit par la douceur de ses calanques sauvages.

Le canal Saint-Sébastien et l'église de la Madeleine

Des ponts et des canaux

Entre le chenal de Caronte et l'étang de Berre, trois canaux découpent la ville en autant de quartiers aux allures de villages. Chacun possède son église et son histoire…
La **chapelle de l'Annonciade**, aux murs et aux plafonds richement décorés, et l'**église de la Madeleine** (la « cathédrale » pour les Martégaux), à la façade baroque, sont remarquables.

Le musée Ziem

Bd du 14-juillet
☎ 04 42 41 39 60
Ouv. sept.-juin, 14 h 30-18 h 30 sf lun. et mar. ; juil.-août, 10 h 30-12 h et 14 h 30-18 h 30 sf mar. et j. fér.
Accès gratuit.
Séduit par Martigues et sa lumière, le peintre Félix Ziem y achète en 1860 une propriété au lieu-dit Le Chat-Noir. Cet artiste prolixe qui signa plus de 3 000 toiles donna à la ville une partie de son œuvre et fut à l'origine du musée qui porte son nom. Outre une belle collection de peinture provençale, on peut y découvrir trois tableaux de Raoul Dufy (pas toujours exposés), quelques œuvres d'art contemporain et des collections d'archéologie locale. Des expositions temporaires sont régulièrement présentées.

Cultures du monde

Depuis 1989, pendant huit jours (de fin juillet à début août), Martigues devient le « Théâtre des cultures du

Repères

B4 *(rabat avant)*

Bouches-du-Rhône

Activités et loisirs

Sardinades et joutes
nautiques
Visite d'une centrale
thermique
Le festival Théâtre des
cultures du monde

Avec les enfants

Les fonds marins de la Côte
Bleue

À proximité

Marseille (30 km E.),
p. 136.

Office de tourisme

Martigues :
☎ 04 42 42 31 10

Monde » : plus de 500 artistes, danseurs, chorégraphes, musiciens et groupes de folklore des cinq continents donnent alors des représentations en plein air, sur une scène flottante installée sur le canal Saint-Sébastien (rens. à l'OT).

Visite d'une centrale thermique

Si Martigues a conservé ses allures de petit port provençal, il ne faut pas oublier qu'il est enclavé par la civilisation industrielle. N'hésitez pas à faire un tour du côté de la haute technologie. À la centrale EDF de Martigues-Ponteau (☎ 04 42 35 56 00, lun.-ven. sur r.-v. Visite gratuite), vous découvrirez le fonctionnement des centrales produisant l'électricité à partir de l'énergie thermique libérée par le fioul. Poste d'eau, turbine, générateur de vapeur, salle de commandes ou poste de haute tension n'auront plus de secrets pour vous.

La Côte Bleue

Très préservée grâce à la création en 1983 d'un parc régional marin, la Côte Bleue offre, sur près de 24 km, de magnifiques paysages de falaises calcaires trouées par les calanques de Niolon, de La Redonne et de Gignac. Sur la route de Carro, patrie de la pêche au thon, le fort de Port-de-Bouc surveille l'accès au canal de Caronte. En bordure de mer, les villages de Carry-le-Rouet (où est enterré Fernandel) et de Sausset-les-Pins sont dédiés aux joies de la plage. Découvrez la Côte Bleue par la terre en prenant le GR 51, ancien sentier des douaniers, que vous empruntez depuis le port de Carro. Ou par la mer : l'office du tourisme organise un parcours

SARDINADES ET JOUTES NAUTIQUES

En juillet et en août, les sardines, qui firent longtemps vivre les pêcheurs de Martigues, se dégustent tous les soirs place de la Médiathèque. Ces « sardinades » s'accompagnent toujours de joutes nautiques : vers 19 h, les équipes s'entraînent sur le canal de Baussengue à Ferrières. Ambiance assurée...

découverte des fonds marins accessible aux enfants munis de masques et tubas.
Rens. à la Maison du parc, ☎ 04 42 45 45 07.

Carry-le-Rouet
Poutargue et oursinades

Si pendant les fêtes de fin d'année on consomme traditionnellement des huîtres, à Carry-le-Rouet, ce sont les oursins que l'on déguste les trois premiers dimanches de février à l'occasion des « oursinades ». Ne partez pas sans avoir dégusté la délicieuse poutargue faite avec des œufs de testu (sorte de mulet) salés, pressés et séchés : du vrai caviar ! On la déguste religieusement sur du pain arrosé d'huile d'olive (en vente sur le marché du quartier de l'Ile à Martigues le jeudi et le dimanche matin). Mangés crus sur des mouillettes de pain frais, ils sont délicieux et, ce qui ne gâte rien, riches en protéines, en phosphore et en calcium.

Marseille, belle et rebelle

Réunion d'une centaine de villages, Marseille la composite multiplie à l'envi les petits « centres-villes » qui font presque oublier que c'est le premier port de France et sa deuxième ville par la taille. Fondée par les Grecs il y a vingt-six siècles, cette cité cosmopolite a toujours connu un important brassage de cultures. Rebelle, lumineuse et diablement vivante, Marseille colle à la peau de ses habitants et séduit les visiteurs : irrésistible !

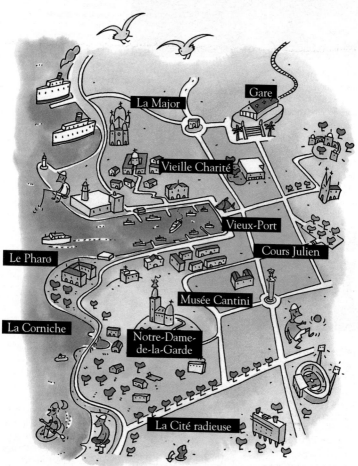

La Major

Gare

Vieille Charité

Vieux-Port

Le Pharo

Cours Julien

Musée Cantini

La Corniche

Notre-Dame-
de-la-Garde

La Cité radieuse

Le Vieux-Port

À Marseille, tous les chemins mènent au Vieux-Port. Au pied de la Canebière (autre « monument » de la ville), les voiliers côtoient les pointus tandis que, impassible, le ferry-boat immortalisé par Marcel Pagnol continue ses traversées pour économiser aux marcheurs quelques centaines de mètres. Les restaurants du port vous proposeront tous la meilleure bouilla-

baisse, la seule, la vraie… On finit par hésiter un peu ! Laissez-vous tenter, par les poissons que vendent, tous les matins sur le quai des Belges, les femmes des pêcheurs (« Du vivant au prix du mort ! »). Très beau point de vue sur le port et son animation depuis le fort Saint-Jean.

Repères

C4 *(rabat avant)*

Bouches-du-Rhône

Activités et loisirs

Festivals
Les calanques par terre
et mer
Visite d'une savonnerie
Plongée à Marseille

Avec les enfants

El Dorado City
Aquacity
Navette pour les îles
Le ferry-boat
Le préau des Accoules

À proximité

*Martigues (30 km O.),
p. 134.
Aix-en-Provence
(env. 30 km N.), p.148.
La Sainte-Baume
(env. 30 km N.-E.),
p. 214,*

Office de tourisme

Marseille : ☎ 04 91 13 89 00
Internet : www.destina-
tion-marseille.com

Une bonne bouillabaisse

À l'origine, les pêcheurs la préparaient avec les poissons qu'ils ne pouvaient pas vendre. Elle a aujourd'hui acquis ses lettres de noblesse et c'est tout un art de la préparer : tous les poissons ne doivent pas cuire aussi longtemps sous peine de voir arriver sur la table un mélange décomposé par une cuisson trop prolongée. Marseille regorge de restaurants qui se sont fait une spécialité de cette spécialité : certains d'entre eux ont signé la charte de la bouillabaisse marseillaise qui garantit sa qualité et son authenticité (liste à l'OT). Sur le Vieux-Port, **le Miramar** (☎ 04 91 91 10 40) est une véritable institution. À recommander également **l'Escale** (☎ 04 91 73 16 78, sortie de Marseille) pour son emplacement à l'entrée du petit port des Goudes.

CRIÉE ET MARCHÉS

C'est sans doute sur ses marchés que vous goûterez le mieux toute la saveur pittoresque de la ville. Outre la criée du poisson, tous les matins sur le quai des Belges, ne manquez pas le marché du Prado (métro Castellane, tous les matins sauf dim.), le « ventre de Marseille », où l'on peut acheter aussi bien des primeurs, des bouquets parfumés, une tapette à mouches ou du tissu provençal.

Canebière et ferry-boat

Encore deux incontournables de Marseille ! La première déçoit parfois : on l'imagine plus longue, plus large. Mais ses nombreux commerces et sa perspective sur la grande bleue sont vraiment agréables. Le second, à prononcer « avé l'accent », fut créé en 1879 pour rejoindre les deux côtés du quai. Abandonné en 1983, il reprend heureusement du service pour le plus grand plaisir des touristes. On le prend

L'abbaye Saint-Victor

quai du Port ou du quai de Rive-Neuve : 206 m exactement séparent les deux quais ! Quant au prix, il est vraiment dérisoire : moins de un euro l'A/R, gratuit jusqu'à 7 ans (navettes de 8 h à 20 h 30).

Musée de la Mode
Espace Mode
11, La Canebière (métro n°1 - Vieux-Port)
☎ 04 91 56 59 57
Ouv. t. l. j. sf lun., 19 h-17 h.
Accès payant.
Dans cet édifice haussmannien réhabilité par Jean-Michel Wilmott, les grands noms de la haute couture se succèdent pour de belles expositions temporaires, de Coco Chanel à Chantal Thomass, de Paco Rabanne à Christian Lacroix. D'année en année, les collections du musée s'enrichissent, véritable défilé historique de ce qui se porte depuis un siècle. À deux pas du musée, au bout de la jolie place Charles-de-Gaulle, l'ancienne rue de la Tour rebaptisée « rue de la Mode » vous donnera un aperçu de la mode actuelle vue par les créateurs marseillais de talent : Casablanca, Diable Noir, Zénana et la créatrice de chapeaux Manon Martin…

Balade au Panier
Toujours sur la rive nord, dominant le quai du haut de sa colline, le quartier du Panier a des accents d'Italie du Sud avec ses maisons colorées et son linge aux fenêtres. C'est là que vivaient autrefois les *pescadous* (les pêcheurs). Aujourd'hui, les réhabilitations vont bon train dans cette partie du centre qui retrouve une seconde jeunesse. Depuis le port, empruntez la (raide) montée des Accoules pour accéder au cœur de ce quartier traversé de vieilles ruelles.

Préau des Accoules
29, montée des Accoules
☎ 04 91 91 52 06
Ouv. mer. et sam. 13 h 30-17 h 30, l'été sur r.-v.
Accès gratuit.
C'est un lieu magique, un ancien collège jésuite du XVIIe s. devenu aujourd'hui un espace entièrement consacré aux enfants. Expositions temporaires et ludiques autour de l'œuvre d'art, l'archéologie, le patrimoine régional, la photo, l'art contemporain… Animations et ateliers sont possibles sur inscription.

Le quai sud et l'abbaye Saint-Victor
3, rue de l'Abbaye
☎ 04 96 11 22 60
Ouv. de la crypte : 8 h-19 h.
Accès gratuit.

Aux ensembles récents du quai nord répondent, sur la rive sud, les façades d'anciens entrepôts du XVIIIe s. Longtemps désaffectés, ils ont été colonisés par des ateliers d'artistes et sont devenus des appartements très prisés. Un peu plus loin, à flanc de colline et dominant l'ancien bassin de carénage, l'abbaye-forteresse de Saint-Victor est la plus ancienne église de Marseille. Fondée au Ve s. puis reconstruite au XIe s., elle sera fortifiée au XIVe s. Cryptes impressionnantes et très beaux sarcophages. Dans les cryptes, l'ambiance est au recueillement : tombes jumelles des « martyrs », sarcophages de sainte Eusébie et saint Maurice, superbe musique, on y resterait des heures.

La Vieille Charité
Centre pluridisciplinaire scientifique et culturel
2, rue de la Charité
☎ 04 91 14 58 80
Ouv. t. l. j. sf lun., 11 h-18 h ; hors saison, 10 h-17 h.
Accès payant.
Du bout de la rue du Refuge, ce très bel ensemble architectural, classé Monument historique, a été construit en 1670 par Pierre Puget, grande figure de la sculpture baroque qui signa ici son seul édifice public. La pierre rose de cet ancien hospice joue merveilleusement avec la lumière du Sud et l'azur du ciel (à la tombée de la nuit en été, le lieu est encore plus magique). Promenez-vous sous les

galeries et entrez à votre gré dans le **musée d'Archéologie méditerranéenne** ou dans le musée des Arts africain, amérindien et océanien.

Le carré Thiars et le cours d'Estienne-d'Orves

C'est l'un des quartiers les plus animés de Marseille, qu'il faut découvrir en soirée pour profiter de sa vie nocturne. Sur le site de l'ancien arsenal des galères, le carré offre ses nombreux restaurants et cafés dont les terrasses permettent des pauses agréables. Un peu plus haut, le cours d'Estienne-d'Orves est une ample place à l'italienne très vivante où se déroulent les manifestations festives de la ville.

Les Arcenaulx

Librairie d'art, cuisine et vins
25, cours d'Estienne-d'Orves
☎ 04 91 59 80 30/37
Librairie ouv. 10 h-20 h, salon de thé ouv. 14 h 30-18 h 30.
Vous cherchez un livre pointu sur Marseille ou la région :

Jeanne Laffitte, héritière de plusieurs générations d'éditeurs marseillais dirige cette belle librairie. Les rayons de littérature générale, beaux-arts, régionalisme et histoire de la Provence se succèdent dans une ambiance feutrée, sous les voûtes des anciens arcenaulx des galères. Une fois le manuscrit trouvé, on peut aller directement le feuilleter d'un peu plus près au salon de thé : judicieuse idée ! Boutique cadeaux et arts de la table, traiteur et restaurant complètent ce beau lieu multiloisir.

La Corniche et les plages

Accessible en bus depuis le Vieux-Port
Plages surveillées.
De l'avenue du Président-Kennedy (la corniche des Marseillais) à la promenade de la Plage, la ville est bordée de plages de sable, de galets ou de rochers. Allez prendre un verre au petit port pittoresque du vallon des Auffes ou baignez-vous à la **plage du Prado** (3 km). Les 45 ha gagnés sur la mer grâce aux remblais du métro ont permis de composer

Le petit port de la Madrague, au pied de la corniche

un espace agréable pour profiter des plaisirs de la plage. Sans oublier le jardin arboré avec pelouses.

Notre-Dame-de-la-Garde

Accessible en bus (n°60) depuis le Vieux-Port
☎ 04 90 13 40 80
Ouv. t. l. j. 7 h-19 h (jusqu'à 20 h en été).
Accès gratuit.
Sur la rive sud, la très respectée « Bonne Mère » des Marseillais veille sur la ville à 154 m d'altitude. La basilique, de style romano-byzantin et construite sous Napoléon III, possède un très vaste ensemble d'ex-voto. Témoignages de reconnaissance, marques de la foi populaire, ils sont aussi une merveilleuse chronique de la société marseillaise. Depuis l'esplanade, contemplez un panorama splendide sur la rade.

Musée provençal

5, place des Héros, Château-Gombert (métro n°1, arrêt Malpassé puis bus n°5)
☎ 04 91 68 14 38
Ouv. t. l. j. sf mar. et j. fér., 14 h 30-18 h 30.

Aux portes de Marseille, voilà une belle collection d'objets de la vie quotidienne. On peut y aller pour vérifier si la petite panière achetée sur le marché est tout ce qu'il y a de plus authentique. Ustensiles en bois ou meubles sculptés, admirez tous les motifs typiquement provençaux : cœurs entrelacés, bouquets de fleurs, épis de blé ou corbeilles de fruits, symboles d'amour et de fécondité.

En route pour les îles

Navettes GACM
Quai des Belges
☎ 04 91 55 50 09
Durée de la traversée : 30 min env.
Tarif : env. 8 € par île.
Combiné deux îles : env. 12 €. Arriver 1/2 h avant le départ pour être assis.
Au large de Marseille, les îles d'If et du Frioul respirent le grand large. Autrefois, les îles du Frioul formaient le plus vaste complexe sanitaire de quarantaine du bassin méditerranéen. Sur l'île de Ratonneau, l'hôpital Caroline (1822) a été construit en plein vent pour chasser les microbes apportés par les malades contagieux, et Pomègues servait de port de quarantaine.

Le château d'If

☎ 04 91 59 02 30
Visite du château payante.
Habité depuis 600 ans av. J.-C., If protège Marseille de son imposante citadelle construite au XVIᵉ s. sur ordre de François Iᵉʳ. Mais très vite, le château d'If fut transformé en prison. Dans les premières pages du *Comte de Monte-Cristo*, Alexandre Dumas en a dressé un portrait saisissant. Parmi les « hôtes » célèbres : Mirabeau, qui y fut enfermé à la demande de son père ainsi que, selon la légende, le Masque de fer et le marquis de Sade. Attention, les marches du château sont glissantes !

Si Marseille m'était conté

Jardin des Vestiges et musée d'Histoire de Marseille
Centre Bourse
Sq. Belsunce
☎ 04 91 90 42 22
Ouv. t. l. j., sf dim. et j. fér., 12 h-19 h.
Accès payant.
En 1967, la construction du centre Bourse a permis de mettre au jour les vestiges antiques des fortifications de la ville grecque et du complexe portuaire de Marseille (quais, voies, bassins). Certains d'entre eux sont exposés dans le très joli jardin des Vestiges, au milieu des pins et des figuiers. Terminez par la visite du

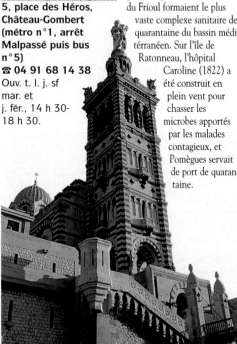

Notre-Dame-de-la-Garde

Le château d'If

musée d'**Histoire de Marseille** qui expose les objets découverts sur le site et l'épave d'un navire du IIIᵉ s.

Le jardin des Vestiges et ses ruines antiques

De l'art dans l'assiette
Musée de la Faïence
Château Pastré
157, av. de Montredon.
☎ **04 91 72 43 47**
Ouv. t. l. j., sf lun.
et j. fér., 10h-17h
(11 h-18 h juin-sept.).
Accès payant.
Depuis la préhistoire, Marseille est réputée pour sa céramique. L'âge d'or de la faïence de Marseille – fin du XVIIᵉ et XVIIIᵉ s. est brillamment exposé dans le château Pastré, restauré et réaménagé pour accueillir près de

1 500 pièces, du néolithique à nos jours. En sortant du musée, passez chez le **faïencier Figuères** (10-12 av. Lauzier.

☎ 04 91 73 06 79.
Vis. de la fabrique sur r.-v.) : plus vrais que nature, ses fruits et plats préparés en trompe l'œil sont extraordinaires : on en mangerait.

Le palais Longchamp
Bd Montricher
Accessible en métro (n°1, arrêt Longchamp-Cinq-Avenues)
Ce n'est ni plus ni moins qu'un château d'eau mais son allure vaut le détour. C'est là que s'achève le canal de Marseille, qui amène au cœur de la cité les eaux de la Durance. Il a été dressé à la fin du XIXᵉ s., quand l'alimentation de la ville en eau était un des soucis majeurs des Marseillais. La fin des travaux du canal méritait bien ce monument. Le **Muséum d'histoire naturelle** (Ouv. t. l. j. sf lun., ☎ 04 91 14 59 50) qui comprend une collection d'animaux naturalisés, une salle sur la préhistoire et un aquarium géant, et le **musée des Beaux-Arts de Marseille** (☎ 04 91 14 59 30).

Musée Cantini

César

Ouv. t. l. j. sf lun., 10 h-17 h et 11 h-18 h en été) avec des peintures et des sculptures du XVIᵉ au XIXᵉ s. (Rubens, Corot, Rodin…) ont installé leurs pénates dans les ailes latérales du palais. Tout près, au n° 140 bd Longchamp, le **musée Grobet-Labadié** (☎ 04 91 62 21 82) présente les riches collections d'une famille bourgeoise marseillaise : mobilier, céramique, tapisseries, peintures et sculptures…

Art moderne à Marseille
Musée d'Art contemporain
69, av. Haïfa, 8ᵉ
☎ 04 91 25 01 07
Ouv. t. l. j. sf lun. et j. fér., 11 h-18 h ; hors saison, 10 h-17 h.
Musée Cantini
19, rue Grignan
☎ 04 91 54 77 75
Ouv. t. l. j. sf lun., 10 h-17 h (11 h-18 h en été).
Accès payant.
Visites guidées sam. et dim.

Le Corbusier, la Cité radieuse

Les Marseillais le surnomment familièrement le MAC. Vous le repérerez sans peine grâce au grand pouce métallique du sculpteur César qui trône devant l'entrée. Fondé en 1994, il expose des œuvres depuis 1960 à nos jours. Dans le quartier commerçant de Marseille, le Musée Cantini retrace quant à lui la passionnante histoire de la création au XXᵉ s. et ses mouvements d'avant-garde.

« La Maison du fada »
Bd Michelet
Accessible en bus, n° 21 ou 22, arrêt Le-Corbusier
Visites sur r.-v. avec l'OT ou avec le gérant
☎ 04 91 77 14 07
Ouv. t. l. j.
Accès gratuit.
C'est ainsi que fut surnommée la célèbre Cité radieuse de l'architecte Le Corbusier. Une masse de béton brut posée sur pilotis qui se voulait une réflexion sur l'habitat urbain et qui ne manquait pas d'ambition : 9 étages avec rues intérieures, services et boutiques, 337 appartements

en duplex avec loggias, un dernier étage occupé par un toit-terrasse avec piste de course, théâtre, gymnase, bassin, crèche et solarium… Autre témoignage architectural, celui des Docks de la Joliette (métro Joliette), entièrement réhabilités et qui accueillent aujourd'hui commerces, restaurants, organismes publics… Une vraie réussite !

Le savon de Marseille
Il doit sa réputation à sa teneur exceptionnelle en acides gras (72 %). Il est par ailleurs dépourvu de colorants artificiels et se garde très longtemps. Les produits du Sérail, la plus ancienne savonnerie marseillaise, se trouvent dans toutes les boutiques ainsi qu'à l'office du tourisme. L'OT organise également des visites guidées d'une savonnerie.

Allez l'OM !
Stade Vélodrome
3, Bd Michelet
☎ 04 91 76 91 00
À Marseille, on vit à l'heure du football. Chacun y va de ses pronostics ou de ses commentaires, et les soirs de match, pas question de ne pas supporter l'OM Le club, né en 1898, affiche un palmarès prestigieux : 10 fois champion de France et 10 fois vainqueur

Stade Vélodrome

de la Coupe de France. Si vous n'avez pas la chance d'assister à un match (saison morte en été), inscrivez-vous pour une visite du stade, passionnante ! (Rens. à l'OT).

Le musée-boutique de l'OM
3, bd Michelet
☎/fax **04 91 23 32 51**
Ouv. lun., 14 h-19 h 30, mar.-sam. 9 h 30-19 h 30.
L'ensemble des supporters du club forme ce que les Marseillais appellent « le douzième homme ». Car leur soutien est si précieux à l'équipe qu'ils en font presque partie. Chacun peut se fournir à côté du stade, dans le musée-boutique de l'OM : plus de 2 000 produits aux couleurs blanc et bleu, de l'écharpe au ballon en passant par le short, le sac, la casquette ou le fanion, entre 1 et plus de 100 €.

Santonniers
Les santons sont nés à Marseille et votre séjour est l'occasion rêvée de constituer une véritable crèche provençale. Vous trouverez d'authentiques santons à la foire annuelle aux santons

qui se tient en décembre sur la Canebière (rens. au Syndicat des santonniers, ☎ 04 91 32 33 33) ou chez les fabricants : **Carbonel** (son petit musée, gratuit, a ouvert au n° 47, rue Neuve-Sainte-Catherine, ☎ 04 91 54 26 58), **Jacques Flore** (48, rue du Lacydon, ☎ 04 91 90 67 56), Arterra… Liste à l'OT.

Les calanques sur terre ou par mer
Au départ de Callelongue, le GR 98 relie toutes les calanques, site classé de 5 000 ha (carte IGN « les calanques de Marseille à Cassis »). Avant de partir, renseignez-vous sur leur fermeture estivale, réglementée à cause des incendies. Des promenades sont organisées par la Société des excursionnistes marseillais (☎ 04 91 84 75 52). Vous pouvez aussi visiter les calanques par la mer avec commentaire sur la rade de Marseille et les calanques (☎ 04 91 55 50 09). Ou les découvrir en kayak de mer et profiter d'un magnifique coucher de soleil. (Raskas Kayak, ☎ 04 91 73 18 33).

Septèmes-les-Vallons
13 km au N. de Marseille
Aquacity
Rte de Plan de Campagne
☎ **04 91 51 54 08**
Ouv. t. l. j. juin-sept., 10 h-18 h (19 h juil.-août).
Accès payant.
Tout schuss sur le dos, dans une bouée toute ronde, en bateaux tamponneurs ou à plusieurs dans un raft, on est sûr de recevoir un maximum

d'éclaboussures mais c'est justement le jeu ! Cinq hectares de jeux entièrement consacrés à l'eau vous attendent pour un moment bien arrosé. Plus calmes, les bassins à bulle et la piscine à vagues…

Ensuès-La-Redonne
21 km à l'O. de Marseille par l'autoroute nord
El Dorado City
☎ **04 42 79 86 90**
Ouv. mars-oct., horaires variables (t. l. j. juil.-août, 10 h-19 h).
Accès payant.
En vingt-six ans, ce parc d'attractions de 8 ha a beaucoup changé. Plusieurs sites se partagent les visiteurs : premier à occuper les lieux, le village western est maintenant bordé par les villages indien, canadien et mexicain où des automates à échelle humaine reproduisent des scènes quotidiennes. Grand canyon, parcours botanique, miniferme, et spectacles sont aussi présents dans l'enceinte du parc.

LES FESTIVALS
La ville est animée toute l'année. Voici trois festivals passionnants : la « Fiesta des Sud », blues, salsa, dub occitan, sambas, musique électronique, dans les lieux alternatifs de Marseille (oct., ☎ 04 91 99 00 00). Le « Jazz des cinq continents » : jazz international dans le parc du palais Longchamp (juil., ☎ 04 91 70 70 10). Le festival de musique à Saint-Victor : musique classique dans l'abbaye (mars-oct., ☎ 04 91 05 84 48). « Fictions du réel » : ce festival international du documentaire présente une sélection intéressante (juin et juil., ☎ 04 95 04 44 99).

Cassis et le cap Canaille
cour de récré des Marseillais

Prononcez Cassis sans le « s » final… Promenade préférée des Marseillais, ce petit port de pêche niché à l'abri des falaises abruptes du cap Canaille est littéralement envahi par les touristes en été. Mais il a séduit bien des artistes (Pagnol y a tourné, Matisse et Derain y ont peint), car ses promenades alentour sont enchanteresses : calanques et route des Crêtes notamment.

Cassis

La promenade des Lombards

30 min env.
Elle offre une très belle vue sur l'ensemble de la baie, au pied du cap Canaille. Partez de la plage de la Grande-Mer (à côté du port) et rejoignez l'anse de Corton en dépassant la pointe des Lombards. Au bout, depuis la **plage de l'Arène**, vous pouvez monter aux ruines du château du XIIIᵉ s. en empruntant les escaliers et un passage couvert qui mènent au haut du plateau.

Le bar de la Marine

5, quai des Baux
☎ 04 42 01 76 09
Ouv. t. l. j. sf janv.-15 fév., 7 h-2 h du matin.
C'est le bar de Raimu. Marcel Pagnol y a tourné tant de scènes de ses films qu'on reconnaît les lieux et on y revoit les personnages :

Marius, Fanny, Monsieur Brun… Derrière le comptoir, dans la salle, buvez un pastis ou un verre de vin blanc de Cassis, délicieux… Si vous l'osez, faites une partie de cartes, face au port. Ce lieu fend le cœur et attire des clients qui ressemblent étrangement à ceux entrevus à l'écran. Parce que la Provence, té, c'est pas que du cinéma…

Le Musée municipal méditérranéen

Rue Xavier-D'Authier
(1ᵉʳ ét. OT)
☎ 04 42 01 88 66
Ouv. mer.-sam. 10 h 30-12 h 30, 14 h 30-17 h 30 (15 h 30-18 h 30 en été).
Accès gratuit.

Ce musée d'art et de traditions populaires de Cassis renferme la mémoire de la ville, mise à jour au cours des fouilles réalisées au pied du cap Canaille. Vestiges archéologiques (habitation, amphores et mosaïques côtoient des peintures des XIXᵉ s. et XXᵉ s. (Kundera, Henri Crémieux, Ponçon, Ziem).

La route des Crêtes

45 min en voiture jusqu'à La Ciotat, 3 h 30 à pied. Elle monte jusqu'au cap Canaille et suit **la plus haute falaise maritime d'Europe** (416 m). En voiture, prenez la D 141 : trajet stupéfiant et arrêts possibles à tous les tournants. Profitez de la vue

extraordinaire en laissant votre véhicule au carrefour de la route conduisant au Relais de la Saoupe et de la route des Crêtes (pas de la Colle). À environ 50 m du deuxième virage, suivez à pied sur votre droite le sentier balisé. Vertigineux.

Les calanques
Excursions

Extasiez-vous devant ces ex-vallées fluviales dans lesquelles la mer s'engouffre aujourd'hui, à l'ouest de Cassis. Leur pierre blanche sculptée par le temps, surmontées de pins d'Alep, offre l'un des plus prodigieux décors de

la côte provençale. Circuit à pied, par le haut : garez-vous au bout de l'avenue des Calanques et rejoignez Port-Miou, Port-Pin et En-Vau (les plus célèbres des calanques) en suivant le GR 98. Par bateau, embarquements permanents au port et choix de la croisière de 45 min à 1 h 30 avec découverte de 3, 5 ou 8 calanques (rens. à l'OT de Cassis).

Aubagne
Capitale des santons

Marcel Pagnol est né dans cette petite ville qui, pour beaucoup, symbolise la Provence avec ses personnages d'argile : les santons, spécialité locale et centenaire. Dans l'ancien kiosque à musique de l'esplanade De-Gaulle, les san-

tonniers d'Aubagne ont reconstitué « le petit monde de Pagnol » en s'inspirant des sites et des personnages de l'écrivain provençal (accès gratuit). En été et à l'approche de Noël, Aubagne renoue avec ses foires aux santons. Mais toute l'année, les santonniers sont au travail et vendent leur production (rens. et liste des santonniers à l'OT).

Marché potier

Tous les deux ans (la prochaine édition aura lieu en 2003), Aubagne devient la plus grande vitrine de l'art céramique. Le marché potier Argilla regroupe des professionnels venus de France entière (rens. à l'OT, ☎ 04 42 03 49 98). En attendant ce grand événement, des potiers d'Aubagne ouvrent les portes de leur magasin : **la poterie Ravel** (☎ 04 42 18 79 79) qui moule et façonne des pots en terre cuite naturelle depuis plus de 150 ans, **l'atelier de l'Observance** (☎ 04 42 03 64 89) et l'atelier d'art Sicard (☎ 04 42 70 12 92), deux spécialistes de la faïence.

Gémenos
Le parc de Saint-Pons

3 km de Gémenos par la D 2. Parking à l'entrée du parc à droite. Au pied de la Sainte-Baume, ce parc forestier est un véritable havre de fraîcheur : baigné

par de belles sources, hêtres, frênes et épicéas composent une nature luxuriante, dominée par l'imposante abbaye cistercienne de Saint-Pons (XIIIe s.). Les plus courageux graviront le col de l'Espigoulier qui offre une jolie vue sur Marseille et le Garlaban.

Cuges-les-Pins
*13 km à l'E. d'Aubagne
par la RN 8*
OK Corral

☎ 04 42 73 80 05
Ouv. mars-oct., 10 h-18 h, t. l. j. pend. les vac. de Pâques et juin-oct, les dim. en avr., les mer., w.-e. et j. fér. 1er mai-16 juin.
Accès payant.
Les 25 attractions qui tournent autour du western font la joie des petits mais aussi des plus grands avec notamment la dernière nouveauté : « Splash mountain ». Village de tipis, diligences et saloon, on s'y croirait ! Et pour varier les plaisirs des inconditionnels, le parc propose chaque année un spectacle western différent.

De La Ciotat à Bandol
au bord du golfe d'Amour

Entre La Ciotat et Bandol, les villages jouent à chat perché, entourés de vignobles en terrasses, où grandissent les délicieux vins de Bandol. Les falaises du golfe d'Amour offrent les plus belles promenades du littoral. Et dans l'arrière-pays, les beaux villages perchés du Var observent sereinement la Méditerranée.

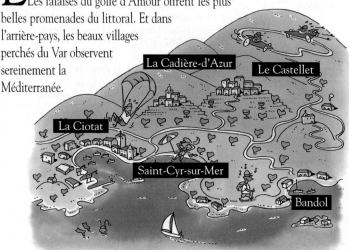

La Cadière-d'Azur · *Le Castellet* · *La Ciotat* · *Saint-Cyr-sur-Mer* · *Bandol*

La Ciotat

Parc naturel du Mugel

2 km au S.-O. de La Ciotat par l'avenue des Calanques
☎ 04 42 08 09 62
Ouv. t. l. j. 9 h-20 h en été ; 8 h-18 h en hiver.
Accès gratuit.
Le massif du Bec de l'Aigle dresse contre le ciel ses gigantesques pains de poudingue (conglomérat de galets et sable) ocre. Au pied des rochers, le parc du Mugel offre l'ombre de ses caroubiers, chênes-lièges, mimosas, châtaigniers et bruyères arborescentes. Un ingénieux système de rigoles permet de récupérer les eaux pluviales en contrebas. Empruntez le circuit balisé qui court entre les plantes, vous découvrirez ses plantes aromatiques et médicinales.

Prêts pour la baignade ?

Outre ses nombreuses plages de sable (plage de Lumière, Capucins, Casino…) et galets (Corniche du Liouquet, plage du Mugel et de Figuerolles), la Ciotat est fière de sa petite île, l'**île Verte**, où se trouvent également des criques

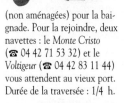

(non aménagées) pour la baignade. Pour la rejoindre, deux navettes : le *Monte Cristo* (☎ 04 42 71 53 32) et le *Voltigeur* (☎ 04 42 83 11 44) vous attendent au vieux port. Durée de la traversée : 1/4 h.

En roue libre
Parc de loisirs la Guillaumière
Bd. de Lavaux
(direction Ceyreste)
☎ 04 42 08 55 25

Ouv. t. l. j. sf mar. en juil. et août, 9 h 30-12 h et 16 h 30-19 h 30.
Le mer., w.-e., j. fér. et vac. scol. et le reste de l'année, 9 h-12 h, 14 h-17 h 30.
Accès payant.
Un petit tour en quad, en minimoto, en voiture électrique ou à dos de poney : ici, les enfants ont le choix de leur moyens de locomotion. En petits tours de 10 à 15 minutes, ils peuvent même tous les essayer s'ils ont assez de tickets en poche (env. 23 € les 12).
Structures gonflables et petits stages de cheval complètent les activités du parc.

Saint-Cyr-sur-Mer
9 km à l'E. de La Ciotat

Jeux d'eau
Aqualand
ZAC des Pradeaux
Chemin départemental 559

☎ **04 94 32 08 32 ou 08 92 68 66 13**
Ouv. juin-déb. sept., 10 h-18 h (9 h 30-20 h fin juil.-fin août).
Des kilomètres de toboggans aquatiques, un beau galion de pirates amarré dans l'espace enfants, une piscine à vagues et un torrent artificiel... Éclaboussures et rafraîchissements garantis dans ce parc bienvenu par forte canicule !

Balade sur le sentier du littoral

Ce tronçon qui rejoint Saint-Cyr-sur-Mer à Bandol est magnifique. Depuis le port de la Madrague jusqu'à l'anse de Récrénos (3 h 30 de marche), l'historique chemin des douaniers longe la mer sur 11 km et sillonne les pointes sauvages de Grenier et Fauconnière. Il permet notamment de découvrir le site du port d'Alon et ses très belles calanques.

Bandol
17 km de La Ciotat
Une cave bien fournie
Maison des vins de Bandol
22, allée Vivien
Bandol
☎ **04 94 29 45 03**
Ouv. t. l. j. sf dim. et mer., 10 h-12 h, 14 h-18 h 30. F. janv.
L'AOC Bandol est l'une des plus anciennes de France puisqu'elle date de 1941. Le vignoble produit des vins dont l'originalité tient beaucoup au Mourvèdre, cépage exceptionnel. Rouges intenses – grands vins de garde – frais et profonds rosés, nerveux blancs : une production à découvrir en compagnie de connaisseurs éclairés.

La Cadière-d'Azur
4,5 km au N.-E. de Saint-Cyr-sur-Mer
Promenade nocturne

Tout son charme réside dans ses ruelles fleuries. Remarquez les vestiges de l'**enceinte médiévale**, la **tour de l'Horloge** et le portail flamboyant de l'église Saint-André (XVIᵉ s.). Dans ce village, déambulez le soir, boussole en main (car on s'y perd !), et progressez vers le nord : de ce côté de la colline, la vue est superbe sur le massif de la Sainte-Baume et sur Le Castellet, au premier plan.

Le Castellet
2 km au N.-E. de la Cadière-d'Azur
Artisans et vignerons

C'est là que Marcel Pagnol a tourné *La Femme du boulanger*. Dans ce village perché et fortifié, entouré de vignes en terrasses, les ruelles s'ornent de maisons des XVIIᵉ-XVIIIᵉ s. où travaillent de nombreux artisans locaux : potiers, maroquiniers, tisserands, santonniers... De l'esplanade du château (XVᵉ s.), vue imprenable sur le massif de la Sainte-Baume.

Aix-en-Provence
chic et charme

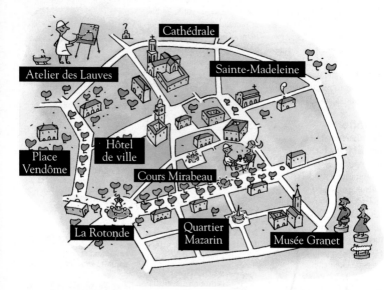

Atelier des Lauves

Cathédrale

Sainte-Madeleine

Hôtel de ville

Place Vendôme

Cours Mirabeau

La Rotonde

Quartier Mazarin

Musée Granet

Est-ce parce que c'est la première fondation romaine en Gaule (en 122 av. J.-C.) qu'Aix arbore avec tant de bonheur cet air qui semble lui venir d'Italie ? Protégée par la montagne Sainte-Victoire, elle cultive un bel art de vivre servi par une architecture splendide. Ville d'eau, d'art et d'histoire, Aix a aussi conquis une renommée internationale grâce à son festival d'art lyrique dont les accents résonnent dans ses édifices chaque année en juillet.

Cours Mirabeau

Aix le nez au vent
Déambuler à travers la ville offre une suite de vrais bonheurs. Les rues du vieil Aix ont gardé leur charme, façonné par les XVIIe et XVIIIe s.

La ville est comme coupée en deux par le **cours Mirabeau**. D'un côté se trouve la vieille ville avec ses jolis toits roses massés autour de la cathédrale Saint-Sauveur. Sites romains, rues tortueuses, places élégantes, sans oublier les nombreuses et très jolies boutiques, l'ensemble contraste avec l'autre côté du cours, le quartier Mazarin. Ici, c'est le règne des grandes rues droites et des splendides demeures abritées derrière de hauts murs.

Les 101 fontaines d'Aix ne sont pas étrangères au charme de la ville. Ne manquez surtout pas celle de la place Albertas, ni celle des Quatre-Dauphins, dans le quartier Mazarin. L'office du tourisme propose une intéressante visite guidée d'Aix (2, place du Général-de-Gaulle, ☎ 04 42 16 11 61. Ouv. juil.-août, jusqu'à 22 h).

La fontaine de la place Albertas, remaniée en 1912

Repères

C3 *(rabat avant)*

Bouches-du-Rhône

Activités et loisirs

La promenade Paul Cézanne
Le Festival international
d'art lyrique
Les marchés d'Aix
Promenade littéraire
Détente et bien-être aux
Thermes d'Aix
Pasino d'Aix
Les jardins d'Albertas
Cours de cuisine provençale

Avec les enfants

Visite d'une fabrique
de santons
Village des automates
Chocolaterie de Puyricard
Jardins à la française

À proximité

*Salon-de-Provence
(30 km N.-O.), p. 132.
La vallée de la Durance
(env. 30 km N.), p. 156.
Marseille (env. 30 km S.),
p. 136.
La Sainte-Baume (env.
30 km S.-E.), p. 214.*

Office de tourisme

**Aix-en-Provence :
☎ 04 42 16 11 61**

La vieille ville

En partant de la fontaine Moussue (cours Mirabeau, à la hauteur de la rue Clemenceau) dont les eaux jaillissent à 34 °C, vous

découvrirez l'élégant hôtel Boyer-d'Éguilles (XVIIᵉ s.) et son passionnant **Muséum d'histoire naturelle** (6, rue Espariat. Ouv. t. l. j. sf dim., 10 h-12 h et 13 h-17 h, ☎ 04 42 27 91 27). Plus haut dans la vieille ville se trouvent la très jolie place d'Albertas, puis la place Richelme, rendue célèbre par ses **marchés**, enfin l'hôtel de ville d'un beau style baroque italien, avec sa tour de l'Horloge. **Le musée du Vieil-Aix** et ses collections sur l'histoire de la ville sont à deux pas (17, rue Gaston-de-Saporta. Ouv. t. l. j. sf lun., 12 h 30-18 h ; hors saison, 10 h-12 h et 14 h-17 h. ☎ 04 42 21 43 55. Accès payant).

Le cours Mirabeau : cafés et hôtels particuliers

À Aix, on dit tout simplement « le cours ». Les plans de cette splendide promenade sous les platanes furent établis en 1649. Ce haut lieu de l'animation aixoise, qui a remplacé les remparts du Moyen Âge, est surtout connu pour son **café des Deux Garçons** (plus familièrement appelé « les 2 G »). Cézanne le fréquenta puis, des années plus tard, l'écrivain Blaise Cendrars et le peintre Gabriel Lorrain. Les Aixois préfèrent, quant à eux, profiter en paix de la terrasse du **Grillon**. Le cours est bordé d'hôtels particuliers ayant vu le jour sous Louis XIV et qui s'ornent de façades tantôt classiques, tantôt baroques. Au nᵒ 4 se tient l'hôtel de Villars, au nᵒ 10 l'hôtel d'Isoard de Vauvenargues, au nᵒ 38 l'inoubliable hôtel Maurel de Pontevès.

Le quartier Mazarin

Créé à l'initiative de l'archevêque Mazarin, frère du célèbre cardinal, il fut tracé de 1646 à 1651 autour du premier sanctuaire gothique de la ville. Derrière les façades des XVIIᵉ-XVIIIᵉ s., souvent séparées de la rue par de vastes cours, se cachent des jardins apaisants. Calcaire doré coiffé de tuiles, façades classiques ou décorées d'atlantes, les hôtels

Tour de l'Horloge

particuliers sont ici magnifiques. Il y a l'hôtel de Marignane, marqué du souvenir de Mirabeau, l'hôtel de Caumont, qui abrite aujourd'hui le conservatoire de musique et de danse, le musée Paul Arbaud et sa belle collection de faïences, l'hôtel de Villeneuve d'Ansouis…

L'intérieur de l'Atelier des Lauves

Le musée Granet
Pl. Saint-Jean-de-Malte
☎ 04 42 38 14 70
Ouv. t. l. j., sf mar. et j. fér., 10 h-12 h et 14 h-18 h.
Dans l'ancien prieuré de l'église Saint-Jean-de-Malte, au cœur du quartier Mazarin, visitez le musée Granet, qui porte le nom d'un de ses principaux donateurs, le peintre

aixois François Granet. Ce musée a des allures d'encyclopédie : antiquités égyptiennes, romaines, gallo-romaines…, sa collection de peintures de toutes les écoles européennes du XVIe au XIXe s. À ne pas manquer, huit œuvres de Cézanne et les belles statues de Pierre Puget, sculpteur baroque et architecte prolifique dont on croise les œuvres dans plusieurs villes du Midi.

Sur les pas de Cézanne
Atelier des Lauves
9, av. Paul-Cézanne
☎ 04 42 21 06 53
Ouv. t. l. j. avr.-sept., sf 25 déc., 1er janv. et 1er mai, 10 h-12 h et 14 h 30-18 h ; oct.-mars 10 h-12 h et 14 h-17 h.
Accès payant.
Une autre manière de découvrir Aix est de mettre ses pas dans ceux du peintre Paul Cézanne, l'enfant du pays longtemps ignoré de sa ville natale. Aix aujourd'hui se rat-

trape en proposant un circuit de 3 km, balisé de clous de bronze marqués du C de Cézanne. De sa maison natale (28, rue de l'Opéra) aux cafés qu'il fréquentait, en passant par l'école de dessin et le Musée Granet (place Saint-Jean de Malte, voir plus loin) pour aboutir à l'atelier du chemin des Lauves, au nord de la ville. C'est de là que Cézanne admirait la Sainte-Victoire,

Cézanne,
Portrait de Madame Cézanne

qu'il a peinte inlassablement. Les souvenirs du peintre, quelques aquarelles et dessins originaux y sont rassemblés. Sachez aussi qu'un circuit de 40 km environ dans la région fait découvrir les grands sites cézanniens.

La cathédrale Saint-Sauveur

L'histoire de cet édifice composite commence au Ve s. pour s'achever au XVIIe s. De ses débuts, il reste le baptistère mérovingien.

Ne manquez pas les magnifiques vantaux sculptés de son portail (début XVIe s.), cachés sous de lourdes fausses portes. Ils sont visibles sur demande (sacristie) en dehors des heures d'office. Au sud de l'édifice, le cloître roman (fin XIIe s.) est une véritable forêt de colonnettes ornées de chapiteaux malheureusement très abîmés.

De bons calissons

Les calissonniers de la ville ont redonné vie à la bénédiction des calissons, le premier dimanche de septembre en l'église Saint-Jean-de-Malte. Ces « câlins » que le roi René découvrit, selon la petite histoire, à l'occasion de son second mariage avec la reine Jeanne, font encore travailler une vingtaine

LÉONARD PARLI
Aix-en-Provence
Calissons d'Aix

de fabricants. Pour se régaler de ces incomparables douceurs à base d'amandes et d'agrumes, les adresses ne manquent pas : la quasi-totalité des pâtisseries et magasins de souvenirs en vendent ! On peut également les acheter chez les fabricants pour avoir le plaisir de déguster ceux du jour... (liste disponible à l'OT). On peut enfin les ramener chez soi dans de jolies boîtes en forme de losange.

Aix en fêtes

Tous les ans, en juillet, le festival international d'Art lyrique et de Musique fait vibrer les cœurs de nombreux et fidèles mélomanes (rens. et rés., ☎ 04 42 17 34 34). En août, Aix jazz festival fait écho aux mélodies de Louis Armstrong, Duke Ellington et Glenn Miller (☎ 04 42 63 06 75). Et en juillet et en août, « Danse à Aix » présente les dernières créations de grands chorégraphes et propose diverses animations : stages, soirées ciné-danse, répétitions... (☎ 04 42 96 05 11).

Partouche a ouvert un nouveau concept de casino – le premier en France – : le Pasino (des noms Partouche et casino). Plus qu'une classique maison de jeux, c'est un vrai centre de loisirs qui regroupe, outre une salle de machines à sous et un salon de jeux traditionnels, 6 restaurants, une salle de spectacles de 1 000 personnes et une salle d'exposition de 1 000 m². Quant à l'ancien casino d'Aix, il est actuellement fermé.

Les santonniers
Santons Fouque
65, cours Gambetta
☎ **04 42 26 33 38**
Ouv. t. l. j., sf dim., 8 h-12 h et 14 h-18 h 30.
Visite gratuite (20 min.).

Thermes Sextius
55, cours Sextius
☎ **04 42 23 81 82**
À Aix en Provence, les cures coulent de source depuis la fondation de la ville grâce à leur eau naturellement chaude et minéralisée, captée à 36 °C ! Les Romains venaient déjà y « prendre les eaux » comme le témoignent les vestiges des anciens thermes, visibles à l'entrée de ce beau palais du XVIIIe s. Si cela vous tente, les Thermes proposent tout un programme de soins pour la détente et le bien-être, à la carte ou en forfait. À tester en priorité, le gommage à la fleur de sel de Camargue, spécialité de la maison : à partir de 40,78 €.

Un casino flambant neuf
Le Pasino
Av. de l'Europe
Sortie autoroute de Marseille
☎ **04 42 59 69 00**
Accès payant.
En août 2001, le groupe

Aix compte plusieurs santonniers (liste à l'OT) dont le réputé Paul Fouque qui imagina en 1952 des santons qui semblent presque animés. Le plus ancien est un berger courbé qui lutte contre le vent : le maître l'appela « Coup de mistral ». Depuis, il n'a cessé d'inventer de nouvelles figurines et sa collection complète propose près de 1 800 modèles. Tous sont fabriqués à l'ancienne, cuits pendant 15 h, séchés 48 h puis peints à la main (environ

---

UN GRAND COURS DE CUISINE
Les Cuisines du Sud
Château d'Arnajon 13610 Le Puy-Sainte-Réparade
14 km au N. d'Aix
☎ **04 42 61 87 47**
Dans une ancienne et magnifique bastide, Marc Héracle a posé ses casseroles. Cet artisan de la faïence, enseigne désormais les secrets de la cuisine provençale aux amoureux du terroir. Confitures, tartes sucrées et tartes salées n'auront plus de secrets pour vous. Le must… on goûte son œuvre à peine sortie du four dans l'orangerie ou sur la terrasse ombragée. Cette leçon de bon goût dure toute la journée et tout est fourni. Tarifs : 115 € la journée en haute saison, 100 € en basse saison.

11,74 € le santon de 10 cm). Chaque année, en décembre, une foire aux santons se tient avenue Victor-Hugo, qui fait le bonheur des collectionneurs.

Promenade littéraire

Émile Zola a trois ans lorsque ses parents s'installent à Aix. Il en repartira à 18 ans, marqué à tout jamais par son amitié avec Cézanne – les deux hommes se brouilleront plus tard – et par l'environnement aixois, si présent dans ses romans, notamment dans la saga des Rougon-Macquart. Tous les mardis, l'office du tourisme propose une promenade littéraire autour de son œuvre, contée par Christine Gremy.

Bouc-Bel-Air

11 km au S. d'Aix, dir. Marseille

Jardins à la française

Jardin d'Albertas à Bouc-Bel-Air
☎ 04 42 22 29 77
Ouv. t. l. j., 15 h-19 h en été, w.-e. et j. fér. en mai, sept. et oct., sur r.-v. le reste de l'année.

Jardin de la Gaude
Rte des Pinchnats
À 5 km au N. d'Aix par RN 96 et D 63
☎ 04 42 21 64 19
Visite sur r.-v.

Les jardins d'Albertas, à Bouc-Bel-Air

Les ruines de l'oppidum

Tout l'art des jardins du XVIIIe s. est ici brillamment illustré et permet de charmantes promenades sous le soleil de Provence. Terrasses, bassins et fontaines aux tritons ponctuent les jardins d'Albertas dessinés par le marquis lui-même en 1751, près de l'un de ses pavillons de chasse. Royaume du buis et des motifs géométriques, les jardins du château de Gaude sont quant à eux taillés au cordeau.

Entremont

4 km au N. d'Aix

Des ruines à contempler

Oppidum du plateau d'Entremont
Dir. Puyricard
☎ 04 42 63 13 20
Ouv. t. l. j., sf mar. et j. fér., 9 h-12 h, 14 h-18 h.
Perché à 365 m, Entremont livre les vestiges d'une capitale économique et religieuse (antiques pressoirs à olives). Son **oppidum** rappelle l'épopée antique d'Aix, aux IIIe et IIe s. avant J.-C. Poussez jusqu'au village de Puyricard pour aller contempler d'autres ruines, plus récentes : celles du **château de Grimaldi** (1 km au N.-O. sur la D 14), resté inachevé tant son fondateur avait la folie des grandeurs. Consolez-vous en passant à la **chocolaterie** (420, route du Puy-Sainte-Réparade.

☎ 04 42 96 11 21) : outre un bel assortiment de chocolats, on y fabrique également... des calissons !

Saint-Cannat

15 km au N.-O. d'Aix

Le village des automates
RN 7
☎ 04 42 57 30 30
Ouv. t. l. j. avr.-sept., 10 h-18 h, les mer. w.-e., j. fér. et vac. scol. oct.-mars, 10 h-17 h.
Accès payant.
On ne peut vraiment pas rater ce parc d'attraction, bien visible de la N 7 Aix-Avignon avec sa grosse baleine et son géant coincé dans les fils ! Cinq cents automates menés par Pinocchio, Aladin et Gulliver occupent ainsi le terrain. Dans chaque espace – chapiteau, château, pomme, baleine..., il suffit d'appuyer sur le bouton pour que les personnages s'animent. Sous les champignons géants, un brumisateur est installé pour rafraîchir les enfants : du bon temps en perspective ! Poussettes pour les tout-petits et aire de pique-nique.

La montagne Sainte-Victoire

Appelée mont Venture jusqu'à la Révolution, elle évoquait alors par son nom la force du vent et les dieux de la montagne. Consacrée à sainte Victoire, elle semble avoir depuis trouvé la paix. Au moins sous le pinceau de Cézanne. C'est en y peignant le cabanon de Jourdan que le peintre s'effondra sous le soleil et le mistral un jour d'octobre 1906. L'incendie qui dévasta la Sainte-Victoire en août 1989 n'est plus qu'un mauvais souvenir, puisque la montagne a désormais retrouvé ses arbres et leur feuillage.

Un trésor d'œufs

La Sainte-Victoire est **un des plus beaux sites géologiques** de Provence. Le saviez-vous ? Elle doit sa célébrité à son très riche gisement d'œufs de dinosaures, vieux de 65 millions d'années. Pas forcément comestibles, mais réellement impressionnants. Pour éviter le pillage, les abords de Roques-Hautes (où se trouvent les plus beaux gisements) ont été déclarés réserve géologique naturelle. L'accès est interdit au public et les curieux découvriront les œufs de ces sauriens géants au Muséum d'histoire naturelle d'Aix. En prime, vous pourrez y voir

des reconstitutions grandeur nature de dinosaures.

Le tour de la Sainte-Victoire

Pour mieux comprendre la passion de Cézanne pour la montagne et son obsession à en restituer la lumière cristalline, empruntez sans hésiter la route du Tholonet, aussi nommée route de Cézanne (p. 150). Le **château du Tholonet** est le point de départ d'une randonnée de 3 h 30 aller-retour (circuit des deux barrages, 12 km). Vous pouvez rejoindre la croix de Provence par le sentier Imoucha depuis le barrage de Bimont (env. 2 h). Pour découvrir sans fatigue la Sainte-Victoire, la D 17 vous conduira au château du Tholonet, dans la vallée inférieure de la Cause, un des lieux de promenade préférés des Aixois, puis à Saint-Antonin-sur-Bayon (**belle promenade sur le plateau**

Le château du Tholonet, une bastide construite en 1613 et transformée au XVIIe s.

LA MONTAGNE INSPIRÉE

12 km d'Aix par la D 10

GR 9 au départ du hameau Les Cabassols.
Topoguide FFRP (réf. 906).
Massif de petite dimension (18 km de long sur 5 km de large) traversé par le GR 9, Sainte-Victoire culmine à 1 010 m d'altitude au pic des Mouches. Au sommet ouest se dresse la croix de Provence, solidement arrimée au sol à 946 m, qui résiste depuis 1875 au mistral. Il faut savoir pourtant que le vent a eu raison des trois autres croix plantées ici depuis le XVe s. Derrière, le petit monastère édifié en 1661 a été restauré en 1955. Depuis la terrasse, très belle vue plongeante sur les escarpements de la montagne. Mais qui ne vaut pas celle que l'on a depuis la croix de Provence.

de Cengle). Par la D 10, rejoignez Vauvenargues, village suspendu au-dessus de l'Infernet et dont le château fut long-temps habité par Picasso. C'est d'ailleurs là qu'il repose aujourd'hui.

Randonnées à thèmes gratuites encadrées par un éco-guide, location d'ânes et de V.T.T., expositions temporaires, sentier botanique pour découvrir faune et flore du massif, espace boutique-librairie : un bel outil à consulter avant de grimper !

Saint-Antonin-sur-Bayon

10 km à l'E. d'Aix

La maison Sainte-Victoire

☎ 04 42 66 84 40
Ouv. t. l. j. 10 h-19 h (18 h hors saison en sem.).
Dominée par la spectaculaire montagne, la maison Sainte-Victoire abrite un espace d'information consacré au site et accessible aux enfants.

Repères

C3 *(rabat avant)*

Bouches-du-Rhône

Activités et loisirs

Route du Tholonet
Randonnée sur le GR 9
Randonnées à pied
ou en V.T.T.

Avec les enfants

Maison Sainte-Victoire
Balades à dos d'âne

À proximité

La vallée de la Durance (env. 30 km N.), p. 156.
Marseille (env. 30 km S.), p. 136.
La Sainte-Baume (env. 30 km S.-E.), p. 214.

Office de tourisme

Saint-Antonin-sur-Bayon :
☎ 04 42 66 91 51

Attention, danger !

Par arrêté préfectoral et afin de limiter les risques d'incendie, l'accès au massif Sainte-Victoire est fortement réglementé pendant tout l'été et par grand vent. Cette mesure s'applique à tous, randonneurs (seul le chemin des Venturiers reste ouvert), grimpeurs, adeptes du V.T.T., etc. Rens. à l'Association des excursionnistes provençaux (☎ 04 42 21 02 53).
L'initiative semble un peu sévère, mais c'est sans doute le seul moyen de ne pas reproduire le désastre d'août 1989 qui vit partir en fumée les flancs boisés de la montagne.

La vallée de la Durance
de Manosque à Avignon

On a oublié qu'elle fut longtemps un vrai fleuve, et non un simple affluent du Rhône. C'était, il est vrai, il y a quelque 100 000 ans. Et puis, soudain, la Durance changea son cours, quittant la plaine de la Crau pour un nouveau lit. Jadis considérée comme l'un des trois fléaux de la Provence, on l'a assagie de force depuis 1960 en construisant des retenues et usines hydro-électriques sur ses eaux. Elle coule aujourd'hui dans un lit trop grand pour elle.

Le cours de la Durance

Alors que, en aval de Sisteron, la rivière a conservé ses allures torrentielles (nourrie par de nombreux affluents descendant des Alpes), son cours s'assagit quelque peu après Manosque. Les eaux de la Durance et du Verdon se mêlent au niveau du barrage de Cadarache (10 km au S. de Manosque). Plus bas, au défilé Mirabeau, la rivière s'oriente vers l'ouest en quittant la haute Provence. Un pont suspendu permet de la franchir en aval. Puis la rivière longe le Luberon par le sud en une **superbe promenade** qui vous conduira jusqu'aux portes d'Avignon.

Les canaux de basse Provence

S'étirant entre Durance et Méditerranée, ils sont destinés à l'irrigation, à l'alimentation en eau des villes et usines et à la production d'électricité. Un travail de titan qui a mis à l'abri de la pénurie d'eau les villes du littoral entre Toulon et Marseille… et leurs très nombreux estivants ! Les canaux de Marseille et du Verdon, en aval de Manosque, sont aujourd'hui désaffectés mais comportent quelques beaux ouvrages comme le bassin Saint-Christophe (S. de Cadenet sur D 973), l'aqueduc de Roquefavour (12 km O. d'Aix-en-Provence par D 9, puis D 65) ou le réservoir du Réaltor (10 km S.-O. d'Aix par D 9).

Mérindol
Sur la piste des oiseaux et des Vaudois

Maison du parc

La retenue de Mallemort (S. de Mérindol) est un plan d'eau formidable pour l'**observation des oiseaux**. Un sentier en boucle de 3 km est balisé (jaune) depuis le parking de la forêt communale de la garrigue sur la D 973. C'est en hiver et au printemps que vous verrez les plus beaux spécimens nichant sur la Durance. Oiseaux sédentaires (foulques, hérons cendrés, sternes) ou migrateurs (blongios, guêpiers, cormorans), les panneaux dressés à l'intérieur du guet vous aideront à les identifier (topoguide parc naturel régional du Luberon à pied). Au village, un centre d'études vaudois en Luberon revient sur cette dia-

La Roque-d'Anthéron

Repères

C3 *(rabat avant)*

Bouches-du-Rhône

Activités et loisirs

Les gorges du Régalon
Festival de piano
Marché paysan de Cadenet

Avec les enfants

Sur la piste des oiseaux
Crèche vivante au Cadenet

À proximité

Avignon, p. 176.
Cavaillon, p. 166.
Manosque, p. 196.

Offices de tourisme

Cadenet : ☎ 04 90 68 38 21
Mérindol : ☎ 04 90 72 88 50

---

spora qui fit couler beaucoup de sang en terre provençale (☎ 04 90 72 88 50).

Cadenet

17 km à l'E. de Mérindol
Ce village perché du sud Luberon abrite des habitations troglodytiques et de belles maisons des XVIIᵉ et XVIIIᵉ s. **L'église Saint-Étienne** vaut une petite visite pour ses fonts baptismaux en marbre du IIIᵉ s. et son beau clocher provençal. Cadenet a son héros : André Estienne, le jeune tambour qui mit en fuite les Autrichiens à la bataille du pont d'Arcole en 1796. Tous les samedis matin de mai à novembre, le marché paysan anime Cadenet. À Noël, une crèche vivante très réputée s'installe au village.

FESTIVAL DE PIANO

Le cœur du petit village de La Roque-d'Anthéron est dominé par la silhouette massive de son château (à l'intérieur, bel escalier à décor de gypserie). En juillet et août, le parc du château de Florans, l'église Saint-Louis, les carrières de Rognes, les abbayes de Silvacane et Jonques accueillent le festival international de Piano. Les plus grands interprètes de piano, clavecin, pianoforte et orgue s'y retrouvent. (☎ 04 42 50 51 15).

Les gorges du Régalon

Suivre, depuis Mérindol, les balises du GR 6
Sans égaler les étonnantes gorges du Verdon, celles du Régalon sont assez stupéfiantes. C'est une longue fissure qui ne dépasse pas 1 m de large par endroits. Des blocs de pierre ont même réussi à y rester coincés. Attention, ne vous engagez pas dans la fissure par temps de pluie car le torrent pourrait grossir subitement !

La Roque-d'Anthéron

L'abbaye de Silvacane

☎ 04 42 50 41 69
Ouv. t. l. j. avr.-sept., 9 h-19 h ; oct.-mars, 10 h-13 h et 14 h-17 h. F. mar. en hiver.
Accès payant.
Comme ses sœurs cisterciennes du Thoronet (vallée de l'Argens) et de Sénanque (près de Gordes), elle se cache dans un site isolé blotti sur la rive gauche de la Durance. Construite entre 1175 et 1300, elle marie délicatement les styles roman et gothique. Sa belle sobriété répond à l'austérité de la règle cistercienne.

Quatuor à cordes

De mai à septembre, l'abbaye de Silvacane et de nombreuses petites églises du Luberon, choisies pour leur accoustique (à L'Isle-sur-La-Sorgue, Roussillon, Fontaines-de-Vaucluse…), accueillent le festival international du Quatuor à cordes du Luberon. De nombreux musiciens de talent dans une ambiance raffinée (rens. ☎ 04 90 75 89 60).

Abbaye de Silvacane

Le Grand Luberon
vins et châteaux à l'est

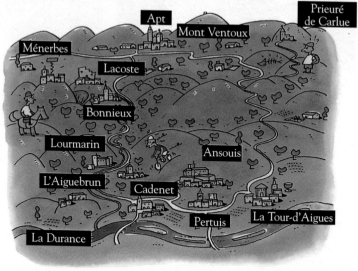

Prieuré de Carlue

Apt

Mont Ventoux

Ménerbes

Lacoste

Bonnieux

Lourmarin

Ansouis

L'Aiguebrun

Cadenet

La Tour-d'Aigues

Pertuis

La Durance

I ci, pas de vallon rocheux ni de falaises comme dans le Petit Luberon. Si le relief y est plus élevé, cette partie est du Luberon est également plus douce et plantée de chênes verts ou blancs, de vignes et de pins d'Alep. Dans cette belle nature, les villages pointent vers le ciel leurs clochers, vieilles demeures et châteaux.

Vin et jardin au château

Château Val Joanis

D 973 direction Cadenet
☎ 04 90 79 20 77
Ouv. t. l. j. Visites des jardins et des chais.
Cette belle bastide provençale revit depuis 1981 grâce au couple Chancel. Jean-Louis s'occupe des plantations de vignes et de la construction des chais, Cécile imagine des jardins tels ceux du XVIIᵉ s. et les réalise avec l'aide du paysagiste Tobbie Loup de Viane. Le résultat est merveilleux : trois terrasses et une tonnelle mettent en valeur rosiers, arbres d'ornement et potager. Ne partez pas sans avoir visité les chais et goûté aux délicieux côtes-du-luberon !

Ansouis

Un village extraordinaire

Château et musée

☎ 04 90 09 82 70 (château) et
04 90 09 82 64 (musée)
Château : ouv. t. l. j. sf mar., 14 h 30-17 h 30.
Musée : ouv. t. l. j. 14 h-19 h.
Accès payant.
Classé parmi les plus beaux villages de France, Ansouis déploie ses belles maisons au pied du château qui appartient à la même famille (les Sabran-

Salle à manger du château d'Ansouis

Ansouis

Pontevès) depuis 1178. Tapisseries et mobilier Renaissance ornent ses belles pièces qui donnent sur de magnifiques jardins en terrasse où des concerts ont lieu tout l'été. Dans les caves voûtées du château, le **Musée extraordinaire** évoque le monde sous-marin (poissons et coquillages fossilisés du Luberon), agrémenté de sculptures et peintures de Mazoyer. En prenant la route de Pertuis, arrêtez-vous au château Turcan pour visiter le **musée de la Vigne et du Vin** (☎ 04 90 09 83 33).

Pertuis

8 km au S.-E. d'Ansouis
Vestiges du XVIe s.
La vallée d'Aigues s'étend sur la partie sud du Luberon et compte 11 villages, dont Pertuis, la « capitale ». Bâtie en bordure de la vallée de la Durance, cette petite agglomération porte bien son nom (*pertuis* signifie « passage ») puisqu'elle a très tôt été un carrefour de communication. Elle a conservé quelques beaux édifices : la **maison de la reine Jeanne** (1585), le vieil étal, la maison de François Ier, l'église Saint-

Nicolas (triptyque de 1520), sans oublier le donjon du château détruit en 1596. Un circuit historique est balisé à l'intérieur du centre ancien (rens. à l'OT).

La Tour-d'Aigues

5 km à l'E. de Pertuis
Vignoble et festival
Bâti sur un territoire de plaines et de coteaux où pousse une vigne qui donne un vin fameux, le village doit son nom à une fortification du XIe s. qui fut remplacée par le donjon de l'actuel **château** Renaissance. Détruit par un incendie en 1792, ce château garde de beaux restes comme la porte triomphale inspirée des arcs antiques. Les caves abritent **musée de la Faïence** (voir p. 162), syndicat général des Vignerons des côtes du Luberon (☎ 04 90 07 34 40), **musée de l'Histoire du Pays d'Aigues** (château : ☎ 04 90 07 50 33) et office du tourisme. Dans la cour d'honneur, le **festival Sud-Luberon** propose spectacles

de danse, théâtre et musique de mi-juillet à mi-août (rens. à l'OT ☎ 04 90 07 50 29).

Céreste

24 km au N. de la Tour-d'Aigues
Village médiéval
Déjà sur le territoire des Alpes-de-Haute-Provence, cette ancienne cité romaine se visite pour les vestiges de son village médiéval s'enroulant autour du château. Mais aussi pour ses sites géologiques appartenant à la réserve du Luberon : on y trouve d'étonnants **fossiles** formés dans les calcaires schisteux.

Repères
C3 *(rabat avant)*

Vaucluse

Activités et loisirs
Festival Sud-Luberon et concerts au château d'Ansouis
Le Luberon en vélo
Visite des chais et dégustation à Val Joanis

Avec les enfants
Jardins de Val Joanis
Musée extraordinaire d'Ansouis

À proximité
Apt (35 km N.-O.), p. 162.

Office de tourisme
Pertuis : ☎ 04 90 79 15 56

LE LUBERON EN VÉLO
Le parc naturel régional du Luberon a aménagé un itinéraire touristique d'une centaine de kilomètres à faire en vélo, à l'écart des grands axes. De Cavaillon à Apt, puis d'Apt à Forcalquier, l'itinéraire est balisé dans les deux sens : blanc dans le sens Cavaillon-Forcalquier, ocre orangé dans l'autre sens. Un dépliant fort bien fait est disponible auprès de la Maison du parc. Si vous êtes prêt pour la totale, une association d'hébergeurs et de loueurs de vélos s'est créé dernièrement à Céreste (Vélo Loisirs en Luberon, ☎ 04 92 79 05 82).

Le Petit Luberon
l'ouest sauvage

Dans sa partie ouest, le Luberon présente un relief accidenté, fait de gorges et de ravins. Face au mistral, ses villages perchés vous regardent de haut, fiers de leurs belles constructions qui retrouvent une seconde jeunesse depuis quelques décennies. Au XVIᵉ s., ils furent le théâtre des sanglants massacres des Vaudois, préludes aux terribles guerres de religion.

Les ruines du château du marquis de Sade, à Lacoste

Oppède-le-Vieux
Terrasses et sentiers

Dressé sur son éperon rocheux, le village séduit par ses vieilles ruelles en pente qui grimpent jusqu'à l'église primitive **Notre-Dame-d'Alidon** restaurée au XVᵉ s. En suivant le chemin des Pénitents-Blancs, on rejoint les ruines du château pour profiter d'une vue magnifique sur la vallée. En redescendant, ne manquez pas les **terrasses Sainte-Cécile** : plus de 80 espèces de plantes rustiques, fleurs et vergers du Luberon ornent ces charmants jardins suspendus (visites guidées pour les enfants le mardi de mars à octobre). C'est ici que commence le premier sentier viticole du parc du Luberon, fléché sur 5 km à partir des terrasses Sainte-Cécile.

Haut lieu des protestants du Vaucluse, le village a conservé de très belles maisons de maître. Deux d'entre elles furent les propriétés de Nicolas de Staël (le Castelet) ou Picasso (la Citadelle) : en admirant la vue sur le Luberon et les monts du Vaucluse, on comprend leur choix !

L'église de Ménerbes abrite deux panneaux peints du XVIᵉ s.

tesques carrières souterraines de pierre de molasse fournissent une excellente matière première pour la restauration des maisons. À 2 km, en direction de Ménerbes, **l'abbaye Saint-Hilaire** est en cours de restauration : son église du XIIIᵉ s. et ses jardins se visitent (rens. à l'OT de Ménerbes).

Ménerbes
4,5 km à l'E. d'Oppède-le-Vieux
Une place forte

Dans le cercle très restreint des plus beaux villages de France, Ménerbes occupe une place forte. Cette citadelle ressemble en effet à un navire de pierre posé sur un promontoire escarpé : impressionnant !

Lacoste
6 km à l'E. de Ménerbes
Sous l'œil du Divin Marquis

Faisant face à Bonnieux et longtemps son rival, dominé par les ruines du château du marquis de Sade, Lacoste déroule ses ruelles bordées de maisons anciennes surmontées par les vestiges de ses remparts. Autour du château, de gigan-

Bonnieux
5 km à l'E. de Lacoste
Ascension sous les cèdres

Ce très beau village perché surplombe la combe de Lourmarin. Son église haute trône au sommet : il faut grimper 86 marches pour y accéder. Dans le village, tours et remparts du XIIIᵉ s. côtoient de belles demeures

dont l'actuelle mairie. À 5 km du village par la D 149, le pont romain de **Pont-Julien**, magnifique ouvrage du IIIe s. av. J.-C., franchit le Calavon depuis 2 000 ans. Par la D 36 à l'est de Bonnieux, rejoignez la route forestière qui conduit au sommet du Petit Luberon (parking payant) : un sentier de découverte a été aménagé dans la forêt de cèdres (2 h de marche env.) et dévoile des arbres centenaires venus sous forme de graines de l'Atlas marocain, des espèces végétales typiques du Luberon et de magnifiques points de vue.

Lourmarin

6,5 km au S. de Bonnieux

Le souvenir de Camus

Classé parmi les **plus beaux villages de France**, Lourmarin s'élève à l'entrée de la combe qui sépare le Petit Luberon du Grand Luberon. Des ruelles étroites et sinueuses s'enroulant autour de l'éperon rocheux du Castelet, un beffroi (dit « boîte à sel ») construit à la place de l'ancien château médiéval, un château Renaissance fréquenté par les grands de ce monde (François Ier,

Churchill, Bosco, Élisabeth II…), tel est Lourmarin. Dans le **château** (☎ 04 90 68 15 23. Visites guidées t. l. j. 10 h-11 h 30, 14 h 30-17 h 30 (ttes les 1/2 h ; hors saison ttes les heures), les passionnés d'architecture admireront l'insolite escalier à vis taillé d'une seule pièce ! Autre célébrité de Lourmarin, l'écrivain Albert Camus repose dans le cimetière du village depuis 1960.

La ferme de Gerbaud

3 km de Lourmarin par le chemin d'Aguye puis le chemin de Gerbaud ☎ 04 90 68 11 83 Visites (1 h 30) t. l. j. avr.-oct. à 17 h, le w.-e. nov.-mars à 15 h 30. Boutique ouv. t. l. j. 14 h-19 h. *Visites payantes.*

Guy et Paula sont venus s'installer aux pieds du Luberon pour cultiver plantes aromatiques et médicinales. Dans les champs pour la visite guidée des plantations qui couvrent 25 ha, on parle recettes de cuisine et aromathérapie. Ici, la culture se fait sans engrais ni pesticides et l'arôme des herbes de Provence n'en est que meilleur. N'hésitez pas à

Repères

B3 *(rabat avant)*

Vaucluse

Activités et loisirs

Le sentier viticole d'Oppède-le-Vieux
Les musées des savoir-faire en Luberon

Avec les enfants

Les terrasses Sainte-Cécile à Oppède-le-Vieux
La forêt de cèdres à Bonnieux
La ferme de Gerbaud à Lourmarin

À proximité

Apt (env. 20 km N.-E.), p. 162.
Gordes (env. 20 km N.), p. 164.

Office de tourisme

Bonnieux : ☎ 04 90 75 91 90

questionner Paula, elle connaît un tas d'astuces pour éviter les petits bobos de digestion.

SAVOIR-FAIRE EN LUBERON

Plusieurs musées du Luberon servent de relais aux traditions artisanales de la région. Ménerbes, le musée du Tire-bouchon (☎ 04 90 72 41 58) présente plus de 1 000 pièces du XVIIe s. jusqu'à aujourd'hui, avec dégustation à l'appui.
À Bonnieux, le musée de la Boulangerie montre l'évolution des meuneries et minoteries (☎ 04 90 75 88 34). Cadenet s'est spécialisé dans la vannerie depuis le XVIIIe s. : son musée retrace les différentes techniques de cette activité avec force objets usuels et outils (☎ 04 90 68 24 44). Quant à la Tour d'Aigues, son musée de la Faïence est un panorama des faïences provençales dont certaines ont été fabriquées sur place (☎ 04 90 07 50 33).

Apt et Roussillon

hauts en couleur

Tour de l'Horloge à Apt

Entre Luberon et monts du Vaucluse, le pays d'Apt porte haut les couleurs éclatantes du pays de l'ocre. Ancienne colonie romaine, Apt est un excellent point de départ pour vos excursions dans le Luberon ou pour une découverte du Colorado provençal. Les gourmands y feront provision de fruits confits et flâneront sur l'un des plus beaux marchés de la région.

Apt
Jour de marché

De la place de la Bouquerie (marché le sam. matin) à la porte Saignon, vous découvrirez des hôtels particuliers des XVIᵉ-XVIIᵉ s., la tour des Remparts et les vieux quartiers. La **cathédrale Sainte-Anne** (ouv. mar.-sam., 10 h-12 h et 16 h 30-18 h) conserve, dans la chapelle royale, les reliques de la sainte qui lui a donné son nom. Le mardi matin, sur le cours Laure-Perret, se tient un attrayant **marché paysan** (mai-sept.).

La Maison du parc

60, pl. Jean-Jaurès
☎ 04 90 04 42 00
Ouv. t. l. j. sf dim., 8 h 30-12 h et 13 h 30-18 h (19 h en été) ; oct.-mars f. sam. ap.-m.
Accès payant.

Pour gérer un territoire vivant de 165 000 ha sur 67 communes et 2 départements (Vaucluse et Alpes-de-Haute-Provence), il fallait bien une maison ! Siège du parc naturel régional du Luberon, la Maison a également mission d'information et d'accueil du public. En sous-sol, son exposition permanente « Le Luberon avant l'homme » donne un bon aperçu de la géologie et paléontologie de la région. Amateurs de randonnées à pied ou en VTT, amoureux de la nature ou flâneurs indécis, rendez-vous tout de suite à la **Maison du parc du Luberon**. Vous y trouverez une documentation sur les différents sentiers d'excursion ainsi que sur la faune et la flore de ce site protégé. Les amoureux de la lavande ne manqueront pas de s'initier à ses secrets.

Faïence et fruits confits

La faïence d'Apt résulte d'une technique particulière, dite « terre flammée », qui crée des effets de marbrure. La tradition perdure aujourd'hui chez **Jean Faucon** (12, avenue de la Libération, ☎ 04 90 74 15 31) mais aussi à Goult (**Antony Pitot**, ☎ 04 90 72 22 79) et Bonnieux (**Carreaux d'Apt**, ☎ 04 90 04 63 04).

Quant aux fruits confits qui donnent à Apt les titres de capitale mondiale et de site remarquable du goût, quelques confiseurs les fabriquent encore dans la plus pure tradition. Prochainement, un **musée de l'Aventure industrielle** regroupera les activités économiques du pays d'Apt : faïence, fruits confits et ocres (rens. à l'OT).

Saignon
4 km au S.-E. d'Apt
Le potager d'un curieux

Quartier la Molière
☎ 04 90 74 44 68
Ouv. lun.-ven. avr.-sept., 9 h-12 h et 14 h-17 h (15 h-18 h en été).
Visites libres et guidées.
Accès payant.

Depuis plus de vingt ans, Jean-Luc Daneyrolles fait pousser des merveilles dans ce potager devenu conservatoire des légumes oubliés et des plantes rares. Deux cents variétés de vivaces, une cinquantaine de variétés de tomates et des légumes vraiment singuliers : concombres groseille, laitues langue de bœuf… Un conseil, suivez la visite guidée : passionnante.

Musiques en Luberon

Il faudrait plusieurs paires d'oreilles pour tout écouter : festival international de Quatuor à cordes en Luberon, de mi-juin à début septembre (Cabrières-d'Avignon, Fontaine-de-Vaucluse, Gordes et Roussillon).
☎ 04 90 75 89 60).
« Tréteaux de nuits » : blues, jazz, théâtre et variétés la 2ᵉ quinzaine de juillet à Apt (☎ 04 90 74 03 18). Musicales d'Oppède-le-Vieux à Ménerbes, Oppède et les Taillades (juillet à mi-août, ☎ 06 07 31 00 11). Concerts randonnées à **Saignon** en juillet (☎ 04 90 74 03 18). **Festival du Sud-Luberon** à la Tour-d'Aigues. Liste disponible auprès du CDT du Vaucluse, ☎ 04 90 80 47 00.

Roussillon
10 km à l'O. d'Apt
Spectacle d'ocre
Roussillon porte bien son titre de « Delphes rouge ». Bâti en couronne autour du sommet du mont Rouge, l'histoire de ce village est liée à celle de l'exploitation de l'ocre qui lui apporta sa couleur et sa renommée (p. 54). Les teintes or et rouge qui parent les façades de ses maisons sont une belle invitation à la promenade dans les ruelles ombragées. Ne manquez pas la **tour du Beffroi**, qui enjambe

l'une d'entre elles. Devant le castrum, **splendide panorama** sur le val des Fées, le Luberon et les monts du Vaucluse.

Chercheurs d'ocre
Conservatoire des ocres et pigments appliqués
CD 104 dir. Apt, à 1 km de Roussillon
☎ 04 90 05 66 69
Ouv. t. l. j. juil. et août, le w.-e. et en sem. sur r.-v. sept.-juin.
L'ancienne usine Mathieu a produit de l'ocre de 1920 à 1963. Aujourd'hui, son activité industrielle a disparu (il ne reste qu'une usine d'ocre à Apt) mais l'usine réhabilitée accueille les visiteurs pour une présentation des techniques de production d'ocre. Stages pour enfants et professionnels, expositions, librairie et boutique, où l'on trouve sachets

de pigments et superbes boîtes de pastels secs aux ocres, complètent la visite. En sortant du conservatoire, retour à Roussillon pour le sentier des ocres balisé par le parc naturel régional du Luberon (2 h de marche, accès payant).

Goult
8 km au S.-O. de Roussillon
Senteurs en terrasses
Conservatoire des Terrasses et Cultures
Ch. de la Roche-Redonne
☎ 04 90 72 20 16
Accès gratuit.
En haut du village, près du moulin, ce ravissant parcours odorant de 15 terrasses est le fleuron du conservatoire des Terrasses. Au pays de l'ocre, sur les restanques (terrasses soutenues par des murets de pierres sèches) poussent des oliviers, des pieds de vigne, des amandiers, des fougères foisonnantes et des nombrils de Vénus. (Prévoir env. 1 h.)

Gordes et l'abbaye de Sénanque
rêves de pierre

Dressée face au Luberon et accrochée aux contreforts du plateau du Vaucluse, Gordes tend vers l'azur ses constructions de pierres sèches tandis qu'oliviers et amandiers étendent à ses pieds leurs verts irisés de lumière. Au sommet, le château-forteresse et l'église dominent les maisons qui semblent se fondre dans le roc. La beauté du site n'est pas étrangère à son intense fréquentation et chaque été les murs de lauzes du village résonnent aux accents de son festival.

Artistes et artisans

Édifié au XIe s. et reconstruit vers 1500 dans un style Renaissance (remarquable cheminée dans la grande salle du premier étage), le **château** abrite le musée Pol-Mara, un artiste contemporain d'origine flamande et accueille tous les ans des expositions d'art contemporain (ouv. t. l. j., 10 h-12 h et 14 h-18 h). L'art

Les caves du palais Saint-Firmin

PETIT LEXIQUE PAYSAN

Aiguier : citerne-borie pour retenir l'eau de pluie.

Clapas : tas de pierres servant à construire les restanques.

Jas : bergerie séparée de la ferme, où le troupeau se jasse (se couche).

Restanque (ou bancau) : nom donné au muret soutenant une terrasse.

règne aussi dans les rues, bordées d'**ateliers d'artistes** et de **boutiques d'artisanat**. Calades traversées d'arcades, escaliers de pierres sèches, les splendides nuances des beiges dorés par le soleil incitent à la flânerie.

On presse !
Caves du palais Saint-Firmin
Entre église et belvédère
Ouv. t. l. j. 10 h 30-13 h 30, 15 h-19 h.
Accès payant.

Moulin des bouillons
Rte de Saint-Pantaléon
☎ 04 90 72 22 11
Ouv. t. l. j. sf mar.
avr.-oct., 10 h-12 h et 14 h-18 h.
Accès payant.

Gordes cache des trésors enfouis sous terre. Les fondations d'une maison Renaissance, le « palais Saint-Firmin », abritent encore citernes et moulins à huile aménagés dans les salles troglodytiques : un beau témoignage de l'activité artisanale et agricole du village qui n'a jamais failli depuis des siècles. À 5 km de là, le **musée du Moulin des Bouillons** expose dans son imposante bastide du XVIe s. un antique pressoir à huile de type gallo-romain : 7 t et 10 m de long !

Le village des bories

☎ 04 90 72 03 48
Ouv. t. l. j. 9 h-20 h.
Hors saison, 9 h-17 h.
Accès payant.

Presque au pied du village, voilà un passionnant ensemble de constructions de pierres

Village des bories

sèches sur un hectare. Habitations, bergeries, fours à pain, murs d'enceinte, tous témoignent d'un savoir-faire élaboré. Ces constructions en pierres plates n'utilisent aucun ciment et les toits voûtés se dispensent de charpentes. Sur le site, un petit **musée paysan** présente les objets usuels et les instruments agricoles utilisés jusqu'au XIXe s. dans la région.

Joucas
6 km à l'E. de Gordes

Les gorges de la Véroncle

Sur 15 km (env. 5 h 30 de marche), cette belle randonnée pédestre parcourt les gorges étroites de la Véroncle, égrène sur son chemin tout un chapelet d'anciens moulins à farine et traverse les villages de Joucas

et Murs. Elle s'adresse aux bons marcheurs, vu la difficulté de certains passages dans les gorges. Le circuit, en boucle, démarre au chemin des Grailles sur la D 2 entre Gordes et Joucas (rens. à l'OT de Gordes).

Merveille cistercienne

Abbaye de Sénanque
3 km au N. de Gordes par D 177
☎ 04 90 72 05 72
Ouv. mars-oct., 10 h-11 h 30 et 14 h-17 h 30 ; nov.-fév. 14 h-17 h 30.

Dans un paisible vallon qui se colore de bleu lavande dès que vient l'été, l'abbaye de Sénanque se dresse de toute sa splendeur romane. Pur exemple du dépouillement voulu par l'ordre monastique qui la fonda, elle est un témoin extraordinaire de l'architecture cistercienne primitive (XIIe s.). La sobriété des pierres, la simplicité des formes, tout rappelle le

principe premier de l'ordre cistercien : le renoncement au monde. À l'intérieur, l'église est une merveilleuse caisse de résonnance, conçue pour le chant.

LES SOIRÉES D'ÉTÉ DE GORDES

Depuis 1993, la première quinzaine d'août, les Soirées d'été de Gordes nous font goûter la beauté du chant. En plein air, dans le théâtre des Terrasses qui domine la magnifique vallée, musiques et théâtre relèvent d'un choix aussi éclectique qu'ambitieux. (Rens. et réservations à partir du 15 juil., ☎ 04 90 72 05 35.)

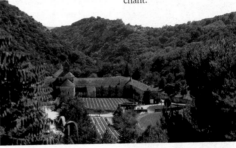

Abbaye de Sénanque

Cavaillon
le pays du melon

Entre Durance, Alpilles et Luberon, blottie au pied de la colline Saint-Jacques, Cavaillon est une cité dont l'histoire et le patrimoine restent méconnus. Cette ancienne ville du riche Comtat des papes a eu une importance majeure dans l'histoire des juifs en Luberon. Cavaillon est devenue un centre agricole important qui accueille le plus grand marché de gros de France pour les primeurs. Quant au célèbre melon, faut-il vraiment rappeler que la ville en est la capitale ?

La vieille ville

Prenez le temps de parcourir les rues du centre ancien et de découvrir quelques beaux édifices. La cathédrale romane **Saint-Véran** s'orne de boiseries sculptées et possède un charmant cloître (ouv. t. l. j. sf mar., 15 h-18 h ; hors saison, 14 h-16 h). La **chapelle du Grand-Couvent** (1684) dispose d'une belle porte sculptée.

Patrimoine juif comtadin

Synagogue et Musée juif comtadin
Rue Hébraïque
☎ **04 90 76 00 34**
Ouv. t. l. j. sf mar. avr.-sept., 9 h 30-12 h 30 et 14 h 30-18 h 30 ; oct-mars, 9 h-12 h et 14 h-17 h. F. w.-e. oct.-mars.

Élevée par Castil-Blaze entre 1772 et 1774, la synagogue de Cavaillon est l'une des plus belles d'Europe, avec sa décoration d'origine et ses ferronneries. Installé dans l'ancienne boulangerie, le Musée juif comtadin évoque l'histoire de la communauté juive en terre pontificale.

Escalade sur la colline Saint-Jacques

Au cœur de Cavaillon, ce rocher abrupt qui semble s'être détaché du Luberon au cours de quelque tempête sismique est un lieu d'escalade réputé. Trois cents voies sont équipées et réparties en trois secteurs : la façade est (au-dessus de la ville), le secteur d'initiation (au-dessus du théâtre Georges-Brassens) et la façade ouest. (Rens. et topoguides à l'OT.) Il reste quelques vestiges de l'ancien site fortifié romain, à découvrir en empruntant le sentier de découverte de la colline Saint-Jacques (3/4 d'heure de marche), fléché à partir de la place du Clos. Très belle vue sur la ville, la plaine d'Apt, le Luberon et les Alpilles. Les plus courageux pousseront jusqu'au sentier de découverte de la colline (3 h au total) qui chemine entre garrigue et pins d'Alep et raconte l'histoire de cette colline habitée depuis la fin du néolithique.

Le Luberon en miniature

Musée de la Crèche provençale
Rte des Taillades
☎ **04 90 71 25 97**
Ouv t. l. j. sf dim. matin, 9 h-12 h et 14 h 30-18 h 30.
Accès payant.

Repères

B3 *(rabat avant)*

Vaucluse

L'ébéniste Yves Marrou a une marotte : reproduire son environnement à petite échelle. Le résultat est impressionnant : mas des communes environnantes, village de bories, école et moulin de Saint-Pantaléon... Presque tout le Luberon tient dans son musée ! Les tuiles sont moulées avec le doigt, les pierres taillées une à une. Du beau travail où il fait bon se promener... avec les yeux !

Robion

5,5 km à l'E. de Cavaillon
Confitures artisanales
Confitures la Roumanière
Pl. de l'église
☎ 04 90 76 41 47
Ouv. t. l. j. sf dim. et j. fér. 10 h-17 h (10 h-19 h avr.-sept). Visite sur r.-v. Melon à l'orange, tomates vertes, pêches au jasmin, figue-groseille... Impossible de toutes les nommer, il y a plus de 50 recettes de confitures ! Cet atelier artisanal situé dans le beau village de Robion est un centre d'aide au travail (CAT) pour les handicapés. Bien-sûr, on peut goûter avant d'acheter.

Cabrières d'Avignon

10 km au N.-E. de Cavaillon
Musée de la Lavande
Rte de Gordes
☎ 04 90 76 91 23
Ouv. mars-déc., 10 h-12 h et 14 h-18 h (hiver), 19 h en été.
Accès payant.
La famille Lincelé produit des huiles essentielles de lavande fine (très parfumée, de petite taille et avec une seule fleur sur chaque tige) cueillie sur les monts du Vaucluse au-dessus

Activités et loisirs

Visite des melonnières et fête du Melon
Escalade sur la colline Saint-Jacques
Sentier de découverte de la colline

Avec les enfants

Confiturerie à Robion
Musée de la Crèche provençale

À proximité

Saint-Rémy-de-Provence (18 km S.-O.), p. 172.
Avignon (24 km N.-O.), p. 176.
Salon-de-Provence (30 km S.-E.), p. 132.
La vallée de la Durance, p. 156.

Office du tourisme

Cavaillon : ☎ 04 90 71 32 01

de 800 m. Il faut 130 kg de fleurs pour obtenir 1 litre d'huile alors que le lavandin ne nécessite que 40 kg de fleurs. Dans le musée, une belle collection d'alambics en cuivre retrace le procédé de distillation effectué depuis le XVIe s.

Les Beaumettes

13 km à l'E. de Cavaillon
Maison de la céramique
RN 100
☎ 04 90 72 32 61
Ouv. t. l. j. 10 h-18 h. Beaucoup de potiers sont installés en Luberon. Une trentaine d'entre eux ont trouvé un lieu d'exposition dans cette ancienne gare qui propose aussi des stages et des cours de poterie. On peut acheter sur place ou faire un premier choix avant de courir les routes pour trouver son potier préféré...

CÉLÉBRATION DU MELON

Alexandre Dumas en raffolait tant qu'il offrit à la bibliothèque de la ville l'ensemble de son œuvre publiée (entre 300 et 400 volumes) contre une rente de 12 melons par an ! À l'honneur dans les restaurants de la ville, le melon est à l'origine de spécialités locales comme les melonettes (ganache noire au melon), les cigales (petit four à base de melon mariné dans l'anis, amandes grillées et miel), la liqueur, l'apéritif Lou Cantalou et le bonbon (liste des détaillants à l'OT). On fête le melon le week-end qui précède le 14 juillet et la confrérie des chevaliers de l'ordre du melon de Cavaillon contribue à le faire connaître et apprécier. Enfin, l'OT organise des visites de melonnières (juin à mi-août) et des journées consacrées au melon.

Les Alpilles
l'âme de la Provence

Chanté par Mistral et Daudet, le petit massif des Alpilles s'étend du sud de la Durance aux portes d'Arles. Prolongement géologique du Luberon, il se dresse tel un belvédère, avec ses crêtes tourmentées et ses dorsales calcaires dont la blancheur illumine le paysage. L'harmonieuse composition d'une nature demeurée sauvage, la richesse d'une vallée où la vigne le dispute à l'olivier offrent des vues inoubliables.

Les Baux
Eyguières
Fontvieille
Montmajour
Le Paradou
Arles

Montmajour
L'abbaye de Montmajour
Rte de Fontvieille
☎ **04 90 54 64 17**
Ouv. t. l. j. sf j. fér.,
oct.-mars, 10 h-13 h
et 14 h-17 h ; avr.-sept.,
t. l. j., 9 h-19 h.
Accès payant.
À quelques kilomètres d'Arles, Montmajour a été l'une des retraites préférées de Van Gogh qui l'a souvent dessinée. Fondée au Xe s., c'est une véritable anthologie de l'art roman en Provence. Des constructions primitives, seule subsiste la petite **chapelle Saint-Pierre**. Les principaux bâtiments visibles aujourd'hui ont été édifiés au XIIe s. autour du cloître. Du

logis abbatial, il ne reste plus que la tour de l'Abbé (1369).

Fontvieille
4,5 km à l'E. de l'abbaye de Montmajour
Le moulin de Daudet
Ce village pittoresque invite à flâner au milieu des maisons de pierre tendre. C'est cette même pierre qui a servi à édifier les arènes d'Arles et de Nîmes. Mais Fontvieille doit avant tout sa célébrité à Alphonse Daudet. Au sud du village se dresse le **moulin** qui inspira le conteur ; aujourd'hui, un petit musée lui est consacré (☎ 04 90 54 60 78, ouv. t. l. j. 10 h-12 h, juin-sept. 9 h-19 h). Profitez

en pour marcher sur les traces de la « petite chèvre de monsieur Seguin » en suivant la promenade qui conduit au château de Montauban, où séjournait l'auteur.

Les Alpilles près de Maussane

Maussane
4,5 km à l'E. de Fontvieille
Visiter un moulin
Moulin Jean-Marie Cornille
☎ **04 90 54 32 37**
Ancienne possession des seigneurs des Baux, le village s'étire de part et d'autre de l'ancienne voie romaine. C'est un lieu de villégiature agréable et la terre bénie des oliviers. Premier producteur d'huile A.O.C. en France, Maussane fabrique 30 000 litres par an dans ses deux moulins : **le Mas des Barres** (☎ 04 90 54 44 32. Vis. et dégust. t. l. j. 9 h-12 h, 14 h-18 h) et la **Coopérative**

Le moulin de Daudet

Jean-Marie Cornille
(☎ 04 90 54 32 37.
Ouv. t. l. j. sf dim. 9 h-19 h)
installée dans un beau moulin
du XVII⁰ s. À la boutique Jean
Martin (8, rue Charloun-Rieu.
☎ 04 90 54 30 04. Ouv.
t. l. j. sf dim. et lun. mat.
9 h-12 h, 14 h-18 h),
on accommode l'olive
de père en fils depuis
1920. Selon l'époque, on trouve des olives cassées ou piquées
au sel, des tapenades...

Le Paradou

0,5 km de Maussane
**Villages
des santons**
**La petite Provence
du Paradou**
75 av. de la Vallée-
des-Baux
☎ 04 90 54 35 75
Ouv. t. l. j. 10 h-19 h.
Plus de 400 santons sont
exposés dans un décor de
village provençal. Quelle
patience : pour les 32 maisons,
Mike et Marithé Charvin ont
fabriqué 50 000 minituiles en

argile ! À l'atelier, on peut
s'inscrire pour créer soi-même
son santon. À moins d'1 km
de là (rte de Saint-Rémy sur
la D 5 après Maussane), le
musée des Santons animés
(☎ 04 90 54 39 00. Ouv.
10 h-19 h avr.-sept., 13 h 30-
19 h oct.-mai) donne une
idée des ambiances typiquement provençales.

Mouriès

*6 km au S.-E.
de Maussane*
Fête de l'Olive
Première commune oléicole
de France par son nombre
de pieds d'oliviers, ce joli
village provençal fait de
l'olive sa profession de
foi. Trois moulins ven-
dent leur production aux
particuliers et proposent des
visites guidées (sur r.-v.) :
moulin à huile coopératif du
Mas neuf (☎ 04 90 47 53 86),
moulin du Mas de Vaudoret
(☎ 04 90 47 50 13) et

moulin Saint-Michel
(☎ 04 90 47 53 86). Le 3⁰
week-end de septembre, les
« confiseurs » se retrouvent à
Mouriès pour fêter l'olive.

Repères
B3 *(rabat avant)*

Bouches-du-Rhône

Activités et loisirs
La fête de l'Olive à Mouriès
Visite des moulins à huile
de Maussane
Les fêtes de Maussane

Avec les enfants
Villages des santons
Fabriquer son santon

À proximité
*Arles (env. 25 km S.-O.),
p. 124.
Avignon (25 km N.),
p. 176.
Cavaillon (env. 20 km
N.-E.), p. 166.*

Offices de tourisme
Maussane : ☎ 04 90 54 52 04
Fontvieille : ☎ 04 90 54 67 49
Mouriès : ☎ 04 90 47 56 58
Eyguières : ☎ 04 90 59 82 44

Eyguières

21 km à l'E. de Mouriès
Conter fleurette...
« Sobriété est mère de
beauté ». La devise qui orne
le blason d'Eyguières fait
l'impasse sur la notoriété
de ce joli bourg situé aux
portes de Salon-de-Provence.
Au Moyen Âge, Eyguières
accueillait une cour d'amour
fameuse dans son castelas
de Roquemartine désormais
en ruines. En saison, le village
vit à l'heure de ses arènes
ombragées où se déroulent
des courses de taureaux à la
cocarde (fin juin-fin août).

FÊTES ESTIVALES
À Maussane-les-Alpilles, l'été semble voué à la fête :
le 2⁰ week-end de juin, le défilé de la Carreto
Ramado en l'honneur de saint Éloi s'accompagne
d'un battage de blé à l'ancienne et d'un concours
d'aïoli. Les fêtes votives des 14 juillet et 15 août
sont l'occasion de renouer durant quatre jours avec
les traditions : abrivado, course camarguaise, pégoulade... L'avant-dernier dimanche d'août, la manifestation « Le temps retrouvé » redonne à Maussane
une allure XIX⁰ s. : marché artisanal en costumes
d'époques, reconstitution de scènes de rue, etc.

Les Baux-de-Provence
fier vaisseau de pierre

C e magnifique décor de théâtre collectionne les prix d'excellence : plus beau village de France et site remarquable du goût pour son oliveraie, il est également classé au titre des Monuments historiques pour l'ensemble de son château. Falaises, anciens remparts et citadelle démantelée semblent mêlés pour l'éternité afin de protéger le village des Baux aux belles façades Renaissance restaurées.

La ville basse

La visite se fait à pied, de préférence le matin car très vite le soleil assomme. Depuis la porte Mage, arpentez les ruelles pentues, bordées de demeures très bien restaurées. Une halte dans l'ancien hôtel de ville vous permettra de découvrir le **musée des Santons**. En vous dirigeant vers la place Saint-Vincent,

vous passez devant la chapelle des Pénitents-Blancs : les peintures sur les murs sont signées Yves Brayer (1907-1990). On peut d'ailleurs voir une rétrospective des œuvres de ce peintre au musée qui porte son nom, dans l'ancien hôtel des Porcelet (XVIᵉ s.).

La citadelle

☎ 04 90 54 55 56
Ouv. t. l. j. 9 h-19 h en été ; 9 h-17 h en hiver.
Accès payant.

Au sommet de l'éperon rocheux se dresse la citadelle, vestige de la puissance des orgueilleux seigneurs des Baux, qui prétendaient descendre d'un des rois mages, Balthazar. De ce passé glorieux ne subsistent que les murailles de la chapelle, du château et de son imposant donjon. Des tours isolées en commandaient les abords : au sud la tour Sarrasine et celle des Bannes, au nord la tour Paravelle. Dans l'enceinte, des maisons du XVIᵉ s. rappellent que la ville comptait à cette époque quelque 6 000 habitants. L'hôtel de la tour de Brau abrite un musée sur l'histoire de la citadelle et du village.

La citadelle : bélier

Dans la chapelle romane Saint-Blaise, un film *Van Gogh, Gauguin, Cézanne au pays de l'Olivier* rend hommage aux grands peintres. Au pied des vestiges du château, on pourra voir de fabuleuses machines de guerre médiévales. Le panorama qui s'offre du haut du rocher couronné par le donjon récompense amplement l'ascension un peu difficile jusqu'au sommet. Le circuit du château, agrandi, se prolonge

jusqu'au 3ᵉ niveau. L'office du tourisme met à disposition un audioguide en sept langues pour revivre l'histoire des Baux.

Val d'Enfer et Cathédrale d'images
Rte de Maillane par la D 27
☎ 04 90 54 38 65
Ouv. t. l. j. sf janv.-fév., 10 h-19 h ; oct.-mars, 10 h-18 h.
Accès payant.
La route qui conduit au val d'Enfer (ancien repaire, selon la légende, de sorcières et de lutins) serpente dans un chaos rocheux et offre une très belle vue sur Les Baux. Ces falaises déchiquetées percées de grottes et de carrières souterraines ont servi à Jean Cocteau de décor naturel pour son film *Le Testament d'Orphée*. Certaines

carrières accueillent un spectacle audiovisuel original, la Cathédrale d'images. Plus de 3 000 images agrandies 10 000 fois sont projetées dans des salles de 20 m de hauteur par 48 sources différentes sur les parois de pierre blanche formant un écran naturel de plus de 4 000 m². Chaque année, le spectacle se renouvelle avec un thème différent et une exposition.

Archéologues en herbe
Le Paléolab
Centre archéologique des Baux de Provence
Rens et inscr. à l'OT
Participation : 5 €.
En août, le centre de recherche archéologique des Baux propose des stages d'initiation à l'archéologie et la préhistoire. Tous les matins pendant une semaine, les enfants abordent par ateliers la fouille d'un habitat néolithique et les démonstrations de l'évolution d'outils préhistoriques.

Repères
B3 *(rabat avant)*

Bouches-du-Rhône

Activités et loisirs
Promenade dans la citadelle

Avec les enfants
Le musée des Santons
Cathédrale d'images
Noël aux Baux
Stages d'initiation à l'archéologie

À proximité
Arles (16 km S.-O.), p. 124.
Avignon (27 km N.), p. 176.
Tarascon (18 km O.), p. 174.
Cavaillon (25 km N.-E.), p. 166.

Office de tourisme
Les Baux-de-Provence :
☎ 04 90 54 34 39

NOËL AUX BAUX

Tout simplement magique ! En décembre, la cité s'auréole de rouge, blanc et doré et pare ses monuments de mille feux. Crèches et sapins de Noël rivalisent d'éclat : le père Noël s'installe au musée de Manville et la cour des Porcelet devient un petit marché de Noël. Le 24 décembre, Arlésiennes et Mireille donnent une aubade dans les rues. Messe de minuit avec musique provençale et crèche vivante couronnent ces festivités de l'Avent.

Saint-Rémy-de-Provence
tout le charme de la Provence

Dans la capitale des Alpilles, amateurs d'antiques et joueurs de pétanque font bon ménage. Les Grecs ont fondé ce site, les Romains l'ont occupé et les promeneurs contemporains viennent flâner dans ses rues écrasées de lumière.

Une ville aimée des artistes

Nostradamus vit le jour en 1503 à Saint-Rémy, Van Gogh y peignit plus de 150 toiles, Frédéric Mistral et Joseph Roumanille y trouvèrent l'inspiration. Aujourd'hui, Saint-Rémy est une petite ville joyeuse, très fréquentée par des artistes du show-biz attirés par cette cité typique.

Flânerie dans la vieille ville

Sur le tracé des anciens remparts, le cours, avec ses portes anciennes et ses platanes, entoure un univers de ruelles étroites et de places qui ont peu changé depuis des siècles. Sur le parcours : la **collégiale Saint-Martin** et son clocher gothique,

le **musée des Alpilles** (☎ 04 90 92 68 24) installé dans l'hôtel Mistral de Montdragon, le **centre d'art contemporain Présence-Van-Gogh** de l'hôtel Estrine (☎ 04 90 92 34 72), la **fondation Mario-Prassinos** dans la chapelle Notre-Dame-de-Pitié (☎ 04 90 92 35 13, rens. à l'OT) ou encore le **musée des Arômes** (☎ 04 90 92 48 70) qui vous explique la fabrication des huiles essentielles.

Organa
☎ 04 90 92 36 17

Ce festival de qualité célèbre chaque année cet instrument exceptionnel. Le grand orgue Pascal Quoirin de la collégiale Saint-Martin accueille en été les plus grands organistes du monde entier, rejoints à l'occasion par une trompette, un ensemble vocal ou un orchestre. Rens. à l'OT.

Aéroclub de planeur
Aérodrome de Romanin

5 km à l'E. de Saint-Rémy, par D 99 puis D 140
☎ **04 90 92 08 43**
Ouv. t. l. j. 8 h-20 h ; 8 h-18 h hors-saison.

Laissez-vous porter par les vents du Midi : l'aéroclub de Romanin propose des bâptèmes de l'air en planeur (46 €), des vols d'initiations et de nombreux stages, avec possiblités d'hébergement.

Saint-Rémy gallo-romain
Les Antiques
Route de Maussane
Plateau des Alpilles
Accès gratuit.

Les Antiques

FÉRIA PROVENÇALE

Durant la féria provençale (4 jours autour du w.-e. du 15 août), une animation intense règne dans les rues : carretoramado (défilé), abrivados, bandidos, encierros (lâcher de taureaux sur la place de la République) et courses camarguaises (rens. à l'OT). Et pour ceux qui préfèrent les bêtes moins sauvages, le 1ᵉʳ juin, la fête de la Transhumance met en scène le départ des éleveurs et de leurs troupeaux vers la montagne : plus de 4 000 bêtes traversent alors la ville !

pendant des siècles sous des alluvions. Le champ de ruines fouillé depuis 1921 n'a malheureusement pas encore livré tous ses secrets. Mais les vestiges mis au jour et une reconstruction partielle d'un temple ouvrent la porte à l'imagination. Une halte à la **Taverna Romana** (☎ 04 90 92 65 97, ouv. avr.-mars) permet de découvrir des menus et des vins romains.

Saint-Paul-de-Mausole
☎ 04 90 92 77 00
Ouv. t. l. j. avr.-sept., 9 h 30-19 h, les sam., dim. et j. fér., 10 h 30-19 h ; nov.-mars., 10 h 30-13 h et 13 h 30-17 h. *Accès payant.*

À 1 km au sud de Saint-Rémy, s'élèvent deux monuments romains magnifiquement conservés : l'**arc de triomphe** marquant l'entrée de la ville de Glanum édifié sur l'ancienne via Domitia reliant l'Italie à l'Espagne et le **mausolée** dédié aux petits-fils d'Auguste morts au combat.

Glanum
Rte des Baux
Av. Vincent-Van-Gogh
À 1 km S. de Saint-Rémy
☎ 04 90 92 23 79
Ouv. t. l. j. sf j. fér., 9 h-19 h ; hors saison, 9 h-12 h et 14 h-17 h.
Accès payant.
Au pied des contreforts des Alpilles, la riche cité romaine de Glanum est restée cachée

Cet ancien monastère devenu maison de santé possède une église et un cloître roman de toute beauté. Mais, surtout, il garde le souvenir de Van Gogh, interné dans ses murs en 1889. Sa chambre a été reconstituée : une fenêtre ouvre sur les champs de blé qui l'inspirèrent tant, et les iris ressemblent à s'y méprendre à ceux qu'il y a peint le lendemain de son arrivée.

Ruines de Glanum

Le mas de la Pyramide
☎ 04 90 92 00 81
Ouv. t. l. j. sf j. fér., 9 h-12 h, 14 h-17 h (18 h en été).
Accès payant.
À quelques pas de Saint-Paul-de-Mausole, cette habitation troglodytique installée dans les spectaculaires carrières romaines de Saint-Rémy a été aménagée en musée rural.

Confiseries
Le **pignolat de Nostradamus** est une spécialité saint-rémoise recrée à partir du *Traité des fardements et des confitures*, écrit par le célèbre mage en 1555. C'est un savoureux mélange de pignons, de sucre, d'eau de rose et de fenouil (**Petit Duc**, 7, bd Victor-Hugo, ☎ 04 90 92 08 31). À la **maison d'Araxie** (1, place Joseph-Hilaire, ☎ 04 90 92 58 87), vous trouverez de merveilleux fruits confits fabriqués par la **confiserie artisanale Lilamand**. D'autres douceurs et spécialités locales vous attendent à Saint-Rémy.

Tarascon et la Montagnette
au pays de Tartarin

Entre Tarascon et Barbentane, la nature offre un spectacle incomparable. Tarascon, aux accents de Tarasque et aux couleurs des tissus provençaux, en est la capitale. Autour, les charmants villages de Graveson et de Boulbon et l'abbaye Saint-Michel-de-Frigolet émaillent les collines plantées de pins, d'oliviers ou de cyprès.

Tarascon
À l'ombre du château
☎ 04 90 91 01 93
Ouv. t. l. j., avr.-sept., 9 h-19 h ; hors saison, 9 h-12 h et 14 h-17 h, sf mar. et j. fér.
Accès payant.
Le château des comtes de Toulouse, commencé en 1400 par Louis II d'Anjou et terminé par son fils le roi René, a de fières allures féodales. Très bien conservé, on peut le compter parmi les plus beaux châteaux forts de France. Mais son impressionnant système défensif cache un intérieur élégant.

Sainte Marthe et la Tarasque
En face du château, la collégiale du XIIe s. est devenue l'un des sanctuaires les plus célèbres de Provence. Elle est dédiée à sainteMarthe qui, selon la légende, sauva la ville du monstre dénommé la Tarasque. On fête cette Tarasque le dernier week-end

de juin lors d'un défilé avec le roi René et sa cour, les Arlésiennes et l'arrivée de Tartarin.

La vraie fausse maison de Tartarin
55 bis, bd Itam
☎ 04 90 91 05 08
Ouv. t. l. j., sf dim. et j. fér., 15 sept.-14 déc. et 15 mars-14 avr., 10 h-12 h et 13 h 30-17 h ; avr.-sept., 10 h-12 h et 14 h-19 h. F. du 15 déc. au 15 mars.
Visites sur r.-v.
Accès payant.
On en demandait sans cesse le chemin aux Tarasconnais, ils l'ont créée de toutes pièces d'après les géniales descriptions de son créateur. Chaque salle s'inspire du roman : bureau de Tartarin, chambre et salon de Mme Bézuquet…

Et si l'on mangeait la Tarasque
Pâtissier Morin
56, rue des Halles
☎ 04 90 91 01 17
L'animal a inspiré le pâtissier Morin qui a donné son nom à un gâteau fait de ganache et de biscuit aux amandes parfumé au cointreau.
Las ! La vedette est à partager avec l'autre célébrité de la ville, l'incontournable Tartarin : M. Morin a créé en son honneur **la bézuquette** de Tartarin, une bouchée au praliné noisette.

Château de Tarascon

TISSUS PROVENÇAUX

Musée Souleïado et boutique
39, rue Proudhon
☎ 04 90 91 08 80
Ouv. t. l. j. sf w.-e. et j. fér. 10 h-18 h.
Accès payant.

Les Olivades
Ch. des Indienneurs, Saint-Etienne du Grès
☎ 04 90 49 19 19
Visite d'usine sur r.-v. sf août et Noël et mag. d'usine en face (9 h-12 h et 14 h-18 h, le sam. avr.-déc. 10 h-17 h).
La fabrique de tissu Soleïado créée par Charles Démery en 1938 dispose d'une très belle collection de 40 000 dessins. Dans son musée, elle dévoile l'histoire et la tradition des indiennes à travers l'évocation de la vie provençale. À quelques kilomètres de là (route de Saint-Rémy-de-Provence à l'entrée de Saint-Etienne-de-Grès), les Olivades impriment toujours les beaux tissus provençaux. L'impression au cadre plat, technique de la fabrique depuis sa création en 1818, est encore d'actualité...

Boulbon

8 km au N. de Tarascon
L'abbaye de Saint-Michel de-Frigolet

Au milieu des pins et des oliviers, cette abbaye fut fondée au XIIᵉ s. Les moines prémontrés y perpétuent chaque nuit de Noël l'émouvante tradition du pastrage : procession de bergers portant des agneaux, symbole du sacrifice du Christ, suivis d'Arlésiens et d'Arlésiennes offrant les 13 desserts. Dans le magasin de l'abbaye, on peut acheter liqueurs et miel.

La procession des bouteilles

Au pied de la Montagnette, Boulbon est un village agricole dominé par les ruines imposantes de son château. Chaque 1ᵉʳ juin s'y déroule un pèlerinage étonnant : la procession des bouteilles, avec bénédiction et messe en provençal à la chapelle Saint-Marcellin, où seuls les hommes sont admis.

Graveson

10 km au N.-E. de Tarascon
Jardins extraordinaires

Ce charmant village niché au pied de la Montagnette est spécialiste des jardins : la promenade commence au musée des Arômes et du Parfum (☎ 04 90 95 81 55. Ouv. t. l. j. 10 h-12 h, 14 h-18 h) qui cultive des plantes aromatiques. Continuez la visite au jardin public des 4-saisons (Av. de Verdun, ouv. t.l.j. 8 h-18 h, 20 h avr.-sept.), riche de plantes locales et de variétés rares. Rafraîchissez-vous ensuite au jardin aquatique (quartier Cassoulen, route de Saint-Rémy. ☎ 04 90 95 85 02. Ouv. en juil. et août, sur r.-v. le reste de l'année) avant de vous rendre au marché paysan qui anime la place du Marché

Repères
A3 *(rabat avant)*

Bouches-du-Rhône

Activités et loisirs
Visites des tissus provençaux
La procession de Boulbon

Avec les enfants
Les jardins de Graveson
Les figuières du Mas de Luquet

À proximité
*Arles (15 km S.), p. 124.
Les Baux-de-Provence (18 km S.-E.), p. 170.
Saint-Rémy-de-Provence (16 km E.), p. 172.*

Offices de tourisme
Tarascon : ☎ 04 90 91 03 52
Graveson : ☎ 04 30 85 88 44

tous les vendredis, (16 h-20 h mai-oct.), c'est toute la Provence à portée de main !

Des figues éclatantes de santé
Figuières du Mas de Luquet
Ch. du Mas-de-la-musique
☎ 04 90 95 72 03
Visites t. l. j. sf dim.
Sur 12 ha, Francis et Jacqueline Honoré font pousser leur passion : la figue ! Verte ou noire (celle de Caromb est née aux pieds du Ventoux), elle se décline en 150 variétés, toutes aussi savoureuses. Après la visite du verger, dégustation des figues et de leurs produits dérivés.

Musée des arômes et du parfum à Graveson

Avignon un vrai festival

L e palais des Papes, le pont Saint-Bénezet et les remparts : trois monuments d'Avignon classés au patrimoine mondial par l'Unesco. En leur ajoutant le festival, on tient la plus belle des affiches pour attirer chaque année des milliers de visiteurs. La formidable mise en scène médiévale qui se joue à l'intérieur des remparts ne doit pas occulter la joyeuse animation des places, la beauté des hôtels particuliers et la grande richesse des musées.

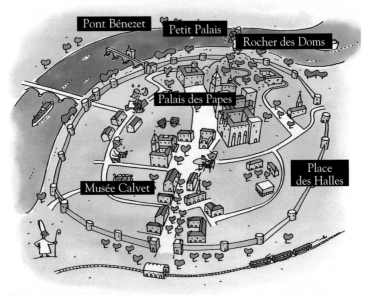

Place Crillon

Ville sainte pour un siècle

C'est le pape Clément V qui décide en 1309 de transférer la cour pontificale dans le Comtat venaissin, terre pontificale depuis 1274. Il faut préciser que les papes ne pouvaient pratiquement plus gouverner à Rome, étant perpétuellement en proie aux luttes intestines que se livraient les grandes familles. Tout d'abord, Avignon accueille le pape très épisodiquement mais Jean XII, qui succède à Clément V, décide d'y établir sa résidence. Benoît XII concrétise, au grand dam des Italiens, le trône avignonnais en agrandissant le palais épiscopal, et Clément VI, poursuivant l'œuvre de son prédécesseur, achète la ville à la comtesse de Provence. Les témoignages de cette période faste sont encore présents dans les monuments. Mais les rues de la ville sont également remplies d'hôtels baroques. Certains bordent la place de l'Horloge, la place Pie et la place Crillon (où se tient le **marché aux fleurs** du samedi matin). D'autres se cachent dans les rues des Teinturiers, Joseph-Vernet, du Roy-René ou de la Banasterie. L'OT organise des **visites guidées** d'environ 2 h. Départs de l'OT (41, cours Jean-Jaurès) à 10 h les mar. et jeu. d'avr. à oct.

Les remparts

C'est le pape Innocent VI qui, au XIVᵉ s., a fait ériger cette enceinte de 4,2 km. Il s'agissait de protéger la ville des crues du Rhône tout autant que des attaques des bandes armées. Pas moins de 39 tours et 7 portes subsistent, parvenues jusqu'à nous grâce aux travaux de restauration de Viollet-le-Duc. Trois promenades fort bien détaillées permettent de faire le tour d'Avignon et de ses remparts, en toute liberté (brochure : guide découverte dispo. à l'OT).

Le palais des Papes

☎ 04 90 27 50 74
Ouv. t. l. j., avr.-sept., 9 h-19 h (21 h en juil., 20 h août-mi-sept.) ; nov.-mars, 9 h 30-17 h. Caisse fermée 1/2 h av. fermeture.
Visites guidées.
Accès payant.
Depuis l'esplanade, admirez les superbes proportions de ce chef-d'œuvre de 1 500 m² dont l'initiative revient aux papes Benoît XII et Clément VI qui, en 1334 et en 1352, passèrent commande. De nombreux artistes ont participé à la décoration de cette forteresse

LE FESTIVAL

Bureau du festival
☎ 04 90 27 66 50
La cour du palais des Papes vibre depuis 1947 pour l'amour du théâtre, insufflé par Jean Vilar. Chaque été en juillet, le festival attire des milliers de spectateurs sur une vingtaine de lieux scéniques. La partie « Off » est également passionnante, éclatée dans tout Avignon et riche d'expériences artistiques nouvelles.

gothique. La fameuse cour d'honneur résonne l'été des accents du festival. Dans le Palais, la « Bouteillerie » propose des animations et dégustations œnologiques.

Sur le pont d'Avignon

La chansonnette a fait le tour du monde. Mais du pont ainsi

Repères
B2 *(rabat avant)*

Vaucluse

Activités et loisirs

Le festival d'Avignon
Brocante de Roquemaure et Villeneuve-lès-Avignon
Dégustation œnologique au palais des Papes et Ban des Vendanges

Avec les enfants

Navettes pour l'île de la Barthelasse
Parc d'aventure Amazonia
Parcours ludique au musée d'Art contemporain

À proximité

Saint-Rémy-de-Provence (20 km S.), p. 172.
La vallée de la Durance, p. 156.
Cavaillon (25 km S.-E.), p. 166.
L'Isle-sur-la-Sorgue (23 km E.), p. 188.
Pernes-les-Fontaines (25 km N.-E.), p. 186.
Carpentras (28 km N.-E.), p. 184.

Office de tourisme

Avignon : ☎ 04 32 74 32 74

chanté il ne reste que 4 arches et la chapelle Saint-Nicolas, dédiée au patron des mariniers. Ce pont qui reliait la ville à la cité des cardinaux (aujourd'hui Villeneuve-lès-Avignon) n'a pas résisté aux assauts du Rhône. Selon la légende, Bénézet, petit pâtre du Vivarais, aurait reçu d'un ange l'ordre de bâtir un pont sur le fleuve. Quant aux danses du pont d'Avignon, elles avaient lieu sur l'**île de la Barthelasse** qui abritaient des guinguettes.

Le rocher des Doms

Dans le parc adossé au rempart nord du palais, vous découvrirez depuis le belvédère, au-delà du lac et des rocailles de ce jardin public à l'anglaise, une

Palais des Papes

Rampes balancées des jardins des Doms

vue saisissante sur le Rhône et la plaine. Le fort Saint-André et la tour Philippe-le-Bel surveillent la vallée depuis Villeneuve-lès-Avignon. La nef de la cathédrale Notre-Dame-des-Doms vous offrira la fraîcheur de ses pierres et la grande beauté de son architecture romane maintes fois remaniée.

Le musée du Petit Palais
Palais des Archevêques
Place du Palais
☎ 04 90 86 44 58
Ouv. juin-sept. 10 h-13 h et 14 h-18 h ; oct.-mai, 9 h 30-13 h et 14 h-17 h 30. F. mar.
Accès payant.
L'ancienne résidence des évêques héberge la **collection Gian-Pietro-Campana**. Cet directeur du mont-de-piété de Rome était un collectionneur insatiable qui confondit bien public et fortune personnelle et rassembla indûment plus de

Botticelli, *Vierge et l'enfant*

15 000 objets et toiles. Il fut condamné aux travaux forcés, et ses biens furent achetés par Napoléon III, puis éparpillés dans plusieurs musées de province. Une partie des œuvres a été regroupée à Avignon après 1945. À côté de Botticelli et de Carpaccio, plus de 300 peintures italiennes sont donc visibles dans ce musée qui retrace l'évolution de la création artistique provençale et italienne, du Moyen Âge à la Renaissance.

Le musée Calvet
65, rue Joseph-Vernet
☎ 04 90 86 33 84
Ouv. t. l. j., sf mar., 10 h-13 h et 14 h-18 h.
Accès payant.
De très importantes restaurations sont en cours depuis 1986, mais le musée reste accessible. Les œuvres se cachent dans une élégante demeure aristocratique. L'éclectisme des pièces présentées ici défie toute classification, la période couverte allant de la préhistoire au XXe s.

Musée Anglandon-Dubrujeaud
5, rue Laboureur
☎ 04 90 82 29 03
Ouv. mer.-dim., 13 h-18 h, le mar. de juil. à sept. et 15 h-18 h les j. fér.
Accès payant.
Au cœur du vieil Avignon, dans l'intimité d'un hôtel par-

ticulier du XVIIIe s., voici exposés le mobilier, les objets et les œuvres contemporaines rassemblés par le couturier Jacques Doucet : Manet, Cézanne, Daumier, Picasso, Degas, Sisley, Van Gogh (le seul exposé en Provence), Modigliani…

Collection Lambert
Musée d'Art contemporain
Hôtel de Caumont
5, rue Violette
☎ 04 90 16 56 20
Ouv. t. l .j. sf lun., 11 h-19 h (11 h-18 h oct.-mars).
Accès payant
Le galériste parisien Yvon Lambert a choisi Avignon et ce bel hôtel particulier pour y exposer sa riche collection d'art contemporain : plus de 450 œuvres de peinture, sculpture, installations, vidéo et photo qui s'échelonnent entre la fin des années 1960 et aujourd'hui. Des expositions temporaires y sont également présentées et, pour les enfants, un parcours ludique met le musée à leur portée.

Flâner sur l'île
On ne danse plus vraiment sur l'île de la Barthelasse, mais on vient se promener sur ses berges aménagées, en profitant

Modigliani, *La Blouse rose*

LE BAN DES VENDANGES

Chaque début septembre à Avignon

Capitale des Côtes-du-Rhône, Avignon fête comme il se doit l'ouverture des vendanges. Près du pont d'Avignon, places de l'Horloge et du Palais, c'est le grand rassemblement des vignerons et des confédérations bachiques qui défilent à travers la ville. Un grand marché vigneron et un village gourmands sont installés devant le Palais. À 18 h, on se rend à la cathédrale Notre-Dame-des-Doms pour suivre la messe chantée. Une heure plus tard, on proclame le Ban des vendanges avec pressée de raisin et dégustation. De nombreux restaurants avignonnais proposent des menus spécifiques pour l'occasion.

du magnifique panorama sur la vieille ville d'Avignon. La traversée est sympathique : des navettes électriques et gratuites relient les deux rives du Rhône depuis le bac du Rocher des Doms et elles accueillent même les vélos ! (10 h-21 h en juil. et août, 10 h-12 h 30, 14 h-18 h 30 à partir de sept.).

Les papalines

Créés en 1835, ces délicieux chardons roses sont composés de chocolat fin, de sucre et d'origan du Comtat, liqueur constituée de 60 plantes cueillies sur les contreforts du mont Ventoux. Aujourd'hui, la papaline est devenue la spécialité d'Avignon mais elle se fabrique à Morières-lès-Avignon, (Croquettes Aujoras, ☎ 04 90 32 21 40, magasin d'usine et visite possible sur r.-v.). On la trouve toutefois chez tous les pâtissiers et confiseurs d'Avignon.

Villeneuve-lès-Avignon

1 km à l'O. d'Avignon

La chartreuse du Val-de-Bénédiction

Rue de la République
☎ 04 90 15 24 24
Ouv. t. l. j. avr.-sept.,
9 h-18 h 30 ; oct.-mars,
9 h 30-17 h 30.
Visite guidée le dim.
15 h.
Accès payant.
Ancienne demeure du cardinal Étienne Aubert, futur pape Innocent VI, elle illustre la puissance de la cour pontificale. Devenue monastère, la chartreuse offre quelques belles pièces : cloîtres, église, hôpital, prison, cellules. Elle accueille aussi expositions de peintures et concert. Profitez de cette visite pour faire un tour sur le joli marché de Villeneuve (le jeudi) et sur le marché à la brocante (le samedi matin).

Roquemaure

16 km au N. d'Avignon

Amazonia

Parc d'aventure
Rte d'Orange
☎ 04 66 82 53 92
Ouv. fin mars-déb. nov. les w.-e. et vac. scol.
Accès payant.
Comme son nom l'indique, ce parc d'attraction reprend le thème de la jungle amazonienne (rivière aux crocodiles, sables mouvants, parcours d'arbre en arbre, pyramide, expédition 4x4...) Les 4/12 ans jouent les nouveaux aventuriers et les parents suivent sans rechigner. Sous les halles de Roquemaure, plusieurs brocantes annuelles sont organisées, notamment en avr. et en sept. (Rens. à l'OT, 04 66 90 21 01.)

Chartreuse du Val-de-Bénédiction

Orange
la porte du Midi

Deuxième ville du Vaucluse, l'antique Arausio édifiée au pied de la colline Saint-Eutrope offre, malgré les injures du temps, un ensemble unique de vestiges gallo-romains. Devenue principauté hollandaise avec la famille Nassau, elle rayonna sous leur dynastie. Aujourd'hui, Orange règne au cœur d'une région réputée pour ses vins.

L'arc de triomphe

Théâtre et arc de triomphe

Ouv. t. l. j. 9 h-18 h 30 (9 h-12 h, 13 h 30-17 h oct.-mars).
Accès payant.
Érigés au Ier siècle après J.-C., ils sont tous les deux classés par l'Unesco vu leur remarquable conservation. Le théâtre antique a toujours son mur de scène avec une niche dans laquelle trône l'empereur romain Auguste. L'arc de triomphe était quant à lui situé sur l'ancienne voie Agrippa qui reliait Lyon à Arles. Ses beaux bas-reliefs rappellent les victoires de la seconde légion de Jules César dont les vétérans furent les fondateurs d'Orange vers 40-30 av. J.-C.

Le Musée municipal
Rue Madeleine-Roch

☎ 04 90 51 18 24
Ouv. t. l. j. 9 h 30-19 h (9 h 30-12 h, 13 h 30-17 h 30 oct.-mars).
Billet couplé avec celui du théâtre.
Installé face au théâtre dans un hôtel particulier du XVIIe s., le musée comprend une partie gallo-romaine avec de belles sculptures et surtout trois cadastres gravés sur marbre qui expliquent la construction d'une ville. L'histoire d'Orange, de la préhistoire à nos jours, y est également retracée. Des toiles peintes du XVIIIe s. illustrent enfin l'histoire du tissu provençal et les étapes de l'impression des indiennes. Tous les samedis de juin à septembre, on trouve de jolies pièces de tissu au marché provençal et des métiers d'art qui se tient place de la République.

La colline Saint-Eutrope

Aménagée en parc, elle supporte les ruines du château des princes d'Orange-Nassau, construit au XIIe s., quand la ville était encore le siège d'une petite principauté indépendante, et détruit au XVIIe s. sur ordre de Louis XIV. La vue sur la plaine d'Orange et le Théâtre antique récompense l'effort de la montée.

Châteauneuf-du-Pape
Les bons vins

Si la réputation du vin qui porte ce nom n'est plus à faire, peut-être les charmes simples de la petite ville de Châteauneuf sont-ils moins connus. Mais les papes d'Avignon ne s'y sont pas trompés, qui en firent leur résidence d'été. Il ne reste plus que quelques murs du château qui les accueillait. Deux beaux monuments méritent aussi une visite : la chapelle Saint-Théodoric, du Xe s. (fresques du Moyen Âge dans le chœur), et l'église Notre-Dame-de-l'Assomption (belle voûte romane). Vignoble oblige, Châteauneuf a aussi son musée vigneron, le **musée du Vin** (caveau Brotte, Père Anselme, rte d'Avignon,

Les jardins du Musée municipal

☎ 04 90 83 70 07. Ouv. t.l.j., 9h-12h et 14h-18h, visite et dégustation gratuites), pour tout connaître des 13 cépages et de l'AOC Châteauneuf-du-Pape et découvrir une importante collection des vieux outils utilisés jadis pour les travau!x de la vigne . N'hésitez pas à prolonger votre visite par une tournée des crus et des villages de l'appellation. Rens. à l'OT.

L'origan du Comtat
Les Provençaux ont également été de grands liquoristes. Auguste Blachère créa, en 1870, l'origan du Comtat, issu de la distillation et de la macération d'une soixantaine de plantes du mont Ventoux et toujours fabriqué à Châteauneuf (rte de Sorgue, ☎ 04 90 83 53 81. Visite et

dégustation gratuites). On dit que cette délicieuse boisson aux vertus stomachiques sauva Avignon de l'épidémie de choléra de 1884.

Piolenc

6 km au N. d'Orange
Quel cirque !
Château du cirque Alexis Gruss
☎ 04 90 29 55 23
Ouv. avr.-sept.
Six mois par an, la troupe du cirque national à l'ancienne Alexis Gruss plante son chapiteau au château et dans son parc arboré de 10 ha. Les journées pédagogiques qu'elle organise passent à une vitesse folle : visite du musée européen du Cirque dans les salons, théâtre hippique, cirque de verdure, écuries et enclos pour les

animaux, fabrication des décors, répétitions et représentations. Le week-end, un grand spectacle de cirque à l'ancienne couronne la journée. Et toute l'année, Patrick Gruss dirige l'école d'équitation artistique et propose des spectacles ouverts au grand public (à partir de 8 ans. ☎ 04 90 29 78 78).

Balade au cœur du vignoble
Circuit pédestre de 16 km (env. 4 h de marche). Depuis le château, ancienne résidence d'été des papes, ce circuit relativement facile traverse le vignoble de Châteauneuf-du-Pape dans un paysage de vignes et de galets (Circuit disponible à l'OT de Châteauneuf-du-Pape). En fin de marche, rien ne vous empêche d'aller goûter ce que vous avez vu à pied... et sur pied chez Vinadea, la maison des vins de Châteauneuf-du-Pape qui regroupe une cinquantaine de domaines du vignoble (8, rue Maréchal-Foch. ☎/fax : 04 90 83 70 69).

Repères
B2 *(rabat avant)*

Vaucluse

Activités et loisirs
Chorégies au théâtre d'Orange
Dégustation de vins
Circuit pédestre dans le vignoble de Châteauneuf-du-Pape

Avec les enfants
Château du cirque Alexis Gruss

À proximité
Carpentras (25 km S.-E.), p. 184.

À proximité
Carpentras (25 km S.-E.), p. 184.

Offices de tourisme
Orange : ☎ 04 90 34 70 88
Châteauneuf : ☎ 04 90 83 71 08

CHORÉGIES AU THÉÂTRE ANTIQUE
☎ 04 90 34 24 24
Internet : www.choregies.asso.fr
Accès payant.
Chaque été, les gradins du théâtre qui s'appuient sur le flanc de la colline Saint-Eutrope accueillent les amoureux de l'art lyrique pour un festival prestigieux. Depuis le 21 août 1869, première « fête romaine » qui renoua avec la scène du théâtre, les spectacles de plein air se sont succédé : tragédies et comédies, concerts, ballets et opéras. Depuis 1972, le festival s'est recentré sur l'art lyrique, magnifié par une excellente accoustique.

Vaison-la-Romaine et le haut Vaucluse
la Provence des vins

Dans un terroir qui fleure le bon vin et l'histoire ancienne, on ira de Vaison, romaine et romane, jusqu'à l'enclave des papes à Valréas inserrée en terre drômoise. On se délectera des vignobles réputés de Gigondas et Vacqueyras en admirant les dentelles de pierre de Montmirail.

Vaison

Joyau romain
Musée archéologique Théo Deplans
Mairie
☎ **Service patrimoine 04 90 36 50 05**
Horaires variables selon la saison.
Accès payant. Billet unique pour tous les sites (rens. OT)
Vaison veille jalousement sur ses vestiges des Ier et IIe s. ap. J.-C, découverts seulement au début du siècle dernier: le théâtre antique adossé à la colline de Puymin, les villas, portiques, thermes... qui donnent un petit aperçu de la splendeur passée de la cité dont le cœur (forum, basilique...) repose encore sous la ville actuelle. Au musée, on retrouve une belle collection de statues impériales et des mosaïques.

Tous en chœur !
En juillet et août, Vaison devient la capitale des chorales avec deux événements organisés par le mouvement À Chœur Joie : festival des chœurs lauréats tous les ans en juillet (les meilleurs groupes internationaux primés dans les grands concours), **Choralies** tous les 3 ans en août (concerts et ateliers, prochaines choralies en 2004).

Dans les ruelles de la ville haute
Après un détour par la **cathédrale** Notre-Dame-de-Nazareth (XIe-XIIe s.) et son très beau **cloître** roman, rejoignez le **pont romain** qui franchit l'Ouvèze et permet d'accéder à la ville médiévale.

Celle-ci est nichée dans son enceinte du XIVe s., construite en partie avec des pierres prélevées sur les ruines de la ville romaine. Au pied du château des comtes de Toulouse, les calades (ruelles étroites pavées de galets) retrouvent doucement vie grâce aux artisans venus s'y installer.

Gigondas
4,5 km au S. de Sablet
Visites de caves
Au détour d'un virage, Gigondas surgit, couronné d'un fier château. Ses remparts défient le temps depuis sept siècles et ses abords sont agrémentés d'un cheminement de sculptures contemporaines. Le vin de Gigondas est un des plus fameux côtes-du-rhône, avec ceux de Vacqueyras et de Châteauneuf-du-Pape. De nombreux propriétaires font visiter leurs caves (liste disponible à l'OT). Passez également au Caveau du Gigondas (sur la place, ☎ 04 90 65 82 29) où sont représentés une cinquantaine de producteurs.

Château des comtes de Toulouse

LES DENTELLES DE MONTMIRAIL

Au sud de Vaison, sur la commune de Gigondas, ces hautes falaises de calcaire blanc (627 m d'altitude) délicatement ciselées par l'érosion en aiguilles de pierres argentées s'étirent de Prébayon à Montmirail sur 8 km (superbes points de vue en prenant la D 90 entre Malaucène et Gigondas, notamment à la sortie de Suzette). Jadis postes de guet, elles sont devenues le paradis des grimpeurs et des promeneurs. La face nord, à l'ombre en été, se prête à l'escalade entre juin et octobre (plus de 2,5 km de voies ; (rens. au gîte d'étape : ☎ 04 90 65 80 85 et à l'OT de Gigondas).

Sablet et Séguret
9 et 12 km au S. de Gigondas
Villages au cœur du vignoble
Sablet est un village typiquement provençal

Sablet

avec son église et ses rues concentriques. Tout autour, les vignes donnent un vin puissant et noble au bouquet riche et corsé. Plus loin, le petit bourg de Séguret ressemble à une crèche. Ce qu'il devient d'ailleurs chaque année en décembre, lorsque tous ses habitants revêtent les costumes provençaux pour jouer les **pastorales** de Noël.

Vacqueyras
3 km au S. de Gigondas
Fier de son vin
Le village vit à l'heure du vignoble exploité depuis le XVIe s. Dégustez son Vin à la cave coopérative des vignerons Le Troubadour (à l'entrée du village, sur la route de Vaison-la-Romaine. ☎ 04 90 65 84 54). Le 14 juillet, vous pouvez également participer à sa fête du Vin, en folklore provençal et en musique, dégustation des crus de la vallée du Rhône et grand repas champêtre (rens. à l'OT ☎ 04 90 12 39 02).

Valréas
26 km au N. de Vaison-la-Romaine
Une enclave pleine de charme
Au XIVe s., le pape Jean XXII achète Valréas. Avec ses trois communes, Richerenches, Visan et Grillon, la ville reste fidèle à Avignon et se rallie au Vaucluse, d'où sa particularité géographique pour le moins curieuse ! De nombreux trésors s'y trouvent : vieux

Repères
B2 *(rabat avant)*
Vaucluse

Activités et loisirs
Le festival des Chœurs lauréats
Les caves de Gigondas et vins de Vacqueyras
Escalade sur les falaises de Montmirail
Le musée du Cartonnage et de l'Imprimerie de Valréas

Avec les enfants
Pastorales de Noël
Aquarium de Valréas

À proximité
Carpentras (27 km S.), p. 184.
Mont Ventoux (env. 30 km S.-E.), p. 190.

Offices de tourisme
Vaison : ☎ 04 90 36 02 11
Gigondas : ☎ 04 90 65 85 46
Valréas : ☎ 04 90 35 04 71

village aux belles demeures Renaissance, portes des anciens remparts, chapelles des pénitents blancs et des pénitents noirs, ancien couvent des Cordeliers, château de Simiane... Son aquarium (43, cours V.-Hugo. ☎ 04 90 35 12 87) présente les poissons du monde entier. Son musée du Cartonnage et de l'Imprimerie (3, av. Maréchal-Foch, ☎ 04 90 35 58 75. Ouv. t. l. j. sf mar. et dim. mat., 10 h-12h, 15 h-18 h) est unique et représente une industrie de l'emballage cartonné encore vivace. Si vous êtes amateur de truffes, ne manquez pas son marché aux truffes du mercredi matin, de la mi-nov. à la mi-mars. Ni celui de Richerenches le samedi, couronné par la messe de la truffe le dimanche qui suit le 15 janvier (fête de la Saint-Antoine).

Carpentras
vins, truffes et berlingots

Au cœur d'un amphithéâtre bordé à l'est par le Ventoux et les monts du Vaucluse et à l'ouest par les dentelles de Montmirail, Carpentras est l'une des villes les plus poétiques du Midi. Dressée sur un promontoire qui domine l'Auzon, cette ancienne capitale du Comtat qui fut également ville épiscopale est toujours aussi animée grâce à ses marchés pleins de saveurs : la capitale du berlingot a plus d'un bonbon dans son sac...

Témoignages du passé

S'il ne reste rien des anciens remparts détruits au XIXᵉ s., Carpentras regorge de trésors. De l'occupation romaine et de la *pax romana*, elle conserve un arc de triomphe à une arche datant de 16 apr. J.-C. La **cathédrale Saint-Siffrein** (XIIᵉ-XVIIᵉ s.) a connu de multiples transformations. Elle est surtout réputée pour sa porte Juive (XVᵉ s.), bel exemple de gothique flamboyant orné de la mystérieuse « Boule aux rats » ; c'est par cette porte que les juifs convertis pénétraient dans la cathédrale le jour de leur baptême. **L'Hôtel-Dieu** (XVIIIᵉ s.), avec sa noble façade à l'italienne et son apothicairerie (rens. à l'OT), semble avoir traversé le temps sans changer.

La synagogue
Pl. de la Mairie
☎ 04 90 63 39 97
Ouv. 10 h-12 h et 15 h-17 h (16 h le ven.) sf sam., dim., j. fér. et fêtes juives.
En 1229, le Comtat venaissin devient propriété papale indépendante du royaume de France.

C'est pendant cette période que les juifs chassés du royaume par Philippe le Bel trouvent refuge à Carpentras (et à Cavaillon). La ville leur offre une protection et les assigne à résider dans des quartiers appelés « carrières » (rue en provençal) jusqu'à ce que le rattachement du Comtat à la France (en 1791) en fasse des Français à part entière. De cette époque, la ville a gardé une admirable synagogue, l'une des plus anciennes de France.

Le «trône du prophète Élie» dans la synagogue

Flâner le long de l'Auzon
Seul vestige de l'enceinte du XIVᵉ s., la **porte d'Orange** fit l'admiration de Prosper

Mérimée, avec sa tour de 27 m de hauteur. Elle fera aussi la vôtre car le point de vue est admirable. En contrebas, les berges de l'Auzon ont été aménagées en un parc ombragé et fleuri. Sa fraîcheur vous offrira une halte reposante. Dans un paysage bucolique, vous découvrirez la **chapelle Notre-Dame-de-Santé**, un barrage et une vanne d'alimentation des anciennes tanneries, un petit pont-canal du XIXᵉ s., en résumé mille et un trésors. Le départ de la promenade commence au chemin de la Roseraie.

Marchés exceptionnels

Si vous êtes à Carpentras un vendredi matin, ne manquez

pas le marché. Depuis 1857, l'irrigation, rendue possible grâce au canal de Carpentras, fait du Comtat venaissin le jardin de la France. La richesse du terroir agricole et du vignoble des côtes-du-ventoux s'étale dans toute la ville. Élu marché d'exception en 1996 pour la qualité de ses produits et son ambiance, il ne vous décevra pas. De fin novembre à mars, le marché aux truffes qui se tient tous les vendredis matin place Aristide-Briand est l'un des plus célèbres du Midi : avec 50 % de la production nationale, Carpentras sait ce que « rabasse » (truffe en provençal) veut dire ! En février, son « salon de la Truffe » parfume la ville entière.

Théâtre en plein air

Du 15 au 31 juillet, dans le superbe Théâtre de plein air (qui comprend 1 117 places et une immense scène de 300 m² adossée à la cathédrale Saint-Siffrein), les « Estivales » de Carpentras proposent un programme varié : danse, musique, rire et théâtre. Dans les écoles et les cours de Carpentras s'installe le festival « off », coup de pouce aux jeunes musiciens et comédiens (rens. et rés. ☎ 04 90 60 46 00 et, à partir du 15 juil. également ☎ 04 90 67 03 12.

Confiseries

Confiseries du mont Ventoux
288, av. N.-D.-de-Santé
☎ 04 90 63 05 25
Cet « osselet » (berlingot en provençal) est né au XIXᵉ s. de l'imagination d'un confiseur carpentrassien qui voulut utiliser les restes de sirop des fruits confits pour en faire des bonbons. Des cinq entreprises présentes dans les années 1960, il n'en reste qu'une. Choisissez-y vos couleurs et vos parfums ! (environ 6 € la boîte en fer de 250 g ; vendu également en vrac. Visite de la confiserie sur r.-v.). Carpentras excelle aussi en fruits confits : goûtez-les chez Bono (280, av. Jean-Jaurès, ☎ 04 90 63 04 99), une confiserie artisanale réputée.

Pernes-les-Fontaines
la perle du Comtat

Cette petite ville très préservée se dresse à la pointe ouest du plateau du Vaucluse. Elle a pour toile de fond les lointains contreforts du mont Ventoux et vous réserve de belles surprises architecturales. L'ancienne capitale du Comtat venaissin bruit du clapotis de ses trente-six fontaines, auxquelles elle doit son nom.

Balades à l'ombre des fontaines

Blottie entre rivière et colline, la cité ouvre ses 3 portes fortifiées de remparts (XIVe et XVIe s.) sur des ruelles et des places invitant à la flânerie. Entrez par la **porte de Villeneuve** (1550), flanquée de 2 tours avec mâchicoulis et chemin de ronde, et dirigez-vous vers la **tour Ferrande**. En chemin, vous remarquerez l'**hôtel de Vichet** (XVIe s.), aux portail et balcon en fer forgé. Depuis 150 ans, on y fabrique les quelque 15 millions d'hosties destinées aux paroisses de France. Construite au XIIIe s., la tour Ferrande conserve au troisième étage des peintures murales. Sur la place attenante s'élève la **fontaine Guilhaumin** (1760). Plus loin, la **tour de l'Horloge** (XIIe s.) offre un magnifique panorama. Surmontée d'un joli campanile, c'est le dernier vestige de la muraille qui protégeait le château des comtes de Toulouse. Face à la Nesque, se dresse la porte Notre-Dame. Sur la place, la **fontaine du Cormoran** (1761) se tient à proximité d'une halle couverte. Le pont qui franchit la Nesque et dont une pile forme la chapelle **Notre-Dame-des-Grâces** vous conduit à l'église **Notre-Dame-de-Nazareth** (XIe s.). Depuis le parvis, belle vue sur la ville. De retour dans la vieille ville, dirigez-vous vers la porte Saint-Gilles en passant par la **fontaine Reboul** au décor en écailles de poisson. Il s'agit maintenant de revenir à votre point de départ en passant devant trois magnifiques

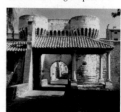

Porte Notre-Dame

fontaines : la **fontaine des Dauphins**, de la **Porte-Neuve** et la **fontaine de l'Asne**.

Costumes et traditions

Musée du Costume comtadin

☎ 04 90 61 61 93
Ouv. t. l. j. sf dim. et lun. mat., 15 juin-15 sept., 10 h-12 h et 15 h-18 h 30. Hors-sais., le sam. 10 h-12 h et 14 h-17 h.
Accès libre.

Musée des Traditions comtadines

☎ 04 90 61 68 96
Ouv. en sais. 10 h-12 h, 14 h-17 h. Hors saison, rens. à l'OT.
Accès libre.

Dans un vrai magasin d'étoffes du XIXᵉ s., les costumes traditionnels de la région reprennent vie. Le magasin Drapier présente également les travaux de repassage, couture et broderie. À la Maison Fléchier – orateur sous Louis XIV –, on s'intéresse aux traditions provençales : intérieur d'une maison, table calendale avec les fameux 13 desserts au 1ᵉʳ étage, atelier du santonnier et magnanerie au second.

Saint-Didier
5 km à l'E. de Pernes
Et j'entends siffler l'appeau

Écomusée des Appeaux
Pl. Neuve
☎ 04 90 66 13 13
Ouv. mar.-ven. 9 h-12 h et 15 h-18 h, sam., dim. et j. fér. : 15 h-18 h.
F. lun.
Accès payant.
En 1868, Théodore Raymond crée à Saint-Didier la première fabrique artisanale d'appeaux. Aujourd'hui, l'écomusée en expose 280 différents, en

métal, bois, os ou corne de buffle. Plus de 220 oiseaux naturalisés retrouvent également leur décor naturel, montagne ou plaine selon les espèces. L'atelier de fabrique et la séance de démonstration (diapos d'animaux et sons correspondants) sont passionnants. En sortant de l'écomusée, rendez-vous chez Pierre et Philippe Silvain. Ces paysans nougatiers représentent la 6e génération d'une même famille d'agriculteurs (288, rte de Pernes. ☎ 04 90 66 09 57).

Gourmandises

Pernes-les-Fontaines n'en manque pas. La pâtisserie Battu (72, rue Gambetta, ☎ 04 90 61 61 16) propose des spécialités, à goûter absolument. Tout d'abord, le **soleil pernois**, un délicieux gâteau à base de melon confit et recouvert de framboises et d'amandes (20,58 € le kg). Et depuis peu, l'**esprit blanchard**, ainsi baptisé en hommage au musicien de Louis XV né à Pernes : le résultat donne un fabuleux chocolat à base de praliné tendre et de cannelle (5,33 € les 100 gr.).

Pernes à vélo

La commune de Pernes à créé des sentiers balisés de V. T. T. avec de nombreux et jolis points de vue : un circuit familial de 9 km et un grand circuit de 20 km. Départ à la fontaine de Couchadou. Location de vélos à V. T. T. Loisirs Vaucluse (rte d'Avignon, à Althen, ☎ 04 90 62 18 14).

Repères

B2 *(rabat avant)*

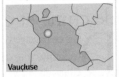

Vaucluse

Activités et loisirs

Balade à pied dans Pernes et la forêt de Venasque
Pernes à vélo

Avec les enfants

Écomusée des Appeaux
Le musée du Costume et des Traditions
Gourmandises à Pernes et visite d'une fabrique de nougats à Saint-Didier

À proximité

Les Baux-de-Provence (16 km N.-E.), p. 170.
Saint-Rémy-de-Provence (24 km N.-E.), p. 172.
Tarascon (20 km N.), p. 174.

Office de tourisme

Pernes : ☎ 04 90 61 31 04

Venasque
10 km à l'E. de Pernes
Plus beau village de France

Classé depuis 1992 parmi les plus beaux villages de France, Venasque ne vous décevra pas. Village perché dominant la plaine de Carpentras, il a donné son qualificatif au Comtat venaissin. L'épaisse muraille qui le protège est flanquée de trois tours impressionnantes. Venasque cache jalousement un baptistère de l'époque mérovingienne (VIᵉ s.). Depuis le village, une jolie route (la D 4 en direction d'Apt) vous conduira dans la forêt de Venasque (OT ☎ 04 90 66 11 66).

Vénasque

L'Isle-sur-la-Sorgue
de chine et d'eau

Dans ce paysage verdoyant doucement vallonné, vous découvrirez un nouveau visage de la Provence. Terre prise dans les eaux de la Sorgue, patrie du poète René Char, L'Isle-sur-la-Sorgue a été baptisée la Venise comtadine à cause des nombreux canaux qui la traversent. Capitale des antiquaires, ses brocantes sont réputées. En amont, Fontaine-de-Vaucluse regarde naître la Sorgue d'un gouffre au pied d'une falaise.

L'Isle-sur-la-Sorgue
Au fil des rues

La vieille ville est riche en maisons Renaissance se reflétant dans les eaux vertes des 5 bras de la Sorgue. Une quinzaine de **roues à aubes** moussues subsistent sur les 70 qui actionnaient autrefois moulins à grains et à huile, papeteries, teintureries et ateliers textiles. L'église Notre-Dame-des-Anges est renommée pour son intérieur baroque de la fin du XVIIe s. Dans la pharmacie de l'Hôtel-Dieu, une belle collection de **faïences de Moustiers** et un énorme mortier en bronze du XVIIe s.

Une ville d'eau

C'est dans les marécages que l'on construisit l'Isle-sur-la-Sorgue au XIIe s. Bâti sur pilotis et parcouru de canaux, cet ancien village de pêcheurs est, de plus, situé au partage des eaux de la Sorgue. Les derniers dimanche et lundi de juillet, la « Féerie nautique » rend hommage à cette omniprésence de l'eau. Tous les premiers dimanches d'août, les barques à fond plat se transforment en étal et proposent fleurs, fruits et légumes frais. Et pendant l'été, des joutes nautiques s'y déroulent régulièrement.

Le Thor

3,5 km à l'O. de l'Isle-sur-la-Sorgue

La grotte de Thouzon

☎ 04 90 33 93 95
Ouv. avr.-oct., 10 h-18 h 30 ; juil-août, 10 h-19 h. F. nov.-avr. sf groupes sur r.-v.
Accès payant.

Découverte en 1902, cette caverne naturelle suit le tracé d'une ancienne rivière souterraine. Unique en Provence, elle abrite stalactites, stalagmites et fistuleuses d'une belle finesse.

L'ISLE AUX BROCANTES

Depuis la création du premier « village des antiquaires » en 1978, l'Isle est devenue la capitale de la chine. Aujourd'hui, la ville accueille sept villages d'antiquaires et de nombreux brocanteurs sur ses cours pour le marché aux puces traditionnel chaque dimanche et 2 fois par an (à Pâques et autour du 15 août).

L'Isle-sur-le-Sorgue

Mystérieuses sources

C'est ici, au fond d'une vallée close, – *Vallis Clausa* en latin qui devint Vaucluse et donna son nom au département en 1793 –, que naît la Sorgue, surgissant d'un gouffre en forme d'entonnoir vertical. Une plongée faite en 1985 fait état d'un fond sablonneux à – 308 m de profondeur... Étrange ! Le mystère de la source est quant à lui partiellement levé : ses eaux émergeraient d'un immense réseau souterrain provenant de l'infiltration des eaux de pluie et de la fonte des neige du Ventoux, des monts du Vaucluse et de la montagne de Lure. L'écoulement total moyen est de 630 millions de m^3 par an et le débit ne descend jamais sous 4,5 m^3.

Fontaine-de-Vaucluse
7 km à l'E. de l'Isle-sur-la-Sorgue

Décors souterrains
Écomusée du gouffre, musée de spéléologie
Ouv. t. l. j. sf lun. et mar., 10 h-12 h et 14 h-18 h ; juin-août, 9 h 30-19 h 30. *Accès payant.*
Prélude à la découverte de la fontaine, ce musée possède une grotte reconstituée et présente le matériel utilisé par les spéléologues ainsi que la collection de 400 cristallisations calcaires recueillies par le spéléologue Norbert Casteret, pionnier en la matière.

Les chants de Pétrarque
Musée Pétrarque
☎ 04 90 20 37 20
Ouv. avr.-fin nov. (sf groupes sur r.-v.) 10 h-12 h et 14 h-18 h. *Accès payant.*
Le grand poète italien du XIVe s. vécut dans cette maison transformée en musée (estampes du XVIe s. au XIXe s. et œuvres originales de Pétrarque et René Char). Les paysages de fraîches vallées et de grottes inspirèrent beaucoup Pétrarque. C'est ici qu'il connut le grand amour, dénommé Laure : ses plus beaux sonnets réunis dans le Canzonière sont dédiés à la jeune femme.

D'un musée à l'autre
Sur le chemin du gouffre, on peut visiter le moulin à papier Vallis Clausa, toujours en activité et fidèle à la fabrication manuelle (☎ 04 90 20 34 14. Ouv. t. l. j. sf Noël et J. de l'an, hor. var. selon la saison. Accès libre). Puis l'**écomusée des Santons** avec ses 1 800 personnages et automates dont certains tiennent dans une coquille de noix (☎ 04 90 20 20 83. Ouv. avr.-sept. 10 h-13 h, 14 h-18 h en sem, 14 h-18 h le w.-e. F. 15 déc.-15 fév.). Et l'**atelier-musée de la Cristallerie des Papes** en contrebas de Fontaine (☎ 04 90 20 32 52. Ouv. avr.-oct 10 h-13 h, 14 h-18 h en sem ; 14 h-18 h le w.-e. Hors saison 10 h 30-12 h 30, 13 h 30-17 h 30). Enfin, le **musée de la Résistance** (☎ 04 90 20 24 00. Ouv. t. l. j. sf. mar. 10 h-19 h, le w.-e. en hors saison 10 h-12 h et 14 h-18 h) évoque la vie avant la guerre et jusqu'à la Libération.

Repères
B2 *(rabat avant)*

Vaucluse

Activités et loisirs
Le marché sur l'eau
Les brocantes

Avec les enfants
Moulin à papier et musée des Santons à Fontaine-de-Vaucluse
Les joutes nautiques de l'Isle-sur-la-Sorgue
La Sorgue en canoë
Grotte de Thouzon et écomusée du Gouffre

À proximité
Avignon (23 km O.), p. 176.
Le Petit Luberon (env. 25 km S.-E.), p. 160.

Offices de tourisme
L'Isle-sur-la-Sorgue :
☎ 04 90 38 04 78
Fontaine-de-Vaucluse :
☎ 04 90 20 32 22

La Sorgue en canoë-kayak
En quittant Fontaine-de-Vaucluse, pourquoi ne pas se laisser tenter par une descente de la Sorgue en canoë-kayak (**Canoë-évasion**, ☎ 04 90 38 26 22, **Kayak Vert**, ☎ 04 90 20 35 44). Détente, plaisir et émotions garanties dans un paysage splendide.

Le mont Ventoux
toit de la Provence

Exposé à tous les vents, auxquels il doit sans doute son nom, le Géant de Provence domine fièrement le département du haut de ses 1 909 m. Son dôme calcaire, nu comme un désert lunaire, contraste avec les paysages variés de ses pentes. S'étirant d'ouest en est sur environ 24 km et du nord au sud sur 15 km, il accueille une flore qui fait le bonheur des promeneurs et des scientifiques.

L'ascension du Ventoux

Dans l'atmosphère florentine du Comtat venaissin, le Ventoux est un monde singulier. Aux alentours, les sauvages **gorges de la Nesque**, la **vallée du Toulourenc**, le **plateau de Sault**, les paisibles villages perchés d'Aurel ou d'Entrechaux, ceux du Barroux, dominé par son château féodal, et de Malaucène, où coule la délicieuse source du Groseau, sont autant de paysages propices à la promenade. Quant au mont lui-même, dont le spectacle laissa Pétrarque « immobile de stupeur », pourquoi ne pas en faire l'ascension ? Les trois OT de Malaucène (☎ 04 90 65 22 59), Carpentras (☎ 04 90 63 00 78) et Bedoin (☎ 04 90 65 63 95) organisent des ascensions nocturnes. Celles de Malaucène ont lieu

le vendredi en juil. et août. Rendez-vous à 21 h 30 devant l'OT avec sac à dos, bivouac vers 2 h du matin et retour le lendemain vers 10 h 30... inoubliable !

Sault

Terre de lumière
Maison de l'environnement et de la chasse
Av. de l'Oratoire
☎ 04 90 64 13 96
Posée sur un éperon rocheux à 766 m d'altitude, la ville domine une vallée où se mêlent l'or des blés et le bleu de la lavande. Il fait bon flâner dans ses vieilles rues pittoresques et ses passages couverts. Omniprésente dans un tel environnement, la nature y a maintenant sa maison, lieu de rencontres et d'expositions implanté dans l'ancien collège. Journées à thèmes, sorties guidées autour

de la faune et la flore, les champignons, la lavande ou la truffe... une bonne adresse avant de partir à l'aventure.

Fête de la Lavande

Chaque année, le jour du 15 août, le public afflue pour les « Lavandes en fête » : coupe manuelle, microdistillation, défilés de chars, calèches et véhicules anciens, exposition et vente de produits locaux.

Un jardin bleu
Le Jardin des lavandes
Hameau de Verdolier
☎ 04 90 64 10 74 et 04 90 64 13 08
Ouv. t. l. j. en juil. et août, 10 h-12 h et 14 h-18 h. Sur r.-v. le reste de l'année.
Accès gratuit.
Si vous n'étiez pas à Sault au 15 août, rattrapez-vous en

allant découvrir les belles collections du **Jardin des lavandes**. Profitez de l'occasion pour rapporter un pied de lavande (vente sur place d'une grande variété de plants et de produits dérivés). Le jardin propose également des ateliers d'environ une heure sur le jardinage, le parfum, l'artisanat ou la cuisine autour de la lavande.

Tout un panier de spécialités

Elles sont nombreuses et délicieuses à Sault : miel de lavande, fromages de chèvre, agneau du pays et épeautre. Ce « blé des Gaulois », avec lequel on cuisine une fameuse soupe, accompagne aussi les viandes ou sert à fabriquer pains et galettes. Mais c'est chez **André Boyer** (☎ 04 90 64 00 23) que vous dégusterez d'extraordinaires macarons et le meilleur nougat au miel et aux amandes de Provence. Blanc ou noir, à vous d'apprécier.

Les gorges de la Nesque
Sentier et plan d'eau

Le long de la D 942 entre Monieux et Villes-sur-Auzon (direction Sault), les gorges de la Nesque s'étirent en un profond canyon encaissé dont la route épouse tous les détours. Points de vue étourdissants, notamment depuis le belvédère situé face au rocher du Cire. Un sentier serpente à travers les gorges du plan d'eau de Monieux (baignade interdite), et mène à la chapelle Saint-Michel (1 h 30 aller-retour).

Le Barroux
43 km à l'O. de Sault
Élevage de lamas
Ferme expérimentale et pédagogique

Visite guidée le mat. à 10 h sur r.-v. (visite 2 h env.). *Accès payant.*
☎ 04 90 65 25 46
Accès payant.

Non loin du village du Barroux, visitez la ferme expérimentale d'élevage de lamas (plus d'une quarantaine de têtes). Vous découvrirez le mode de vie de ces animaux fort serviables, loués par l'armée pour le débroussaillage, et vous pourrez voir l'atelier où l'on confectionne

tissages et tapisseries avec leur laine. Au Barroux toujours, le monastère bénédictin de l'abbaye Sainte-Madeleine (☎ 04 90 62 56 31) vend sa production : friandises, chapelets et chants grégoriens.

Repères

B2 *(rabat avant)*

Vaucluse

Activités et loisirs

**Ascension nocturne du mont Ventoux
Fête de la lavande
Jardin des lavandes**

Avec les enfants

Ferme des lamas

À proximité

Vaison-la-Romaine (env. 25 km N.-O.), p. 182.

Office de tourisme

Carpentras :
☎ 04 90 63 00 78

Sisteron, verrou de la Provence

Dans ce site à couper le souffle, les maisons grimpent à l'assaut d'une pente abrupte couronnée par la Citadelle. La ville ancienne a le charme de ses vieilles pierres et la douceur de la Durance qui coule à ses pieds. Sur l'autre rive, le rocher de la Baume et son plissé de calcaire attirent immanquablement le regard.

Sisteron

La vieille ville

Ruelles étroites en escaliers enjambées par des habitations (les andrônes), **passages couverts, décors des façades**, la cité médiévale se découvre à pied. Cette flânerie sera ponctuée de haltes dans les édifices majeurs de la cité : la cathédrale romane Notre-Dame-des-Pommiers, l'ancienne chapelle du couvent des Visitandines transformée en **musée Terre et Temps** qui retrace le temps à travers les civilisations (☎ 04 92 61 61 30, accès payant), les tours des anciens remparts aux noms évocateurs. La visite s'achèvera en apothéose en haut de la **citadelle**, pièce maîtresse défensive de la ville construite à partir du XIIIᵉ s. (vis. fléchée et sonorisée, accès payant).

Parapente ou vol à voile ?

Pour vous initier aux joies des airs et contempler d'en haut la magnifique vallée de la Durance, offrez-vous un vol à voile à l'Aéro-Club de Sisteron (aérodrome de Vaumeilh, ouv. t. l. j., ☎ 04 92 62 17 45) ou une séance de parapente au Club Altitude qui organise des vols d'initiation(☎ 04 92 61 24 10). Avant tout départ, consultez la

L'AGNEAU FERMIER
Au-delà de Sisteron, l'huile de noix remplace l'huile d'olive. Dans la région, vous pourrez goûter au délicieux agneau de Sisteron. Ne dépassant pas 4 mois et élevé sous la mère, c'est un régal pour les gastronomes. Autre spécialité de la ville, les pieds et paquets permettent de ne rien perdre du mouton : il s'agit de tripes farcies préparées avec du lard, des aromates et du poivre, et présentées avec des pieds de mouton flambés.

La montagne de Lure

météo départementale (bulletin spécial vol à voile et vol libre, ☎ 08 36 68 10 14).

Saint-Geniez

15 km à l'E. de Sisteron par la D 3

La Vallée sauvage
☎ 04 92 61 52 85
Ouv. t. l. j sur r.-v.
Accès payant.
Dans ce **parc animalier**, la faune sauvage alpine est présentée dans son élément naturel : cerfs, daims,

LES NUITS
DE LA CITADELLE

☎ **04 92 61 06 00**
Internet : www.france
festivals.com
Ouv. t. l. j., 25 mars-
11 nov., 9 h-17 h 30 ;
juil.-août, 9 h-20 h 30.
Loc. sur place à partir
du 1er juin, lun.-sam. 9 h-
12 h, 15 h-19 h. Ferm.
des caisses 1 h avant.
Accès payant.

Chaque été, de mi-juillet à mi-août, la forteresse
sert de cadre magique au festival des « Nuits de la
citadelle ». La qualité des œuvres et des interprètes
qui s'y retrouvent est à la hauteur de la beauté des
lieux. Au programme, théâtre, récitals, ballets,
orchestres, philharmoniques, sous le ciel le plus pur
de France, dans l'église Saint-Dominique
et la cathédrale Notre-Dame-des-Pommiers.

Repères

C2 *(rabat avant)*

Alpes-de-Haute-Provence

Activités et loisirs

Les Nuits de la citadelle
Parapente et vol à voile
Le festival de Château-
Arnoux

Avec les enfants

Parc animalier la Vallée sauvage
Musée Terre et Temps à Sisteron

À proximité

*Digne-les-Bains
(env. 30 km E.), p. 302.*

Office de tourisme

Sisteron : ☎ 04 92 61 36 50

---

mouflons, marmottes,
sangliers et chamois y vivent
paisiblement, à l'abri dans
leur enclos ou en liberté
dans la prairie. Une ferme
d'autrefois présente également
sa jolie basse-cour où
s'ébattent canards, dindons,
paons, lapins, poneys...

Château-Arnoux-Saint-Auban

15 km au S. de Sisteron
Lac et festival
OT : ☎ 04 92 64 02 64
Sur la rive droite du lac de
l'Escale, Château-Arnoux
possède un prestigieux château
Renaissance, élevé par Pierre
de Glandevès entre 1510
et 1515 où trône un escalier à
vis monumental, décoré de
bustes. La 2e quinzaine de
juillet, l'amphithéâtre de la
ferme de Font-Robert
accueille les « Festives de
Font-Robert », soirées de
concert jazz et chanson.
À l'extérieur de la ville,
la chapelle Saint-Jean domine
un très beau panorama
sur la Durance et la Bléone.
Au pied de ce belvédère,
la promenade sur les rives du
lac de l'Escale procure un
agréable moment de fraîcheur.

La Bonne étape
Chemin du Lac
☎ 04 92 64 00 09
F. lun. et mar., 26 nov.-
12 déc. et 3 janv.-12 fév.
Menus de 40 à 90 €
(hors vins). Ch. à partir de
153 €.
La réputation des Gleize n'est
plus à faire : après Pierre, son
fils Jany a pris les commandes
de la cuisine qui touche à la
perfection. Les produits régionaux de grande qualité font le
succès de ses recettes : raviolis
farcis de blettes et épinards,
homard tiède en salade et sa
sauce crémeuse de corail à
l'huile d'olive vierge... Le tout
accompagné d'une cave
magnifique et d'un accueil
chaleureux. 18 chambres
« Relais et Châteaux » offrent
un somptueux gîte à ce
savoureux couvert.

Les Mées

*7 km au S. de Château-
Arnoux-Saint-Auban*
Pénitents
de pierre
Le petit bourg de Mées est
surtout connu pour ses
Pénitents, d'insolites aiguilles
de poudingue (conglomérat
de galets unis par un ciment
naturel) s'élevant à près de
100 m sur quelque 2,5 km.
Selon la légende, ces pointes
rocheuses seraient une
procession de moines pétrifiés,
punis pour être tombés
amoureux de belles
Mauresques ramenées par un
seigneur d'une quelconque
campagne contre les infidèles.

*Les silhouettes de poudingue
des Pénitents de Mées*

Forcalquier
et la montagne de Lure

Cette ancienne capitale d'un petit État indépendant au Moyen Âge a gardé de très belles maisons anciennes.

Son nom vient de la « source du Rocher » : *font calquier* en occitan, qui alimentait autrefois ses fontaines et lavoirs. Tout près, la montagne de Lure offre d'agréables escapades en pleine nature.

Prieuré de Ganagobie

Lurs

Forcalquier

Saint-Michel-l'Observatoire

La Durance

Manosque

Forcalquier
Couvent, cathédrale et citadelle

Depuis le XIIIᵉ s., le centre de la ville vit au rythme paisible du couvent franciscain des Cordeliers. Sa réhabilitation entreprise en 1963 permet aujourd'hui d'admirer le cloître, les salles conventuelles et les vestiges de l'église. Il faut également visiter la cathédrale Notre-Dame-du-Bourguet, coiffée d'un clocher fortifié du Moyen Âge. Malheureusement, l'ancienne citadelle de la ville n'est plus que ruines, rasée en 1601. On se console en allant faire un tour sur le joli marché provençal du lundi matin, réputé dans la région. Chaque dimanche en juillet et août, c'est une brocante animée qui prend la place.

Un pastis artisanal
Distilleries et domaines de Provence
Espace dégustation
Av. Saint-Promasse

☎ 04 92 75 15 41
Ouv. t. l. j. en juil. et août, 9 h-19 h ; 9 h-12 h le dim. ; t. l. j. sf mar. et dim. ; le reste de l'année 9 h-12 h et 14 h-18 h. *Accès gratuit.*
On fabrique ici depuis un siècle un pastis naturel très apprécié des amateurs et des connaisseurs. Le pastis Henri Bardouin est le seul qui soit élaboré sur un « site remarquable de goût ». En effet, il bénéficie d'un terroir

très ensoleillé, reconnu pour sa diversité, sa richesse et la qualité de ses plantes.

Mane
3 km au S. de Forcalquier par RN 100
De belles pierres
Prieuré de Salagon
☎ 04 92 75 70 50
Ouv. t. l. j. 14 h-18 h ; mai-sept., 10 h-12h et 14 h-19 h. *Accès payant.*
Château de Sauvan
☎ 04 92 75 05 64
Ouv. tte l'année les jeu., dim. et j. fér. Visite à 15 h 30 sf sam. juil.-août.
Outre une église du XIIᵉ s., un logis prieural du XVᵉ s.et des bâtiments annexes à usage agricole des XVIᵉ et XVIIᵉ s., ce site exceptionnel comprend de fabuleux jardins ethnobotaniques : près de 300 espèces de fleurs et de légumes. Les deux dernières semaines de juillet, il

BALADE EN PAYS DE LURE

Au nord de Forcalquier, la montagne de Lure est le paradis de randonneurs et des mordus de V. T. T. À partir de la station de ski de Lure (25 km au N. de Forcalquier), une randonnée (1 h 45) traverse landes parfumées de lavande et offre un très beau panorama depuis la crête. Départ sur le parking de la station, fiche pratique n° 4 dans le topoguide « Alpes-de-Haute-Provence à pieds ». Les moins courageux traverseront la montagne en voiture !

accueille quelques concerts de musique de chambre au programme des Rencontres musicales de Haute-Provence qui se tiennent à Forcalquier. Deux km plus loin, le beau château de Sauvan est l'un des rares exemples provençaux d'architecture classique, construit en 1720. Du parc ombragé à la splendide cage d'escalier et au mobilier d'époque, il n'outrepasse pas son surnom de « Petit Trianon de Provence ».

Lurs

11 km à l'E. de Forcalquier
Un si joli village
OT ☎ 04 92 79 10 20
Ce puissant castrum devenu résidence des évêques de Sisteron dès le XIIᵉ s. est aujourd'hui un paisible village. L'affaire Dominici qui fit grand bruit il y a cinquante ans n'est plus aujourd'hui qu'un mauvais souvenir. Presque

entièrement réhabilitées, les maisons dotées de fenêtres à meneaux, d'encorbellements et de portes à linteau ont belle allure. Chaque été les « Rencontres internationales de Lurs » vouées aux arts graphiques et à la calligraphie animent la cité. Toute l'année, la famille Masse vend son huile artisanale au moulin de la Cascade (se visite) ou dans la boutique à l'entrée de Lurs (☎ 04 92 78 75 06).

Ganagobie

8 km au N. de Lurs par la D 30
Le prieuré des bénédictins
☎ 04 92 68 00 04
Ouv. mar.-dim., 15 h-17 h. *Le cloître ne se visite pas.* On accède au prieuré par une route en lacet en découvrant un vaste panorama sur la vallée de la Durance. Fondé vers le milieu du Xᵉ s. et cédé peu après à Cluny, le prieuré resta prospère jusqu'à la fin du XIVᵉ s. Ravagé pendant les guerres de religion, puis vendu comme bien national en 1791, il est laissé à l'abandon. Une communauté de moines bénédictins y occupe aujourd'hui de nouveaux bâtiments. Du prieuré roman d'origine subsiste le cloître de l'église qui constitue l'une des plus belles œuvres romanes de Haute-Provence. Dans l'église, beau pavement en mosaïques romanes (XIIᵉ s).

Saint-Michel-l'Observatoire

11 km au S.-O. de Forcalquier
Observatoire de Haute-Provence
Plateau du moulin à vent
☎ 04 92 70 64 00
Ouv. le mer., oct.-mars 15 h-16 h ; avr.-sept., 14 h-16 h. F. j. fér.
Accès payant.
S'étendant sur près de 100 ha, l'observatoire a des allures de cité futuriste. Le site, choisi en 1936 à cause de la luminosité et de l'étonnante limpidité du ciel, accueille chaque année chercheurs français et étrangers venus observer la galaxie.

Banon

25 km au N.-O. de Forcalquier
Fromage de chèvre

Au pied de la montagne de Lure, Banon a conservé son allure médiévale (fortifications et portail du XIVᵉ s.). Le village a donné son nom à un délicieux petit fromage de chèvre affiné à l'eau-de-vie et enrobé de feuilles de châtaignier. Banon fête son fromage en mai.

Manosque, une ville à la page

E ntourée de collines entre Verdon et Luberon, Manosque la moderne côtoie Manosque l'ancienne nichée derrière le tracé circulaire de ses anciens remparts. Dans cette cité millénaire qui a su réhabiliter ses demeures, Jean Giono a écrit de magnifiques pages sur la haute Provence. C'est ici qu'il avait choisi de vivre et de mourir.

Manosque, de porte en porte

Les véritables signatures de la vieille ville sont ses portes : celle de la Saunerie (ou porte du Sel) qui a conservé ogives et crénelures, la porte Soubeyran à l'autre extrémité, surmontée de son campanile, les vestiges de la porte d'Aubette à l'est et, lui faisant face, la porte Guilhempierre restaurée en 1986. Pendant la visite, laissez vous happer par les ruelles du vieux Manosque

La porte de la Saunerie

Devant l'église Saint-Sauveur

jusqu'à la maison Voland, à l'hôtel de ville (ravissante façade du XVIIIe s.) et à l'hôtel d'Herbes qui abrite l'un des plus riches fonds médiévaux de France. L'église Saint-Sauveur, typique du roman provençal, possède un délicat campanile en fer forgé. L'église Notre-Dame-de-Romigier s'orne quant à elle d'un beau portail ciselé. À l'intérieur : magnifique sarcophage du Ve s. et émouvante Vierge à l'Enfant du XIIe s. (rens. à l'OT).

Giono pas à pas

La visite commence à l'entrée de la ville, 1 bd Elémir-Bourges où se trouve le Centre Jean Giono (☎ 04 92 70 54 54) : photos, dessins, bibliothèque et vidéothèque vous diront tout sur le monde de l'écrivain. Il faut ensuite

LES NUITS DE LA CORRESPONDANCE

☎ 04 92 72 75 81
Ces rencontres autour de la littérature épistolaire ont lieu tous les ans à la fin septembre. La ville entière renoue avec stylos et feuilles blanches mis à disposition aux quatre coins de Manosque. Pendant la journée, on écrit, on suit les ateliers, expositions et animations. Le soir, on écoute les voix d'acteurs qui magnifient de belles lettres du répertoire présent ou à venir.

BONNES POMMES, BELLES PÊCHES
4 km au N. de Manosque par la route de Dauphin
La Thomassine, maison de la biodiversité
Ch. de la Thomassine
☎ 04 92 87 74 40
Ouv. le mer. de 10 h 30 à 17 h, mer.-dim. juil.-sept.
Visites guidées à 11h et 16h 30 en été,
11 h et 15 h le reste de l'année.
Accès payant.
Géré par le parc du Luberon, ce verger conservatoire regroupe 10 espèces et 350 variétés de fruits : pêche sanguine de Manosque, prune de Digne, amande dorée d'Apt, figue marseillaise, olive du Luberon, pomme provençale... On en mangerait ! La dégustation fait d'ailleurs partie de la visite guidée qui retrace l'histoire des légumes et du captage d'eau.

Le Mont d'Or

entrer dans la vieille ville par la rue Grande pour passer devant sa maison natale (n° 14) et l'atelier où repassait sa mère. Prendre enfin la montée des Vraies Richesses jusqu'à la colline du Mont-d'Or, ce « beau sein rond » comme l'appelait Giono. Des ruines de la

tour du château des comtes de Provence, vous contemplerez les toits de la ville où pour l'éternité, Angelo, « le hussard sur le toit », glisse sur les tuiles rondes. Plus loin, un sentier mène à la villa que Giono habita de 1929 jusqu'à sa mort en 1970. Tout y est resté comme avant (villa Le Paraïs, ☎ 04 92 87 73 03.
Visite gratuite sur r.-v. le ven., 15 h-17 h 30).

L'Occitane
ZI Saint-Maurice
☎ 04 92 70 19 50
Ouv. lun.-sam. 9 h-18 h.
Vis. d'usine sur r.-v.
Avant d'être revendus aux quatre coins du monde, les savons et produits cosmétiques de l'Occitane sont élaborés dans les 12 000 m² de l'usine de Manosque. Depuis 1976 et la création de la marque par Olivier Baussan, savons, crèmes et bains moussants ont la bonne odeur des collines de Provence. À découvrir au magasin d'usine, ouvert au printemps 2001.

La fondation Carzou
9, bd Élémir-Bourges
☎ 04 92 87 40 49
Ouv. ven. sam. et dim., 10 h-12 h et 14 h 30-18 h 30.
Accès payant.

Repères
C3 *(rabat avant)*
Alpes-de-Haute-Provence

Activités et loisirs
Nuits de la correspondance
L'Occitane
La cave des vignerons des coteaux de Pierrevert

Avec les enfants
La ferme de la Thomassine

À proximité
Le Grand Luberon (env. 25 km O.), p. 158.
La vallée de la Durance (env. 5 km S.-E.), p. 156.

Office de tourisme
Manosque :
☎ 04 92 72 16 00

Carzou est le deuxième homme célèbre de Manosque. Dans l'ancien couvent de la Présentation est exposée son œuvre monumentale, une gigantesque *Apocalypse* réalisée entre 1985 et 1991 et qui couvre pas moins de 670 m² de murs peints.

Pierrevert
4 km au S.-O. de Manosque
Cave des vignerons des coteaux de Pierrevert
Av. Auguste-Bastide
☎ 04 92 72 19 06
Ouv. t. l. j. sf dim., 8 h-12 h et 14 h-18 h (19 h, 15 juin-15 sept.).
A.O.C. depuis juillet 1998, le vignoble de Pierrevert s'étend sur 500 ha plantés sur un potentiel de 1 800 ha autour de Manosque.
En visitant le joli village provençal de Pierrevert (église du XIIIᵉ s.), arrêtez-vous à la cave coopérative pour découvrir cette A.O.C. au fier caractère.

Les gorges du Verdon
un lac naturel vert intense et bleu azur

Paradis des sportifs, comblé de sites mondialement connus et très (trop ?) fréquentés en été, le parc naturel régional du Verdon est d'une beauté à couper le souffle : du magnifique lac Sainte-Croix au filet impressionnant des Gorges, l'incomparable vert émeraude de sa rivière est mis en valeur par trois cent jours de « pure lumière ».

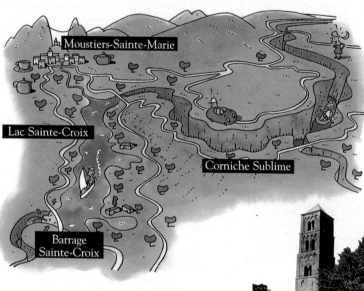

Moustiers-Sainte-Marie

Lac Sainte-Croix

Corniche Sublime

Barrage Sainte-Croix

Moustiers-Sainte-Marie

Dans un ravin

Dans un écrin de pierre ocre, ce village est un défi. Assis au bord d'une crevasse, il encadre un torrent qui descend en cascade… Arpentez le dédale de ses ruelles et passages voûtés, franchissez ses ponts, et visitez sa belle église romane (XIIᵉ s.) au chœur légèrement décentré. Une immense chaîne dorée (227 m) relie les deux bords du ravin, au-dessus du vieux monastère (vous ne pouvez pas la manquer)… Faites-vous raconter son histoire.

Le musée de la Faïence

Dans la mairie
☎ 04 92 74 61 64
Ouv. t. l. j. sf mar.,
9 h-12 h et 14 h-18 h
(jusqu'à 19 h en été).
Ouv. sam., dim.
et vac. scol., 14 h-17 h,
de nov. à mars.
Accès payant.
Découvrez l'histoire de la faïence et ses techniques de réalisation : des premières pièces aux réalisations contemporaines. Avec deux coups de chapeau : l'un à Louis XIV qui, en obligeant la noblesse à fondre sa vaisselle

*Moustiers-Sainte-Marie,
l'église romane*

d'or fit, au XVIIᵉ s., la fortune de Moustiers, et l'autre à Marcel Provence, maître ès céramiques (1930). Aujourd'hui encore 19 ateliers (liste à l'OT) continuent ce savoir-faire artistique en

Moustiers-Sainte-Marie

reprenant les décors des XVII⁰ s. et XVIII⁰ s. ou en créant un graphisme plus contemporain.

Le lac Sainte-Croix

16 km au S.-O. de Moustiers-Sainte-Marie

Ce magnifique plan d'eau a vu le jour avec la retenue du barrage sur le Verdon, en 1972. Les anciens villages perchés qui dominaient le cours du Verdon ont désormais les pieds à fleur d'eau, tandis que celui de Salle-sur-Verdon gît au fond du lac.
Un nouveau village a été construit sur la rive gauche. Ce site, tout ce qu'il y a de plus artificiel, reste un agréable lieu de séjour et un excellent point de départ pour découvrir les sentiers alentour.

Le lac Sainte-Croix

Sainte-Croix-du-Verdon

La centrale hydroélectrique

barrage (D 111)
Rens. et ins. dans les OT des environs
Visite guidée sur r.-v., uniquement juil.-août, sf sam.-dim. et j. fér.
Accès gratuit.
Au pays de l'énergie, la tension monte tout au long du parcours. Bien sûr, la visite des énormes installations de l'usine EDF de Sainte-Croix-du-Verdon, situées au pied du barrage, se fait : turbo-alternateurs et « piézomètres » en action. Et lorsque la centrale n'aura plus aucun secret pour vous, rejoignez le sommet de l'édifice pour un spectacle inoubliable : d'un côté, les gorges du Verdon qui se perdent dans les entrailles de la Terre, et de l'autre, le lac qui repose à perte de vue (2 500 ha)… Méga (voire giga !).

Le Verdon

Sports nautiques

Les hommes ont longtemps évité ces gorges au franchissement quasi impossible, mais aujourd'hui le fond du canyon a cessé d'être un désert. Domestiqué (5 barrages sur son cours), aménagé, vanté tant et plus, il offre sur tout son parcours

Repères

D3 *(rabat avant)*

Alpes-de-Haute-Provence

Activités et loisirs

Sports nautiques
Randonnée au fond des gorges
La route des crêtes
Le Verdon en kayak

À proximité

Le haut Var (env. 30 km S.), p. 206.
La vallée de l'Argens (env. 40 km S.-O.), p. 208.

Office de tourisme

Moustiers :
☎ 04 92 74 67 84

un nombre impressionnant de sites propices aux activités nautiques les plus variées.
Les sports d'eaux-vives se pratiquent surtout entre Castellane et le Pont Sublime. La descente des basses gorges du Verdon (au départ de Quinson, 10 km en aval du lac Sainte-Croix) peut être faite par les débutants comme par les experts (4 h aller-retour). (Rens. à l'OT de Castellane : ☎ 04 92 83 61 14.)

Le grand canyon du Verdon

C'est le plus grand canyon d'Europe, un « prodigieux mélange de rochers et

Les gorges du Verdon vues du col d'Illoire

d'abîmes » (Jean Giono).
Pour une première vue
d'ensemble, rendez-vous
sur la rive nord, au bas du
village de **Rougon**. Gagnez
ensuite le **point Sublime**
par le sentier qui part du
chalet-restaurant (D 952),

et admirez de ce belvédère
l'à-pic extraordinaire sur le lit
du Verdon : 183 m ! Enfin,
montez au village (D 17)
pour un point de vue inouïe.

Randonnée au fond des gorges

*GR 4 balisé, rive nord
du Verdon. Départ :
chalet de La Maline
(D 23)*
Durée : 8 h jusqu'au point
Sublime (14 km).
Suivez à pied le **sentier
Martel**, qui longe le fond
du ravin. Parcours
sensationnel, agrémenté
d'un franchissement de brèche
par un escalier de 240 marches
en fer (déconseillé aux
« vertigeux »).
Autre sensation : le couloir de
Samson, qui traverse l'énorme
bloc obstruant l'entrée du

canyon (munissez-vous d'une
torche, il y fait sombre...).
Surtout, ne partez jamais
seul(e) et sans un minimum
d'équipement.
D'autres randonnées et
balades sont plus accessibles
et moins longues !
(Rens. dans les OT).

Bonne pêche
Fédération de pêche des Alpes-de-Haute-Provence
☎ 04 92 32 25 40
Le Verdon est également le royaume de la pêche : truites fario à foison sur l'ensemble de la rivière, ablettes et goujons au lac de Sainte-Croix, perches et carpes au lac d'Esparron, ombles à Quinson, brochets à Chaudanne, sandre à Castillon. Si vous êtes tenté, attention toutefois de ne pas vous aventurer dans le lit du Verdon car les montées d'eau ne préviennent pas !

Quinson
30 km au S.-O. de Moustiers-Sainte-Marie
Préhistoire du Verdon
Musée de Préhistoire des Gorges du Verdon
Rte de Montmeyan
☎ 04 92 74 09 59
Internet :
www.museeprehistoire.com
Ouv. t. l. j. sf mar., 10h-18 h, t. l. j. 15 juin-15 sept., 10 h-20 h.
F. 15 déc.-31 janv.
Accès payant.
L'architecte Norman Foster a signé ce beau bâtiment moderne construit à l'entrée du joli village provençal de Quinson. C'est tout près d'ici que l'on a découvert la grotte de la Baume-Bonne (vis. uniquement avec un guide), site majeur de la préhistoire

européenne, d'où la présence de ce nouvel outil inauguré en avril 2001. Passionnant, le musée retrace l'évolution de l'homme et de la nature depuis un million d'années. Ne manquez surtout pas le diaporama en 3D, sa mise en scène est une vraie réussite.

La route des crêtes
Par D 23, à gauche avant La Palud, en venant de Rougon
Un festival de points de vue vertigineux sur les gorges sans fond… Suivez la D 23 qui rejoint La Palud-sur-Verdon et arrêtez-vous à tous les belvédères, les yeux écarquillés : le premier surplombe 300 m de falaises polies, le troisième accompagne un impressionnant méandre, et… le dernier fait face à la corniche Sublime. Avant de partir, assurez-vous que la route est bien ouverte.

LE PARC NATUREL RÉGIONAL
☎ 04 92 74 63 95
Créé en mars 1997, il s'étend sur environ 180 000 ha répartis sur 44 communes du Var et des Alpes-de-Haute-Provence. Dans ce parc dont la colonne vertébrale est le Verdon lui-même qui coule sur 155 km de long, protection et valorisation du patrimoine sont toujours d'actualité, vu le nombre de passages en été. Plus ancienne, l'association Verdon Accueil édite quant à elle plusieurs brochures sur les activités, loisirs et découvertes du Verdon (☎ 04 94 70 21 64).

La route Napoléon

De Golfe-Juan à Digne, une voie impériale

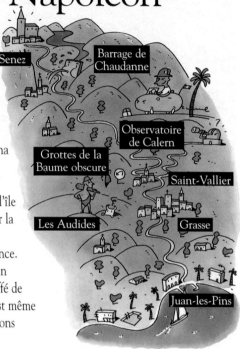

Senez
Barrage de Chaudanne
Observatoire de Calern
Grottes de la Baume obscure
Saint-Vallier
Les Audides
Grasse
Juan-les-Pins

C'est par cette route que Napoléon regagna Paris en 1815, avant les Cent-Jours. Entre Golfe-Juan et Digne, de retour de l'île d'Elbe, il choisit de traverser la montagne pour éviter ses ennemis royalistes de Provence. Bien lui en a pris : ce chemin désormais historique est truffé de paysages impériaux, et il s'est même depuis enrichi de constructions postnapoléoniennes…

Castellane

À l'abri sous son roc

OT ☎ 04 92 83 61 14
Internet :
www.castellane.org

La vue la plus impressionnante que l'on puisse avoir de Castellane et des gorges du Verdon (Castellane en est une porte d'accès) se mérite ! Il faut en effet grimper jusqu'à la terrasse de la chapelle Notre-Dame-du-Roc (XVIIIᵉ s.) construite, comme son nom l'indique, sur un piton rocheux à près de 200 m au-dessus de la ville (env. 40 min de marche). Le souffle revient en flânant dans les jolies rues aux couleurs provençales et en faisant de petites haltes à l'église Saint-Victor, la place de la Fontaine-aux-Lions, la porte de l'enceinte médiévale…

Saint-Vallier-de-Thiey

53 km au S.-E. de Castellane

Souterroscope de la Baume obscure

Ch. de Sainte-Anne
☎ 04 93 42 61 63

Ouv. t. l. j. avr.-sept., 10 h-17 h (jusqu'à 19 h w.-e. et j. fér.) ; juil.-août, t. l. j. 10 h-19 h ; oct.-mars, 10 h-16 h mar.-ven., 10 h-17 h w.-e. et j. fér. F. mi-déc.-vac. fév.
Accès payant.

Bienvenue au Souterroscope pour un voyage initiatique dans les entrailles de la Terre… Cette grotte splendide a fait alliance avec les technologies d'avant-garde : sur plus de 600 m de galeries, à 60 m de profondeur, le spectacle magnifique des concrétions multimillénaires est rehaussé de musiques, de lumières et d'images… En supplément : un incroyable **sentier botanique** d'espèces végétales cavernicoles… Attention, la température y est de 13 °C !

Grotte de la Baume obscure

Le domaine préhistorique des Audides
4 km au S. de Saint-Vallier-de-Thiey
1606, rte de Cabris
☎ 04 93 42 64 15
Ouv. t. l. j. juil.-août,
10 h-18 h ; hors saison,
14 h-17 h, sf lun.-mar.
ou sur rés.
Accès payant.
Aux portes de Grasse (la ville n'est qu'à 3 km), les hommes préhistoriques ont fait leur nid. Surprenez-les, à l'extérieur, dans des scènes grandeur nature de leur vie quotidienne. Puis entrez dans l'une des 6 grottes de ce domaine authentique, où de superbes concrétions côtoient une source cristalline (279 marches pour plonger à 60 m sous terre…). Pull et chaussures plates conseillés.

Caussols
11 km au N.-E. de Saint-Vallier-de-Thiey
L'observatoire de Calern
Cerga
Plateau de Calern
☎ 04 93 85 85 58
Visite guidée (1 h 30)
dim. à 15 h 30, mai-sept.
Accès payant.

À 1 200 m d'altitude, le rayon laser de ce centre d'études (Cerga) vérifie sans cesse la distance (fluctuante) entre la Terre et la Lune, et son télescope mesure tout ce qui dépasse la taille d'un homme dans l'univers ! On y surveille également les marées terrestres…, qui nous éloignent de 60 cm du centre de notre globe deux fois par jour ! Acceptez au passage cette vérité : rien n'est stable dans ce bas monde.

Senez
19 km au N. de Castellane
Une cathédrale en pleine montagne
Une cathédrale dans un village… Le 3 mars 1815, Napoléon est passé juste à côté de cet imposant édifice de style roman (XIIe s.), construit dans une minuscule bourgade

Repères
D2-D3-E3 *(rabat avant)*

Activités et loisirs
L'observatoire de Calern

Avec les enfants
Souterroscope de la Baume obscure
Domaine préhistorique des Audides

PÈLERINAGE IMPÉRIAL
Pour mettre vos pas dans ceux de l'Empereur, rendez-vous le 1er mars à 15 h (heure historique) sur la promenade du bord de mer à Golfe-Juan : une stèle y marque l'endroit précis du débarquement impérial. Chaque année, Golfe-Juan fait revivre en costumes cette dernière épopée napoléonienne. *Via* Cannes (bivouac sur la plage, devant Notre-Dame-du-Bon-Voyage), rejoignez la N 85 jusqu'à Saint-Vallier-de-Thiey, et arrêtez-vous place de l'Apié et à Séranon (2e nuit). Après un déjeuner à Castellane (rue Nationale), passez la nuit suivante à Barrême (maison près de la petite place)… et faites votre entrée à Digne le 4 mars par la rue Mère-de-Dieu, où vous déjeunerez rue du Jeu-de-Paume.
Fin du pèlerinage : le 20 mars à Paris.

qui fut le siège d'un évêché jusqu'en 1790 ! Admirez la nef unique (32 m de long et 15 m de haut), décorée de tapisseries d'Aubusson et des Flandres, et de grandes toiles. Dans le chœur, les stalles en bois sculpté jouxtent un retable du XVIIe s. Un bijou (massif) en pleine montagne.

Draguignan
rosé et huile d'olive

Capitale du Var en 1797, Draguignan a compensé la perte de sa préfecture en 1974 (au profit de Toulon) en accueillant l'École militaire d'application de l'artillerie. Depuis, elle est devenue l'une des plus importantes villes de garnison de France. Droite comme ses boulevards haussmanniens, elle sait également être douce et riante : les eaux de la Nartuby, les vins de Provence et l'huile d'olive composent son environnement.

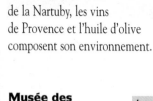

Draguignan

Le Musée municipal

9, rue de la République
☎ 04 94 47 28 80
Ouv. t. l. j. sf dim. et j. fér., 9 h-12 h et 14 h-18 h.
Accès gratuit.
Rubens, Mignard, Renoir, Camille Claudel… les plus grands peintres et sculpteurs européens illuminent ce musée installé dans l'ancien couvent des Ursulines (XVIIe s.). Faïences et porcelaines, bronzes et gravures complètent la collection.

Musée des Traditions provençales

15, rue Roumanille
☎ 04 94 47 05 72
Ouv. t. l. j. sf dim. mat. et lun., 9 h-12 h et 14 h-18 h.
Accès payant.
Toutes les activités traditionnelles de moyenne Provence… des champs à la maison. Entrez dans une ferme à l'heure du dépiquage du blé, suivez l'élevage de la vigne, la production d'huile d'olive et le soin donné aux **abeilles**. Puis poussez la porte de l'atelier du bouchonnier, en costume, avant de terminer la visite dans la cuisine, centre incontournable de la vie domestique.

LES ARCS SUR ARGENS

11 km au S. de Draguignan
Côtes de Provence Maison des vins
RN 7
☎ 04 94 99 50 20
Ouv. t. l. j. 10 h-13 h, 13 h 30-18 h, jusqu'à 19 h en juin et sept, 20 h en juil. et août.
**Vitrine de l'appellation côtes-de-provence, la Maison des vins expose 450 châteaux et domaines et une cinquantaine de caves coopératives.
Chaque jour, elle fait déguster 16 vins différents et les renouvelle une fois par semaine. Son restaurant le Bacchus gourmand propose un bel accord entre cuisine provençale et vins…
En sortant, passez voir au village la tour de l'Horloge et le donjon du XIIIe s.**

Aux environs

La pierre de la Fée

1 km N.-O. de Draguignan par D 955

Les civilisations celto-ligures (avant l'arrivée des Romains) ont laissé un témoignage spectaculaire de leur passage aux portes de Draguignan : un énorme **dolmen**. Des pierres dressées de plus de 2 m de hauteur, qui supportent une table colossale de 6 m de large, 4,70 m de long et 50 cm d'épaisseur… Cette pierre de la Fée est à l'origine d'incroyables légendes.

4 km au S.-E. de Draguignan par D 59

Musée de l'Artillerie

École d'application de l'artillerie
Av. de la Grande-Armée
☎ **04 98 10 83 85**
Ouv. lun.-ven., 8 h 30-12 h et 14 h 30-18 h (17 h le ven.).
Accès gratuit.
Au sein de l'École d'application de l'artillerie,
un grand espace pédagogique détaille les progrès de la poudre, de l'Antiquité à 1945. Moment fort : la naissance du canon et son rôle clé dans tous les grands conflits (palme à Napoléon).

Les gorges de la Nartuby

Suivez la route étroite (D 955) qui s'élève en corniche dans ce superbe décor et débouche sur le village médiéval de **Châteaudouble**, à 130 m au-dessus du torrent… Vertigineux (voir aussi p. 93).

Figanières

12 km au N. de Draguignan

Le Jardin des senteurs

Trois cents espèces et variétés de plantes embaument ce jardin en terrasses qui surplombe le village et le **château des Vintimille** : sucrées comme les roses de la tonnelle médiévale ou poivrées comme les plantes aromatiques et médicinales du jardin Renaissance, les senteurs se mêlent en d'enivrants parfums.

Flayost

6 km à l'O. de Draguignan

Le moulin du Flayosquet

Le Bastidon, rte d'Ampuis
☎ **04 94 70 41 45**
Ouv. t. l. j. 9 h 30-12 h et 14 h-19 h 30

Repères

D3 *(rabat avant)*

Var

Activités et loisirs

Gorges de la Nartuby
Dégustation des côtes-de-provence
Visite d'un moulin à huile

Avec les enfants

Musée des Traditions provençales
Jardin des senteurs

À proximité

Sainte-Maxime (34 km S.), p. 228.
Fréjus (30 km S.-E.), p. 234.
Le pays de Fayence (env. 30 km O.), p. 238.

Office de tourisme

Draguignan :
☎ 04 98 10 51 05

(18 h 30 hors pér. de fab.). F. dim. et lun. fév.-juin. et sept.-nov.
Dans ce vieux moulin du XIIIe s. affublé d'une jolie roue à aubes, la famille Doleatto se consacre depuis plusieurs générations à **l'huile d'olive**. Suivez les étapes traditionnelles de la pression à froid et découvrez dans la boutique ce que deviennent les restes des olives : du savon !

Au cœur du haut Var
la Provence des jardins

Une halte gourmande dans cette campagne s'impose absolument. Ses vignobles produisent des vins à l'humeur joyeuse dont le bouquet se marie aux herbes des garrigues. Huile d'olive de Salernes, truffes d'Aups, toutes les occasions sont bonnes pour s'abandonner ici aux plaisirs de la table, dans ces villages préservés où la verdure est si présente.

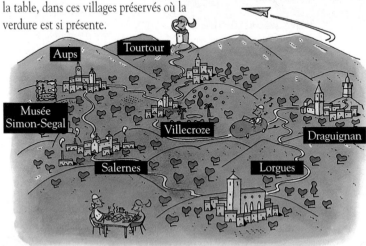

Aups

Marché aux truffes

Au milieu des vestiges des remparts, les ruelles médiévales ont un tracé joliment sinueux. De la tour de l'Horloge avec son campanile aux cadrans solaires qui ornent les façades, des lavoirs aux fontaines, tout est resté comme sur les cartes postales du début du siècle.
Du dernier jeudi de novembre à la fin février, la place Mitral s'anime avec le marché aux truffes : au foyer Étienne-Romano, on les achète même aux enchères. Et chaque dimanche de janvier, c'est la grande fête de la truffe

Art moderne

Dans l'ancienne chapelle des Ursulines, le **musée Simon-Segal** (rue Albert-Ier, ☎ 04 94 70 01 95. Ouv. t. l. j. mi-juin à mi-sept. 10 h-12 h et 16 h-19 h, accès payant) expose des artistes du XXe s. appartenant aux écoles Toulonnaise, de Paris et de Bourges. À 3,5 km d'Aups sur la route de Tourtour, c'est un véritable parc de sculptures créé par l'artiste Maria de Faykod que l'on découvre au **musée de Faykod** (☎ 04 94 70 03 94. Ouv. t. l. j. sf mar. 10 h-12 h, 15 h-19 h en juil. et août, 14 h-18 h sept.-mai et 14 h-19 h en juin. Accès payant).

Tourtour

10 km au S.-E. d'Aups
Village médiéval

Le bourg se dresse sur son rocher, au milieu d'une région boisée. Il a conservé son allure médiévale : fortifications, maisons anciennes, passages voûtés… À environ 1 km, la **tour Grimaldi** (XIIe s.) offre

L'église romane de Salernes

une belle vue sur la Sainte-Victoire, la chaîne des Maures et le Luberon.

Villecroze
6 km à l'O. de Tourtour
Jardin, grottes et cascade

Villecroze viendrait de « ville creuse » : la falaise est en effet percée de grottes troglodytiques. Un seigneur du XVIe s. les aménagea même en habitation (visite t. l. j. en été 10 h-12 h et 14 h 30-19 h). Dans le beau parc municipal, une cascade

GOÛTEUX SOUVENIRS

À Aups, il n'y a pas que les truffes... L'huile d'olive se fête aussi le premier dimanche de mars. Elle est excellente au moulin du village en activité depuis le XVIIIe s. (Moulin Gervasoni, montée des Moulins, ☎ 04 94 70 04 66. Ouv. t. l. j. 9 h 30-12 h 30, et 14 h 30-19 h. Visite gratuite. Env. 12,17 € le litre). La ferme de Tourtour, entre Villecroze et Tourtour, (☎ 04 94 70 56 18. Ouv. t. l. j. sf w.-e. 9 h-12 h et 14 h-19 h) propose de merveilleuses conserves traditionnelles : terrines de sanglier, lapin ou chevreuil (4,30 € le pot de 190 g), tapenades et anchoïades (4,50 € le pot de 125 g).

fait une chute vaporeuse de 40 m. À ses pieds, bassins, canaux, rigoles et roseraie agrémentent la visite (OT : ☎ 04 94 67 50 00).

Salernes
5 km au S.-O. de Villecroze
Jolies tomettes

L'argile ferrugineuse, l'eau et le feu mêlés ont fait la richesse de ce beau village orné de fontaines et lavoirs. Aujourd'hui, une vingtaine de céramistes fabriquent encore les tomettes, ces petits carreaux hexagonaux d'une chaude couleur rouge, très « tendance » depuis quelques années. Poterie ou carrelage, terre cuite, carreaux ou lave émaillée, panneaux décoratifs ou tomettes traditionnelles de toutes les

couleurs : avec un tel choix, impossible de rester sur le carreau ! (Rens. à l'OT).

Sillans-la-Cascade
5 km à l'O. de Salernes
Quelle chute !

Si vous aimez les cascades, ne manquez pas celle de la Bresque. Plongeant de 42 m depuis les falaises de tuf jusqu'à un petit lac bouillonnant de couleur vert émeraude, elle est magnifique.

On y accède par un sentier d'environ 800 m (départ sur le parking) qui croise des platanes centenaires et un mur d'enceinte (prévoir 1/4 h).

Lorgues
16 km au S.-E. de Salernes
Parmi les oliviers

Au milieu des oliveraies et des vignobles, Lorgues s'étend à flanc de coteau et expose au soleil son cours planté de magnifiques platanes. Cette petite localité mérite une halte pour ses jolies fontaines, ses maisons ornées de balcons en fer forgé et, surtout, son imposante collégiale Saint-Martin.

Cotignac
22 km à l'O. de Lorgues
Douceur de vivre

Ce paisible bourg est bâti au pied d'une falaise de tuf truffée de grottes. Pays de la gelée de coing, le village en a adopté la belle couleur dorée. Son **cours Gambetta** ombragé de platanes invite à la flânerie (marché le mardi).

La vallée de l'Argens

de sources en villages

Surnommée aussi « Provence verte », la vallée de l'Argens est parsemée de sources et de grottes. Les bâtisseurs d'abbayes et de monastères en ont fait leur terre d'élection, tout comme les comtes de Provence qui y ont établi leur résidence.

Barjols

Sacré saint Marcel !

Regroupé autour d'une très belle collégiale, Barjols compte 33 fontaines et 12 lavoirs. Ses anciennes tanneries ont fait, au XIXᵉ s., sa prospérité. Chaque année, en janvier, le village célèbre saint Marcel, débarqué miraculeusement au Moyen Âge en pleine famine avec un bœuf : c'est le petit Marcel. Et environ tous les trois ans (mais cela peut aussi être quatre !), on sacrifie et on rôtit un bœuf sur la place publique : c'est le grand Marcel ! La danse des tripettes accompagne toujours les deux fêtes.

Escalade et canoë

Près de Barjols, le vallon Sourn offre 5 km de gorges sinueuses : le paradis pour les amoureux d'escalade qui se feront plaisir sur les 226 voies du site (topoguide en vente à l'OT de Brignoles). On vient aussi au vallon pour le canoë (départ et location de canoë au restaurant le Val d'Argens à Correns, ☎ 04 94 59 57 02).

Brignoles

22 km au S. de Barjols
Cité médiévale

Fief des comtes de Provence au Moyen Âge, Brignoles a étendu ses quartiers sur les bords du Caramy. Le palais abrite le **musée du Pays brignolais**
(☎ 04 94 69 45 18.
Ouv. t. l. j. sf lun. et mar., 10 h-12 h et 14 h 30-17 h ; en été 9 h-12 h et

14 h 30-18 h. Accès payant). En plus du célèbre **sarcophage de la Gayole** (IIIᵉ s.), on peut y voir des peintures et une collection d'artisanat régional.

La France à petite échelle
Parc mini-France Nicopolis
6 km à l'E. de Brignoles par la N 7
☎ 04 94 69 26 00
Ouv. t. l. j. sf lun. 10 h-18 h.
Accès payant.
Visitez la France en miniature dans un parc de 2 ha…
Océan, mers, fleuves, montagnes, mais aussi tour Eiffel, château de Chambord, mont Saint-Michel,

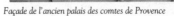
Façade de l'ancien palais des comtes de Provence

cité de Carcassonne… les répliques des « monuments » à échelle réduite feront le bonheur des petits.

LE THORONET
ABBAYE CISTERCIENNE
8,5 km à l'E. du lac de Carcès
☎ 04 94 60 43 90
Ouv. t. l. j. du 1er avr. au 30 sept., 9 h-19 h. F. 12 h-14 h dim. et j. fêr. ; hors saison, 10 h-13 h et 14 h-17 h.
Visites guidées.
Construite par des moines cisterciens entre 1160 et 1190, l'abbaye est un modèle de sobriété et de sérénité, au milieu d'une nature âpre et sauvage. Seule concession au luxe, les très belles pierres dont est fait l'édifice sont taillées à la perfection et posées sans mortier. La lumière y compose une fascinante symphonie. L'abbaye abrite les Rencontres de musique médiévale en juillet.

14,5 km au N.-E. de Brignoles
Un lac très poissonneux
Lac de Carcès
Ce réservoir de 70 ha fut créé en 1936 pour alimenter Toulon. Ici, la baignade est interdite. Mais pour la pêche, c'est royal : écrevisses, truites, brochets, perches…
(Rens. à la Fédération du Var pour la pêche à Brignoles, ☎ 04 94 69 05 56).

La Celle
2,5 km au S.-O. de Brignoles
Coteaux varois et abbaye
Ce sont des femmes qui habitèrent cette très belle abbaye du XIIe s.
(☎ 04 94 59 19 05. Ouv. t. l. j. 10 h-12 h-14 h 15-17 h 45. Visite guidée sur r.-v.). Sa partie nord – salle capitulaire et chauffoir – fut restaurée en 1990. Dans le jardin du cloître, des cèdres du Liban ont plus de 200 ans. Un miracle ? non, leurs racines plongent directement dans l'eau du puits ! Dans un bâtiment annexe de l'abbaye se trouve maintenant la Maison des vins des Coteaux varois : un design intérieur très réussi signé par l'école du design d'Hyères et une belle collection – en bouteilles – de domaines et de châteaux. De septembre à mi-novembre, la Maison des vins organise des visites de vignes (☎ 04 94 69 33 18. Ouv. t. l. j. sf dim. 10 h-12 h et 15 h-19 h ; 10 h-12 h et 14 h-18 h en hiver).

Repères
D3-D4 *(rabat avant)*

Var

Activités et loisirs
La fête des Tripettes
Escalade et canoë au vallon Sourn
Dégustation des Coteaux varois à La Celle

Avec les enfants
Mini-France
Pêche au lac de Carcès

À proximité
Le massif des Maures (env. 30 km S.), p. 232.
Les gorges du Verdon (env. 40 km N.-E.), p. 198.

Offices de tourisme
Barjols : ☎ 04 94 77 20 01
Brignoles : ☎ 04 94 69 27 51
Office intercommunal : ☎ 04 94 72 52 71

Entrecasteaux
10 km au N. du lac de Carcès
Château et jardin
☎ 04 94 04 43 95
Ouv. t. l. j. sf sam., 11 h-12 h 30 et 14 h 30-18 h F. nov.-Pâques.
Visite guidée.
Accès payant.
La forteresse du XIe s. a été remplacée par un château Renaissance qui ouvre sur un élégant jardin dessiné par Le Nôtre. Cette ancienne demeure du marquis de Grignan, gendre de Mme de Sévigné, a appartenu ensuite à Bruny d'Entrecasteaux, grand marin parti à la recherche de La Pérouse.

De Bandol à Sanary
eaux profondes et villages perchés

Sillonner les petites routes qui s'élancent vers les collines, dénicher l'objet artisanal et la spécialité gourmande, flâner sur les ports en attendant le retour des pêcheurs, visiter les musées de la mer ou plonger depuis les criques du Gaou : la côte provençale vous est ouverte !

Sanary-sur-Mer

Richesses sous-marines
Musée Frédéric-Dumas
Tour Romaine
Port de Sanary
☎ 04 94 34 76 76
Ouv. les w.-e., j. fér. et vac. scol. sept.-juin, 10 h-12 h 30, 15 h-18 h 30 ; t. l. j. juil. et août, 10 h-12 h 30 et 16 h-19 h 30.
Accès libre.
Ce ravissant petit port de pêche aligne les façades de ses maisons le long de quais ébou-riffés de palmiers. De la mi-juillet à la mi-août, les joutes nautiques animent le port. Au sec dans une belle tour du XIVᵉ s., le musée de l'Histoire de la plongée Frédéric-Dumas (l'un des trois célèbres Mousquemers qui partagea l'aventure sous-marine avec Cousteau et Taillez) présente le matériel de plongée des années 1940 aux années 1970. Grimpez jusqu'à la terrasse au sommet de la tour, la vue sur Sanary y est très belle. Et entre oct. et déc, installez-vous sur le port pour goûter aux oursins.

Sanary-sur-Mer : le port

Six-Fours-les-Plages

5 km au S.-E. de Sanary-sur-Mer
Notre-Dame-de-Pépiole
☎ 04 94 63 23 03/38 29
Ouv. 15 h-19 h, messe le dim. à 9 h 30.
Visite gratuite.
Sur la D 63 qui mène de Sanary à Six-Fours, arrêtez-vous dans cette drôle de petite chapelle du VIᵉ s. qui ressemble un peu à un fortin. Meurtrières, porche massif, toits de guingois, cette construction pré-romane est vraiment attendrissante avec ses trois nefs juxtaposées qui communiquent entre elles.

La Seyne-sur-Mer

5 km au N.-E. de Six-Fours-les-Plages
Villa Tamaris-Pacha
Corniche Georges-Pompidou
☎ 04 94 06 84 00
Ouv. t. l. j. sf lun., 14 h-18 h.
Accès gratuit.

JARDIN EXOTIQUE ET ZOO DE SANARY-BANDOL

Quartier Pont-d'Aran
☎ 04 94 29 40 38
Ouv. t. l. j., 8 h-12 h
et 14 h-18 h.
Dim., 10 h-12 h
et 14 h-18 h.
Accès payant.

Dans ce miniparadis entre Bandol et Sanary, d'énormes collections de cactées d'Amérique du Sud et d'Amérique centrale ont été réunies, ainsi que des plantes tropicales venues des cinq continents. Dans le zoo cohabitent ouistitis, saïmiris et gibbons, mais aussi coatis, makis, lamas, perroquets en tous genres, flamants roses et perruches.

À l'image de la station balnéaire « Tamaris » que Michel Pacha – de son vrai nom Michel Marius, un riche bâtisseur du milieu du XIXe s. qui fit fortune dans l'Empire ottoman – créa sur la corniche, ce curieux palais aux influences latines et byzantines témoigne de l'imagination baroque de son constructeur. Le **parc** qui descend jusqu'au rivage fait alterner jardins en cascades et bâtiments architecturaux : kiosque, serres, grotte artificielle… Un autre monde !

Le Brusc

3 km au S. de Six-Fours-les-Plages
Cap sur les Embiez
Embarcadère du Brusc
☎ 04 94 10 65 20
Liaisons t. l. j. 7 h-19 h
oct.-juin, 7 h-20 h 45
juil.-sept.
Ce joli village rattaché à Six-Fours est un petit morceau de campagne au bord de la mer : fermes et prairies environnantes lui donnent un charme bucolique. Du port, on largue les amarres pour visiter, à pied ou en petit train, cette île plantée de vignobles, propriété de la fondation Ricard. Au **musée de la fondation océanographique Paul-Ricard** (☎ 04 94 34 02 49. Ouv. t. l. j., 10 h-12 h 30 et 13 h 30-17 h 30 sf mer., sam.

et dim. mat. T. l. j. en été), des animaux marins naturalisés font bon ménage avec des fossiles et des coquillages. Dans les aquariums alimentés en eau de mer, des spécimens de la faune et de la flore sous-marines de Méditerranée.

Ollioules

7 km au N.-O. de la Seyne-sur-Mer
Artisanale et médiévale
Au débouché des gorges qui portent son nom, Ollioules est un paisible et beau village attaché à son artisanat : une petite entreprise tenue par Franco Guccini fabrique des **anches** pour instruments à **vent** avec les roseaux du Var. Le village a ouvert les bras aux artistes et artisans répartis dans des locaux municipaux en centre-ville (vis. des ateliers, ☎ 04 94 30 41 41).
Retrouvez-les en flânant dans ses ruelles médiévales, sans oublier d'entrer dans l'adorable église romane du XIe s. Les **nougats** blanc et noir des sœurs Jonquier (parfois difficile à trouver dans les pâtisseries

LES VOIX DU GAOU

Six-Fours-les-Plages
Il flotte comme un petit air de Bretagne sur cette île transformée en parc de découverte botanique. Fouettée par le vent et bordée de rochers, le Grand Gaou est aujourd'hui devenue une presqu'île reliée à la terre ferme par une passerelle (Ouv. 8 h-20 h, 21 h en été). On vient s'y promener et pique-niquer au calme ou se baigner dans les jolies criques. Le soir, pendant la 2e quinzaine de juillet, le « Festival des Voix du Gaou » met les musiques du monde à l'honneur dans ce cadre enchanteur.

en oct.) et l'huile d'olive de la société coopérative du canton (☎ 04 94 63 05 80. Vis. des locaux nov.-janv.) donnent un supplément de saveurs à la visite.

Toulon
la ville champignon

A u cœur d'une rade qui passe pour la plus belle d'Europe, Toulon s'est développée tous azimuts entre la mer et le mont Faron. Au premier abord, la ville semble défigurée par le béton, mais son vieux centre réserve de jolies surprises aux flâneurs. Adossé au mont Faron, le port a gardé son ambiance vive et chaude.

Le mont Faron

Le sentier de découverte du mont Faron conduit en haut du merveilleux belvédère : on se régale du spectacle de l'arrière-pays, de la rade aux navires bien alignés et du port. De là, les innombrables tours et barres de béton perdent enfin un peu de leur relief. On peut atteindre le sommet du Faron par **téléphérique** (t. l. j. sf grand vent, 9 h 30-19 h 30 ; hors-saison 9 h 30-12 h, 14 h-17 h 30 sf lun. ☎ 04 94 92 68 25) ou en suivant une route pittoresque et panoramique (au départ du quartier Sainte-Anne, derrière la gare ferroviaire). À visiter au sommet du mont, le **zoo** (ouv. t. l. j. 10 h-19 h. Hors saison, 14 h-17 h 30. F. jours de pluie. ☎ 04 94 88 07 89) et le Mémorial du débarquement en Provence (ouv. t. l. j. 9 h 45-11 h 45, 14 h-16 h 30 sf lun. ☎ 04 94 88 08 09). Brochure « Randonnée monts toulonnais en maquis en garrigue » disponible à l'OT.

Atlantes et bateliers

En empruntant la rue Jean-Jaurès toujours très animée, on arrive place Victor-Hugo – que les Toulonnais appellent tout simplement place du théâtre – avant de profiter de l'ombre des platanes de la place Puget.
En poursuivant vers la rue d'Alger, on rejoint le port où trône l'ancien hôtel de ville qui porte sur sa façade les célèbres atlantes du sculpteur Pierre Puget : des portefaix ployant sous les sacs de céréales débarqués des navires. En face se dresse la statue du génie de la mer. Sur le port, vous ne pourrez pas manquer les bateliers de la rade : le verbe haut, ils vous accrochent et vous vantent (sans mentir) les merveilles d'une découverte en bateau (env. 8 €).

Le vieux Toulon à l'heure du marché

Le vieux Toulon se découvre le matin à l'heure du marché qui occupe tous les jours le **cours La Fayette** et la **rue Paul-Landrin**, surnommée par les Toulonnais « le petit cours La Fayette ». Le marché est l'un des plus célèbres de Provence, haut en couleur et très joyeux. Il est d'ailleurs immortalisé par la chanson *Les Marchés de Provence* de Gilbert Bécaud, l'enfant du pays.

L'occasion de découvrir les ruelles avoisinantes et de goûter à une autre spécialité : la cade chaude, une galette de pois chiches vendue sur le cours La Fayette et la place Louis-Blanc.

Le Mourillon

Ce quartier chic bordé d'une belle plage et de nombreux restaurants a tout de la Côte d'Azur avec ses grandes demeures. On le domine depuis la **corniche Frédéric-Mistral** ourlée de palmiers, une promenade très agréable à faire tôt le matin ou au coucher du soleil. Depuis la pointe de la Mître où se dresse la tour Royale (XVIᵉ s.), on rejoint le **fort Saint-Louis** qui surplombe un charmant petit port peuplé de barques et de minuscules bateaux. Et de la plage du Mourillon, on rejoint **l'anse Magaud** en empruntant

RESTER EN RADE

La Marine de Toulon s'ouvre de plus en plus aux visites. On peut maintenant entrer dans un sous-marin (rens. à l'OT), visiter certains forts (tour Royale, fort Balaguier, tour Beaumont) et découvrir la Rade en bateau (☎ 04 94 46 24 65). Quant à l'Arsenal qui fêta dernièrement le 500ᵉ anniversaire de sa création, il est encore interdit à la visite mais on peut voir de loin ses 10 km de quais.

le sentier des douaniers, avec vue imprenable sur la Belle Bleue, ses anses et ses criques.

Les gars de la Marine

Pl. Monsenergue
☎ 04 94 02 02 01
Ouv. t. l. j., l'été
10 h-18 h 30, l'hiver
10 h-12 h et 14 h-18 h
sf mar. et j. fér.
Au **musée de la Marine**, découvrez l'histoire de Toulon depuis la fin du XVᵉ s. Maquettes de navires et de frégates du siècle des Lumières, figures de proue, peintures et réductions de canons de marine évoquent une des activités principales de la ville, tout entière tournée vers la mer.

Le musée d'Art

Le musée d'Art

113, bd du Maréchal-Leclerc
☎ 04 94 36 81 00
Ouv. t. l. j. sf j. fér., 13 h-19 h (18 h hors saison).
Accès gratuit.
On peut y admirer un fonds important de peinture ancienne (dont une collection d'art provençal XVIIᵉ-XXᵉ s.) mais aussi des

Repères

C4 *(rabat avant)*

Var

Activités et loisirs

Balade sur la corniche et le sentier des douaniers
Le marché du vieux Toulon
Visite de la rade de Toulon

Avec les enfants

Zoo du mont Faron
Baignade sur la plage du Mourillon
Dégustation des chichi-frégis et des cailloux du Faron

À proximité

La Ciotat (35 km O.), p. 146.
Le massif des Maures (30 km N.-O.), p. 232.

Office de tourisme

Toulon : ☎ 04 94 18 53 00

œuvres modernes impressionnantes. Car Toulon possède l'une des plus importantes collections d'art contemporain des années 1960-1986 : Arman, César, Niki de Saint-Phalle, Klein, Fontana…

Chichi-frégis au kiosque

C'est la gourmandise préférée des Toulonnais. Ces longs beignets en ruban qui croustillent sous la dent sont merveilleux. Une seule adresse, toujours la même depuis des lustres : le **kiosque de la place Paul-Conte**, en haut du cours La Fayette. Autre gourmandise toulonnaise à la mode : les « cailloux du Faron », brisures de crêpes déshydratées et enrobées de chocolat noir ou lait.

Le massif de la Sainte-Baume

Sainte Marie-Madeleine s'y serait retirée dans une grotte (*baoumo* en provençal), qui a donné son nom à ce chaînon montagneux, haut de 300 m et long de 12 km. La crête de ce rocher culmine à 1 147 m et attire les regards et les défis : on l'escalade, on l'explore, on s'y rend même en pèlerinage.

Saint-Maximin

Basilique gothique
☎ 04 94 86 55 66
Basilique ouv. t. l. j.
8 h 30-18 h (jusqu'à
18 h 30 en été).
Couvent royal ouv. t. l. j.
9 h 30-18 h
(jusqu'à 19 h en été).
Accès gratuit.
L'immense basilique (XIIIᵉ s.),
chef-d'œuvre du gothique provençal, rappelle l'ampleur
qu'avaient les pèlerinages à la
Sainte-Baume jusqu'à la Révolution. La crypte a conservé
un crâne vénéré comme étant
celui de Marie-Madeleine et la
tribune supporte l'un des plus
beaux orgues du monde
(XVIIIᵉ s.) où se jouent
gratuitement des récitals tous
les 1ᵉʳˢ dim. du mois, de Pâques
à oct. Juste à côté, le couvent
royal des Dominicains (XVᵉ s.)
est apaisant avec son cloître
orné d'un magnifique jardin.

Saint-Zacharie

*17 km S.-O. de Saint-
Maximin*
**Le parc
du Moulin-Blanc**
Av. Gaston-de-Saporta
☎ 04 42 62 71 30
Ouv. t. l. j. mai-fin sept.
10 h-19 h ; hors saison
sur r.-v.
Accès payant.
Profitant du microclimat local,
un marquis fit dessiner ici en
1851 un parc à l'anglaise.
Cet enchantement végétal

au cœur de la Provence offre
comme un étonnant voyage
sur les rivages britanniques.

Plan-d'Aups-Sainte-Baume

*10 km au S. de Saint-
Zacharie*
**Saint-Pilon
et grotte Marie-
Madeleine**
De l'Hôtellerie de la Sainte-
Baume (Retraites et
pèlerinages, ☎ 04 42 04 54 84)
situé sur la D 95 entre Plan-

MÉOUNES

7 km au S. de La Roquebrussanne
Éden Parc
Domaine « les Hauts du Gapeau »
☎ **04 94 90 68 68**
ou 06 13 25 00 68
Ouv. t. l. j. 9 h-21 h
en juil. août, 9 h-19 h
les mer. sam. dim.
et ponts, 9 h-17 h
les autres jours en mai,
juin et sept. Sur rés.
aux autres dates.
Accès payant.
Sur 13 ha, ce parc aventure relie différents pitons rocheux avec des tyroliennes, ponts de singe, *via ferrata*... Entre ciel et terre, vous voici à la cime des arbres ! (accessibles aux plus de 1,40 m).

d'Aups et Mazaugues, le GR 9 mène à la crête rocheuse de la Sainte-Baume. Par un chemin bétonné à droite, on peut rejoindre la grotte de Sainte-Marie-Madeleine, aujourd'hui fermée pour travaux de sécurité (ouv. prévue été 2002). C'est dans cette grotte que la sainte se serait retirée il y a 2 000 ans et que les pèlerins affluent chaque lundi de Pentecôte. Si l'on continue le GR, on arrive au col de Saint-Pilon, puis à la chapelle en suivant le GR 98 : un point de vue exceptionnel vous y attend ! (2 h de marche).

Mazaugues
19 km à l'E. de Plan-d'Aups
Glace de la Sainte-Baume
Du XVIIe s. à la fin du XIXe s., le massif a construit de gigantesques réfrigérateurs de pierre : les glaciaires, dans lesquelles on enfermait neige et glace récoltées sur place puis vendues à prix d'or sur le lieu de consommation. Plus d'une vingtaine de glaciaires ont ainsi été dénombrées sur la Sainte-Baume. La plus belle est la **glaciaire Pivaut** entièrement restaurée (sur la D 95 entre Plan-d'Aups et Mazaugues, suivre le chemin derrière le panneau du musée de la Glace, à 8 km de Mazaugues), impressionnante et dodue avec ses 23 m de haut et ses 17,60 m de diamètre. À Mazaugues, le **musée de la Glace** (Hameau du château ☎ 04 94 86 39 24. Ouv. juin-sept. t. l. j. sf lun., 9 h-12 h et 14 h-18 h. le dim. oct.-mai 9 h-12 h, et 14 h-17 h. Accès payant) présente production, commerce et usages de la glace à travers le monde.

La Roquebrussanne
6 km à l'E. de Mazaugues
Le jardin d'Elie
Chemin des Baumes
☎ **04 94 86 83 20**
Ouv. t. l. j. sf lun. Vis. commentées à 15 h 30. Hors saison sur r.-v.
Accès payant.
Elie Alexis ne vivait que pour son jardin, créé de ses propres mains sans eau ni électricité. Repris par une association, il présente aujourd'hui les plantes de basse et moyenne montagne, un verger de variétés anciennes, une serre à cactus et un beau jardin potager. Un jardin pédagogique sur les cinq sens est à la disposition des 5/9 ans... Un vrai jardin d'Éden, ce jardin d'Elie !

Repères

C4 *(rabat avant)*

Var

Activités et loisirs

Balade au Saint-Pilon
Parc du Moulin-Blanc

Avec les enfants

Le jardin d'Elie
Éden Parc
La glaciaire Pivaut
Nougats Fouque

À proximité

Aix-en-Provence (env. 30 km N.-O.), p. 148.
Marseille (env. 30 km S.-O.), p. 136.
Cassis (env. 25 km S.-O.), p. 144.
La Ciotat (env. 25 km S.-O.), p. 146.
Vallée de l'Argens (env. 25 km N.-O.), p. 208.

Offices de tourisme

Saint-Maximin :
☎ **04 94 59 84 59**
Office intercommunal :
☎ **04 94 72 04 21**
Plan-d'Aups-Sainte-Baume :
☎ **04 42 62 57 57**

Signes
10 km à l'O. de Méounes
La confiserie Fouque
2, rue Louis-Lumière
☎ **04 94 90 88 01**
Visite guidée gratuite de mi-sept. à Noël.
Si l'évêque de Marseille avait su que sa résidence d'été deviendrait une fabrique de **nougat** ! Rolande Fouque et son époux fabriquent un nougat provençal unique, avec le miel de montagne qu'ils récoltent eux-mêmes. Recette de 1701, décor épiscopal, gestes ancestraux : la gourmandise est à son comble.

La presqu'île de Giens
entre le ciel et l'eau

A u large de Hyères à laquelle elle est rattachée, la presqu'île de Giens semble vouloir redevenir une île. Mais les travaux effectués sur le double tombolo, ce lien ténu qui la relie au continent, montrent que ses habitants ont décidé le contraire. À pied sec, c'est un plaisir de découvrir cette petite Camargue où se croisent d'innombrables oiseaux…

La presqu'île

On y accède par un double tombolo, c'est-à-dire deux langues de sable qui ont lentement comblé l'espace qui séparait l'île du continent. Promenez-vous sur la plus méridionale des stations balnéaires de la Côte d'Azur, couverte de pins et entourée de plages et de fonds marins qui n'ont rien à envier aux îles grecques.

Les plages du tombolo

Côté ouest, sur la route du sel qui longe la plage de l'Almanarre, des travaux de protection écologique ont réduit les parkings pour éviter l'affaissement du terrain, fixé la végétation et resablé pour rendre l'aspect dunaire au site. Côté est, les **plages de la Capte** et de la **Bergerie** (accès par D 97) sont très sûres : on y garde pied jusqu'à plus de 60 m du rivage ! Idéal pour les enfants.

Le sentier du littoral
Du port de la Madrague à la plage de la Badine
Durée : 5 h 30.
Faites le tour complet de la presqu'île de Giens par le sud, appareil photo en bandoulière : les sensations et les images sont extraordinaires. Accessibles à pied ou à vélo, les pittoresques ports de pêcheurs de la Madrague et du Niel contemplent les îles de

Porquerolles et Port-Cros, au large. Ne ratez pas la **Tour-Fondue**, ancien fortin érigé par Richelieu. La **pointe des Chevaliers** a quant à elle été rachetée par le conservatoire du littoral et se découvre uniquement à pied (ouv. du sentier en totalité cet été).

PÊCHE EN MER
Sillage Charter Pêche
Quai 560, port de Miramar
☎ **04 94 58 03 58** ou **06 62 68 94 49**
Pêche mi-mai-fin oct. (selon météo).
La migration des thons vous passionne ?
Il faudra être au port vers 6 h du matin pour embarquer à bord de la vedette *Noiram*. Puis vous ferez cap à une vitesse de 24 noeuds vers les zones de pêche. En chemin, vous croiserez peut-être grands rorquals, cachalots ou dauphins. Le retour est prévu vers 19 h 30 (610 € la journée de 1 à 4 pêcheurs, 685 € le forfait pour 5 pêcheurs).

Mon beau palmier...
1211, ch. de Nartettes
2 km à l'O. de Hyères
☎ **04 94 57 67 78**
Ouv. t. l. j. sf dim., 8 h-12 h et 14 h 30-19 h. F. 25 déc.-15 janv.
C'est incontestablement le roi de Hyères qui se nomme d'ailleurs « Hyères-les-Palmiers » en son honneur. Dans la commune, il y eut jusque 23 horticulteurs dans les années 1920 mais il n'en reste que 3 aujourd'hui. **Violette Decugis** est de ceux-là, héritière d'une famille qui cultive le palmier depuis 1904. Elle vous guide parmi ses bébés natifs du monde entier et vous fera goûter une étonnante confiture de palmier !

Le spectacle des épaves
Autour de la presqu'île de Giens et des îles d'Or vous trouverez les plus belles épaves de la Méditerranée (*le Donator*, le *Michel C.*,

le *Grec*, etc.). Les clubs de plongée organisent des sorties à plus de 40 m sous l'eau pour admirer de plus près un chasseur bombardier, un cargo pinardier ou un vapeur de cabotage. De la *Vision des Mers*, catamaran à vision sous-marine, on découvre au sec le Cimentier, une épave en béton (**La Tour-Fondue**, ☎ 04 94 58 21 81).

Le Pradet
10 km au S.-O. de Hyères
La mine de Cap-Garonne
Ch. du Bau-Rouge
☎ **04 94 08 32 46**
Ouv. pend. les vac. scol., mer. w.-e. et j. fér., 14 h-17 h (17 h 30 en été).
Accès payant.
L'univers impressionnant des mines de cuivre du XVIIe s. Dans la pénombre, des femmes

et des hommes s'échinent à creuser sous vos yeux la roche qui scintille et lance ses reflets vert et bleu… Le guide ne manquera pas de vous raconter comment, un jour, une biquette tomba dans un trou… et fit la fortune de la région.

Repères
D4 *(rabat avant)*

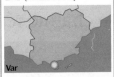

Var

Activités et loisirs
Pêche en mer
Plongée sous-marine
Visite d'une pépinière
Visite de la mine de Cap-Garonne

Avec les enfants
Les plages du tombolo
Jardin d'oiseaux tropicaux

À proximité
Le massif des Maures (env. 25 km N.-O.), p. 232.

Offices de tourisme
Hyères : ☎ 04 94 01 84 50
La Londe-les-Maures : ☎ 04 94 01 53 10
Le Pradet : ☎ 04 94 21 71 69

La Londe-les-Maures
10 km à l'E. de Hyères
Jardin d'oiseaux tropicaux
Rte de Valcros, sortie est
☎ **04 94 35 02 15**
Internet :
www.jotropicaux.com
Ouv. t. l. j. juin-sept., 9 h-19 h ; oct. et fév.-mai, 14 h-18 h.
Accès payant.
Ils sont casqués, huppés ou montés sur de grandes échasses… Certains « parlent », tous chantent. Dans ce magnifique parc naturel de 6 ha, magnifique 86 espèces d'oiseaux exhibent leur joli plumage.

Hyères
le charme rétro de la Côte d'Azur

Retirée à 7 km des plages et des bains de mer, l'ancienne cité phocéenne d'Olbia, retranchée au Moyen Âge sur le flanc de la colline, veille sur la plaine de Palyvestre et la presqu'île de Giens. Les ruelles de ses vieux quartiers, restaurés avec goût, se prolongent vers la mer par des avenues bordées de magnifiques palmiers. Maisons mauresques, immeubles cossus de la Belle Époque, flore exotique… Hyères a le charme des anciennes stations balnéaires, un peu rétro mais simple et authentique. C'est d'ailleurs ici que le terme « Côte d'Azur » a été inventé…

une commanderie de l'ordre des Templiers. Depuis sa terrasse, la **vue panoramique** sur la plaine est à couper le souffle.

Expositions à la tour des Templiers

Ouv. t. l. j. 9 h-12 h et 14 h 30-18 h ; juil.-août, 9 h-12 h 30 et 15 h-18 h 30.
Accès gratuit.
Place Massillon, la tour Sainte-Blaise, surnommée la « tour des Templiers », est devenue un lieu d'exposition. Cette chapelle du XIIᵉ s. était une abside fortifiée qui abritait

Les ex-voto de la collégiale Saint-Paul

Pl. Saint-Paul
☎ 04 94 65 83 30
Ouv. t. l. j. sf mar. 9 h-12 h, 14 h-18 h ; le dim., 9 h-12 h 30.
Accès gratuit.
En partie édifiée au XIIᵉ s., elle abrite retables, reliquaires et statues dorées. Mais on s'arrêtera surtout sur son incroyable collection

LE JARDIN D'ACCLIMATATION OLBIUS-RIQUIER

Av. Amboise-Thomas
À 600 m du centre-ville
☎ 04 94 00 78 65
(Mairie de Hyères)
Ouv. t. l. j. 8 h 30-17 h 30 (20 h en été).
Accès gratuit.
Sur ces 6,5 ha poussent en pleine terre des arbre rares ou exotiques. Dans les serres, les plantes tropicales voisinent avec les oiseaux du bout du monde.
Le jardin est un havre de fraîcheur et de paix. Vos enfants aimeront aussi flâner au milieu des enclos aménagés qui abritent quelques animaux (émeus, daims, singes…), à moins qu'ils ne vous conduisent prestissimo à l'aire de jeux spécialement conçue pour eux.

Repères

D4 (rabat avant)

Var

Activités et loisirs

Le marché paysan

Avec les enfants

Parc Saint-Bernard
Jardin d'acclimatation

À proximité

Bormes-les-Mimosas
(16 km O.), p. 224.
Le massif des Maures (env.
20 km N.-O.), p. 232.

Office de tourisme

Hyères : ☎ 04 94 01 84 50

d'ex-voto. Plus de 400 tableaux offerts par des marins que la mer a épargnés. Le plus ancien date de 1613. Enfin, à gauche en entrant, impossible de rater la vaste **crèche de santons provençaux.** Pendant l'année, des expositions sont également organisées à la collégiale.

La vieille ville

Pittoresque avec ses petites échoppes et joliment restaurée, elle s'étend au pied des vestiges du château des XIe-XIIIe s. Rue Sainte-Claire, belles façades du Moyen Âge et portes armoriées de la Renaissance. Au n° 6 de la rue Paradis, vous découvrez une maison romane restaurée.

Le marché paysan

Dans un dédale de ruelles pavées, en empruntant la pittoresque rue Barbacane aux maisons à fenêtres géminées, on arrive à la place de la République. Ombragée de platanes, elle attire tous les mardis (et jeudis mai-sept.). On y achète miel et confitures des fermes alentour mais aussi des brassées de fleurs, une des **spécialités** du lieu. Tous les samedis matin, le grand marché des îles d'Or anime la place Clemenceau.

Parc Saint-Bernard

Ouv. t. l. j.
Accès gratuit.
La « cité des palmiers » commença la culture de ses arbres fétiches à la fin du XIXe s.

Cette flore exotique s'épanouit joyeusement dans le **parc du castel Sainte-Claire.** Le colonel Voutier, découvreur de la *Vénus de Milo*, y construisit une villa somptueuse en 1850. À 50 m de là, le parc Saint-Bernard étale ses jardins en terrasses jusqu'au pied des ruines du castel. Une sorte de labyrinthe végétal aux parfums envoûtants.

La villa Noailles

Ouv. juin-août, visites guidées le ven. à 16 h.
Accès payant.
Expos. temp. le reste de l'année.
Accès gratuit.
Jouxtant le parc Saint-Bernard, cette villa dessinée par l'architecte Robert Mallet-Stevens a reçu dans les années 1930 les grands artistes du siècle dernier : Cocteau, Man Ray, Giacometti… Dans ce bâtiment conçu comme un paquebot, de drôles de fêtes s'y déroulaient. Les Noailles ont voulu pour ce lieu une villa d'hiver moderne. Pari réussi : ce « château cubiste » reste un des rares témoins de l'avant-garde architecturale. Se visite hors saison pendant les expositions.

Maisons d'Orient

Les intérieurs ne se visitent pas.
L'ancêtre des stations balnéaires de la Côte d'Azur offre une jolie image du rêve oriental qui saisit la France aux XVIIIe-XIXe s. Deux maisons, la **Mauresque** (av. Jean-Natte) et la **Tunisienne** (av. Beauregard), ont un air venu d'ailleurs charmant : minarets, coupoles, carreaux de faïences polychromes. Elles siègent au milieu des palmiers qui ont fait la gloire de la ville.

Jardin d'acclimation Olbius-Riquier

Porquerolles
nature et plaisance

La plus vaste des îles d'Or rattachées à Hyères ne connaît ni les embouteillages ni les campings. On y accède en vedette depuis la presqu'île de Giens et Le Lavandou et on la visite à bicyclette. Au Moyen Âge, des pirates y ont construit leur fief pour cacher leurs butins volés en Méditerranée. Mais le vrai trésor est celui que la nature dispense ici généreusement : sable fin, chemins bordés de pins de bruyères et de myrtes, criques jalousement protégées…

pétanque font briller leurs boules. Dans une atmosphère qui rappelle celle d'une ville de garnison ou celle d'un

l'île (premier vignoble de l'AOC côtes-de-provence) se laisse d'ailleurs boire à l'ombre des micocouliers.

Le port de plaisance

Les pêcheurs se souviennent encore du petit embarcadère de pierre de taille qui accueillit, en 1965, Jean-Luc Godard et son équipe de tournage de *Pierrot le fou*. Anna Karina et Jean-Paul Belmondo y accostèrent main dans la main. Depuis, le port a été complètement aménagé, perdant une grande partie de son cachet. C'est ici que l'on accoste en venant du « continent » (rens. sur les traversées au port : ☎ 04 94 58 30 72 ou dans les ports de Hyères et Miramar à La Londe).

Le pueblo

Sur la place d'Armes, ombragée d'eucalyptus et de micocouliers, les amateurs de

pueblo mexicain, la petite **église Sainte-Anne** pointe son clocher au-dessus des terrasses des cafés. Simenon y a planté un Maigret bourru, goûtant au vin de pays et à la cuisine du cru. Le rosé du domaine de

Église Sainte-Anne

Le fort Sainte-Agathe

Ouv. t. l. j. mai-sept, 9 h 30-12 h 30, 13 h 30-17 h 30.
Accès payant.
François Ier fit édifier cette forteresse, Napoléon se chargea de sa restauration et de son agrandissement. Au-dessus du village, son énorme tour ronde étire ses remparts sur une masse rocheuse d'où les artilleurs pouvaient défendre l'approche du port. Le fort offre désormais des activités plus pacifiques : une exposition dédiée aux fonds sous-marins et à l'histoire des îles de Hyères.

BALADES AU PHARE ET AU SÉMAPHORE

Deux sentiers principaux arpentent les hauteurs de Porquerolles. L'un conduit au point culminant de l'île, le sémaphore (142 m). Vue panoramique sur la Méditerranée et la presqu'île de Giens. Le second, plus au sud, vous emmène directement au phare, construit au début du siècle dernier. De ce côté-ci, les falaises dominent la mer sur une hauteur de 83 m. et le point de vue de la passerelle est magnifique.

Conservatoire botanique

Sortie sud du village
Le Hameau
☎ **04 94 12 30 40**
Ouv. mai-sept., 9 h-12 h 30 et 13 h 30-17 h
Accès gratuit.
Au conservatoire botanique, des scientifiques œuvrent pour

sauvegarder les espèces régionales menacées. Les installations du conservatoire trônent au milieu d'un verger de 180 ha où l'on peut goûter

(des yeux seulement) d'anciennes variétés d'abricots ou de figues. Il ne faut pas rater la vieille oliveraie aux arbres centenaires ni les plantes rares de Corse et du continent. C'est en mai-juin que la nature est la plus belle.

Les meilleures plages

Il paraît qu'à Porquerolles le soleil brille plus que partout ailleurs en France. C'est l'occasion de prendre un bain de soleil et de mer. À l'extrémité ouest de l'île, deux plages s'adossent à l'isthme du Grand-Langoustier : la **plage Noire**, colorée par les dépôts d'une ancienne usine de soude, et la **plage Blanche**, au sable extrafin. Calme assuré. À quelques mètres du village, les plus paresseux se délasseront sur la **plage de la Courtade**, vaste mais très fréquentée. Il y a aussi les **plages de l'Argent** et de

l'Ayguade, moins spectaculaires cependant que la **plage Notre-Dame**, en bordure de pinède.

Repères

D4 *(rabat avant)*

Var

Activités et loisirs

Balades en VTT
Randonnées pédestres
sur les sentiers

Avec les enfants

Les plages
Le conservatoire botanique

Office de tourisme

Porquerolles :
☎ 04 94 58 33 76

VTT DANS LE MAQUIS

Sur 7 km de long et 3 km de large, un paradis d'eucalyptus, de pins et de maquis fait de Porquerolles l'une des escales les plus agréables de la Côte d'Azur. Environ 300 îliens se partagent quelque 1 250 ha d'une végétation luxuriante. Mais en saison, la population se multiplie par 10. L'île se découvre à pied – sur 54 km de sentiers – ou en VTT, en circulation réglementée. Une dizaine de loueurs de vélos sont installés sur l'île (liste et rens. à l'OT).

Port-Cros et Levant
de sable et d'or

Embarquez depuis Hyères ou Le Lavandou : vue du bateau, la baie de Port-Cros a des allures océaniennes de carte postale avec sa rade plantée de palmiers, et le bleu profond de ses eaux. Parc national depuis 1963, l'île est un paradis écologique terrestre et sous-marin. Plongeurs, à vos tubas ! Quant à l'île du Levant, elle fait le bonheur des naturistes.

L'île de Port-Cros

Découverte de la nature
Bureau du parc national, capitainerie du port
☎ 04 94 01 40 72

Sur le port, un centre d'information propose tous les documents pour découvrir la nature de l'île. Celui qui mérite la palme d'or est une plaquette plastifiée qui peut se lire sous l'eau. Elle permet de mieux profiter du **sentier sous-marin** aménagé dans la baie du Palud et d'être incollable sur la faune de ces eaux ultraprotégées : posidonies, algues, étoiles et anémones de mer, rascasses et girelles.

Baignade et sentier sous-marin

Sous un ciel d'azur sillonné d'oiseaux nicheurs ou migrateurs, la **plage du Palud** est la seule de l'île où le baigneur est autorisé à partager son bain avec les poissons. Palmes, masque et tuba suffisent pour découvrir le sentier sous-marin, entre le rivage et le rocher du Rascas (plongée sans danger). Parcours guidés du sentier sous-marin (15 juin-15 sept., rens. au bureau du parc). Poissons et végétaux se laisseront approcher par les nageurs

tandis que les marcheurs se contenteront d'un aquascope (bateau équipé d'un fond transparent) pour découvrir les trésors de la mer (**Marabel Aquascope**, ☎ 04 94 05 92 22).

La balade des forts

Passionnés d'histoire, en route ! Un itinéraire spécialisé et très complet (balisé en jaune) vous tend les bras, qui relie les forts et les ouvrages défensifs de l'île. Les deux forts de l'**Estissac** (peut se visiter en été, belle vue depuis la terrasse) et

de l'**Éminence** trônent au-dessus de la rade de Port-Cros. Depuis le port, on peut suivre un joli sentier botanique (balisé en vert) pour rallier le Vieux-Château (ou fort du Moulin, ne se visite pas), d'où la vue est magnifique.

La baie de Port-Man

Une promenade conduit au col des Quatre-Chemins, d'où l'on peut admirer l'île du Levant. En redescendant, la vue sur la baie permet de découvrir un

LE PARC NATIONAL DE PORT-CROS
Castel Sainte-Claire
Rue Sainte-Claire
Castel Sainte-Claire,
Hyères (siège social)
☎ 04 94 12 82 30
Créé en 1963, le parc national de Port-Cros englobe l'île de Bagaud, les îlots de la Gabinière au sud et du Rascas au nord. Avec 1 800 ha de mer, voilà le seul parc d'Europe qui soit en même temps sous-marin et terrestre. Plus de 100 espèces d'oiseaux, des poissons à gogo, un gigantesque herbier aquatique et terrestre, il fait le bonheur des fous de la nature. Mais, attention, la protection des espèces végétales et animales impose des règles très strictes : interdictions de camper, de faire du feu, de fumer hors du village, de cueillir plantes et fleurs, de chasser et de faire de la pêche sous-marine.

grand amphithéâtre de verdure au fond duquel se niche le village de Port-Cros. À droite, la pointe de Port-Man s'allonge jusqu'au fort (ne se visite pas). Au retour, contournez le rivage nord de l'île par la pointe de la Galère et la **plage du Palud**.

Le vallon de la Solitude
Env. 2 h.
Le vallon de la Solitude traverse l'île dans sa plus grande largeur. Le sentier musarde sous les futaies de chênes verts et dans le haut maquis avant de longer le sémaphore et le fortin napoléonien de la Vigie. Plus loin, le chemin des Crêtes surplombe la mer près du **mont Vinaigre** (le point le plus haut de

Repères
D4 *(rabat avant)*

Var

Activités et loisirs
Le sentier sous-marin
La balade des forts
Le vallon de la Solitude

Avec les enfants
Baignade sur la plage du Palud

Offices de tourisme
Hyères : ☎ 04 94 01 84 50
Levant : ☎ 04 94 05 93 52

l'île, à 197 m d'altitude). La balade s'achève au creux du vallon de la Fausse-Monnaie.

L'île du Levant

Sous le soleil exactement
Quand les moines de Lérins résidaient sur cette étroite arête rocheuse, c'était la terre la plus fertile de l'archipel.

Puis une colonie pénitentiaire pour adolescents s'y installa au milieu du XIXe s. Aujourd'hui, 75 % de l'île est occupé par l'armée. Depuis 1931, les naturistes ont fait leur paradis de la partie restante, se retrouvant sur la **plage des Grottes** pour dorer au soleil ou au village d'Héliopolis pour les courses. Plusieurs circuits en bord de mer ou dans la pinède facilitent la découverte de l'île (rens. à l'OT).

Bormes-les-Mimosas et Le Lavandou

A u pied du massif des Maures, mimosas et sable fin font bon ménage. Le jardin suspendu de Bormes-les-Mimosas et les douze plages du Lavandou se font face tandis que l'île de Port-Cros orne le large. En février, les boules parfumées de mimosa embaument l'air et parsèment le village de magnifiques brassées d'un jaune éclatant.

Bormes-les-Mimosas
Marché et baignade

Un véritable petit paradis fleuri. Accroché au flanc d'un versant abrupt, ce joli village du XIIᵉ s. classé domine la mer et offre ses ruelles et sa luminosité à la promenade. Ne ratez pas le panorama, juste devant la chapelle Saint-François, et le **marché provençal** du mercredi matin. En bas, 17 km de plages ouvertes à la baignade entourent le cap Bénat. Le **fort de Brégançon**,

à l'écart, accueille aux beaux jours le président de la République (pas de visites).

Randonnées pédestres

Bormes-les-Mimosas est traversé par de nombreux sentiers de randonnées : le GR 90, le GR 51 et un tronçon de 10 km de sentier littoral. Il existe également 6 circuits pédestres autour du village (de 2 à 6 h de marche) et un circuit fléché pour une balade touristique de 1 h 30 à travers les belles ruelles du Bormes médiéval. Rens. à l'OT.

Mimosas en pots
Pépinière Gérard Cavatore
Le mas du Ginget
488, ch. de Bénat
☎ 04 94 00 40 23
Internet :
pepinierescavatore.com
Ouv. lun.-ven., 9 h-12 h
et 13 h 30-17 h 30 ;
juin-oct., mat. seul. ; vente par corresp.
Cette fleur-là parle avec l'accent du Midi... Ne repartez pas de Bormes sans vos plants de mimosas. Gérard Cavatore cultive 170 espèces de mimosa des quatre coins du monde et vous y accueille toute l'année. Venez si possible en février, quand la floraison (symbole de la sécurité dans le langage des fleurs) annonce l'arrivée du printemps.

Le Lavandou
3 km à l'E. de Bormes-les-Mimosas
Douze plages

La branchée, la souriante, la charmeuse, la fleurie, la mystérieuse... Les douze plages de sable du **Lavandou** s'étendent sur plus de 12 km. Vastes ou retranchées dans de petites criques, il y en a pour tous les goûts : de la vaste et familiale plage centrale du Lavandou à la plus discrète, celle du Layet, réservée aux naturistes.

Escapade sur un grand voilier
Port du Lavandou
☎ 04 94 71 69 89
ou 06 09 37 30 62
Départ t. l. j. à 10 h. en été (sur rês.).

Accès payant.
Passez la journée à bord de l'*Hoëdic*, un grand voilier de tradition. L'embarquement se fait face à la capitainerie du nouveau port, et seule la musique du vent vous accompagne jusqu'aux palmiers de Port-Cros (p. 222). Après la promenade, la baignade et une initiation à la plongée en apnée, retour vers 18 h, toutes voiles dehors…

Les dessous de l'océan
15, quai Gabriel-Péri et gare maritime (Seascope)
☎ 04 94 71 01 02
T .l. j. 9 h-18 h (ttes les 40 min) si l'eau est claire (réserver).

Trente-cinq minutes sous l'eau, les yeux écarquillés. À bord d'un trimaran, sillonnez les fonds marins où s'ébattent daurades, mulets, loups, sars et girelles… Spécialement équipée, la coque centrale de ce vaisseau fend les flots au milieu des animaux marins et de la flore méditerranéenne, que vous pouvez contempler à loisir.

Rayol-Canadel
12 km à l'E. du Lavandou
Jardins de rêve
Domaine du Rayol
☎ 04 98 04 44 00
Ouv. t. l. j. 9 h 30-12 h 30 et 15 h-19 h ; hors saison 9 h 30-12 h 30, 14 h 30-18 h 30. Ouv. sur r.-v. fin nov.-fin janv. sf dim. et j. fér.
Accès payant.
Ce magnifique domaine témoigne de ce que fut la vie fastueuse sur la corniche des Maures à la Belle Époque. Il abrite aujourd'hui un ensemble de jardins dont chacun évoque une région du monde ayant un climat méditerranéen (Australie, Afrique du Sud, Chili, Californie…). En été, vous pouvez aussi vous immerger dans la baie du Figuier pour découvrir faune et flore marines.

Repères
D4 *(rabat avant)*

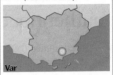

Var

Activités et loisirs
Randonnées pédestres
Sur un grand voilier
Découverte des fonds marins
La pépinière du mimosa

Avec les enfants
Baignade sur les plages du Lavandou
Jardins du Rayol-Canadel
Parc nautique Niagara

À proximité
Hyères (16 km S.-O.), p. 218.

Offices de tourisme
Bormes : ☎ 04 94 01 38 38
Le Lavandou : ☎ 04 94 00 40 50

(Inscriptions à l'avance. Matériel de plongée fourni.)

La Môle
21 km au N.-E. du Lavandou
Parc nautique Niagara
Rte du Canadel
☎ 04 94 55 70 80
Ouv t. l. j. de mi-juin à début sept., 10 h 30-19 h. Niché en pleine nature dans la forêt des Maures, le parc nautique possède une piscine californienne avec 7 toboggans géants et un Jacuzzi. Un petit mur d'escalade complète ces jeux très aquatiques (aire de pique-nique et deux restaurants sur place).

Saint-Tropez
l'authentique star

Sa renommée n'est pas usurpée : dans une baie extraordinaire, cet ancien village de pêcheurs et port de commerce jouit d'une lumière exceptionnelle. Les artistes qui l'aimèrent au début du siècle dernier ont été supplantés par les vedettes du show-biz et du cinéma… Mais le Saint-Tropez de toujours reste à découvrir.

Pétanque et marché place des Lices

Le port, grouillant de monde en été, concentre la fièvre de la ville. Les yachts et leurs habitants se montrent, et le moindre de leurs mouvements est scruté. Parcourez la cité médiévale : ruelle de la Miséricorde, rue du Clocher et la jolie **place aux Herbes** (marché aux poissons le matin). Place des Lices, on se presse le soir pour voir les vedettes jouer à la pétanque ou aller au marché provençal les mardis et samedis matin. En passant rue Clemenceau (n° 38), goûtez la **tarte tropézienne**.

Maquettes à la citadelle
Musée naval
☎ 04 94 97 59 43
Ouv. t. l. j. sf mar., 11 h-17 h 30 ; hors saison, 10 h-12 h et 13 h-16 h 30.
Accès payant.
À l'est de la ville, son donjon (XVIe s.) gardait autrefois tout le golfe : il abrite désormais une annexe du **Musée naval** du palais de Chaillot, à Paris. Maquettes et représentations de bateaux anciens et

modernes y côtoient une évocation du débarquement de 1944. Du **donjon**, panorama splendide sur le golfe.

Toiles post-impressionnistes
Musée de l'Annonciade
Pl. Grammont
☎ 04 94 97 04 01
Ouv. t. l. j. sf mar., juin-sept., 10 h-12 h et 15 h-19 h ; oct.-mai, 10 h-12 h et 14 h-18 h. F. nov.
Accès payant.
Les splendeurs accrochées dans ce musée ont été peintes au début du XXᵉ s. par les premiers grands amoureux du site : Braque, Bonnard, Dufy, Matisse, Rouault, Utrillo… Ne ratez pas ce musée exceptionnel, magnifiquement situé sur le port, qui témoigne de la place majeure jouée par Saint-Tropez dans la peinture postimpressionniste.

Sénéquier
Quai Jean-Jaurès
☎ 04 94 97 00 90
Pâtisserie ouv. t. l. j. 8 h-12 h 30 et 15 h-19 h 30.
On s'y montre. Commandez un café glacé (7,62 €) ou un nougat (excellent) dans ce haut lieu du Tout-Saint-Trop'… Évitez la tenue rouge, sinon vous serez « mangé » par le décor !

Le Byblos
Av. Paul-Signac
☎ 04 94 56 68 00
F. mi-oct. à mi-avr.
L'un des hôtels les plus agréables de la Côte d'Azur

et l'adresse préférée des stars. Conçu comme un village, il est situé au centre de Saint-Tropez (chambres entre 350 et 650 €).

La Maison des papillons
9, rue Étienne-Berny
☎ 04 94 97 63 45
Ouv. t. l. j. sf mar., 10 h-12 h et 15 h-19 h.
Cette ancienne maison de famille, typiquement tropézienne, abrite une fabuleuse collection de toutes les espèces diurnes de papillons d'Europe. Créée par le peintre Dany Lartigue, fils du célèbre Jacques-Henri Lartigue, elle rassemble près de 20 000 spécimens dont de nombreuses variétés rares, aujourd'hui protégées.

Les sandales tropéziennes
Rondini
16, rue Georges-Clemenceau
☎ 04 94 97 19 55
Ouv. t. l. j., (sf dim. et lun.) 9 h 30-12 h et 14 h-20 h, 19 h hors saison et f. lun. et mar. F. nov.

Elles existaient bien avant la renommée actuelle du lieu… Depuis 1927, la famille Rondini fabrique ces sandales, spécialement « carrossées » pour les étés tropéziens, en cuir naturel et au profil spartiate. Indémodables, elles sont déclinées aujourd'hui en de multiples couleurs (65,55 à 76,22 €).

Repères
E4 *(rabat avant)*

Var

Activités et loisirs
Pétanque et marché provençal
Les bravades de Saint-Tropez
Visite gourmande au « petit village » à Gassin

Avec les enfants
La Maison des papillons
Musée naval de la citadelle

À proximité
Fréjus (30 km N.-E.),
p. 234.

Office de tourisme
Saint-Tropez :
☎ 04 94 97 45 21

Ramatuelle
10 km au S.
de Saint-Tropez
Dans les vignes
Construit en cercle sur la colline, Ramatuelle profite au calme d'un ciel d'azur. Au-delà des vignes, sa plage, la **célèbre Pampelonne**, offre 5 km de sable fin. Gérard Philipe qui aimait ce beau village aux ruelles en escaliers, repose aujourd'hui dans son cimetière.

Gassin
9 km au S.-O.
de Saint-Tropez
Du charme et des saveurs
Le village se dresse sur sa colline escarpée : ruelles pentues, vieilles maisons fleuries, panorama splendide. En redescendant, passez au « petit village » situé au lieu-dit La Foux : vous y trouverez de délicieux **produits locaux** et les vins des maîtres vignerons de la presqu'île de Saint-Tropez (☎ 04 94 56 32 04 Internet : www.petitvillage.com).

Sainte-Maxime
et la côte du golfe de Saint-Tropez

Sainte-Maxime attire moins de vedettes que Saint-Tropez, juste en face, mais reste familiale et très à la mode. Au programme : port de plaisance, port de pêche, plage de sable, vieille ville piétonnière et marché provençal.

Musée du Phonographe

Col de Bougnon

Route de Muy

Aquascope

Sainte-Maxime

Le musée des Traditions locales
Tour Carrée
☎ 04 94 96 70 30
Ouv. t. l. j. sf lun. mat. et mar., nov.-avr., 10 h-12 h et 15 h-18 h (jusqu'à 19 h en été).
Accès payant.
Dans la tour Carrée, érigée en 1520 pour protéger la région des incessantes invasions de pirates, découvrez les traditions locales : pêche, artisanat, costumes, folklore, mer…

Le marché des artisans
T. l. j. 10 h-23 h.
Tradition bien vivante, le marché provençal anime les ruelles piétonnes tous les jours, toute la journée (du 15 juin au 15 sept.). Il rassemble les meilleurs artisans de la région.

Vu sous l'eau
Aquascope
Port de Sainte-Maxime
☎ 04 94 49 01 45
Départ ttes les 35 min, selon météo, t. l. j.

15 fév.-30 sept., 9 h 30-12 h 30 et 14 h-19 h.
Accès payant.
Vous le verrez peut-être de la route : ce gros insecte jaune posé sur la mer et balancé par les flots rassemble une vingtaine de personnes qui, immergées sous l'eau, scrutent les fonds marins… Montez dans cette drôle de machine et

vous vous prendrez pour le commandant Cousteau ! Attention à la météo.

Phonographe et musique mécanique
Parc de Saint-Donat, rte de Muy
10 km au N. de Sainte-Maxime
☎ 04 94 96 50 52
Accès payant.
Au milieu d'un parc forestier sur les sommets des Maures, ce musée évoque les progrès de la technique sonore : 350 instruments de musique et appareils de reproduction, dont l'ancêtre de l'accordéon, le mélophone conçu juste avant la Révolution !

Une route miraculeuse
Rte de Muy, entre Sainte-Maxime et Le Muy
Cette route fait le bonheur de tous, et pas seulement des passionnés de musique (voir texte précédent) ! Pour les enfants : le parc d'attractions **Aquacity** (complexe sportif des Bosquettes, ouv. juin-sept., ☎ 04 94 55 54 54) et juste derrière, Arbre et aventure, un parcours dans les arbres surplombant le golfe (ouv. avr.-nov. ☎ 06 13 21 85 32). Une halte chez **Maxim'Autruches** (Domaine des Monges, ☎ 04 94 96 75 30) pour en découvrir l'élevage et les produits. Enfin, olive et oliviers sont à l'honneur avec les visites (sur r.-v.) du domaine oléicole de M. Olivier (un nom prédestiné…) pour goûter l'huile et ses dérivés (**Domaine de la pierre plantée**, ☎ 04 94 96 65 65. Ouv. t. l. j. sf dim. 10 h-12 h et 15 h-19 h), et de Marcel Bietti (☎ 04 94 96 53 18), l'un des derniers artisans à travailler l'olivier.

Les Issambres

Le vallon de la Gaillarde
A la pointe est du massif des Maures, ce vallon offre une vue dégagée et magnifique sur les golfes de Saint-Tropez et Fréjus. Quatre tracés thématiques balisés permettent de découvrir les richesses naturelles de la Gaillarde. Le plus simple est celui de l'eau : 3,2 km pour env. 1 h 30 de marche. Départ depuis le parking du cimetière de la Gaillarde, le col de Bougnon ou le sentier du littoral.

Santons d'art
Imp. des Driades
☎ 04 94 96 94 62
Ouv. t. l. j. sf dim., 9 h-12 h et 15 h-18 h. Habillés comme des princes… Dans cet atelier, les traditionnels santons de Provence bénéficient d'une ligne de vêtements digne de la haute couture.

Repères
E4 *(rabat avant)*

Var

Activités et loisirs
Marché des artisans
Randonnée au vallon de la Gaillarde
Goûter l'huile d'olive
Excursion et pêche en mer

Avec les enfants
Aquascope
Aquacity
Maxim'Autruches
Parcours dans les arbres

À proximité
Fréjus (20 km N.-E.), p. 234.

Offices de tourisme
Sainte-Maxime :
☎ 04 94 55 75 55
Les Issambres :
☎ 04 94 96 92 51

EXCURSION ET PÊCHE EN MER
Les Bateaux Verts
Quai Léon-Condroyer
☎ 04 94 49 29 39
Ouv. févr.-déb. nov.
Embarquer au départ de Sainte-Maxime pour la baie des Canoubiers, le tour du golfe de Saint-Tropez, les caps sauvages, les calanques de l'Estérel. À bord du *Gipsy*, vous pouvez également partir pour une matinée de pêche en mer, tout est fourni sauf le poisson !

Grimaud et Port-Grimaud

Tout au bout du massif des Maures, la D 14 descend vers le golfe de Saint-Tropez. Les plages et la foule vont bientôt remplacer la solitude des hauteurs et l'ombre bienfaisante de leurs chênes-lièges. On retiendra un peu de cette fraîcheur et de cette sérénité en flânant dans les ruelles caladées de Grimaud, dressé sur son piton rocheux. À quelques kilomètres, Cogolin contraste par sa joyeuse animation.

Au pied du château

Coiffé par les ruines de son **château féodal**, Grimaud regorge de corbeilles fleuries et de soudaines échappées sur les forêts vertes et la mer bleue. Face à la maison des Templiers, de style Renaissance, se dresse une très jolie **église romane** Saint-Michel (fin XIIe s. début XIIIe s.). Elle abrite un superbe bénitier en marbre du XVIe s.

Cogolin

3,5 km au S. de Grimaud
Artisanat d'art

Des tapis aux pipes, en passant par les anches taillées dans les roseaux, l'artisanat d'art est toujours vivant à Cogolin, petite ville très animée. Le vieux village a gardé un certain charme : maisons anciennes aux encadrements de portes en serpentine, jolie **église Saint-Sauveur** (XIe et XVIIe s.) au portail Renaissance florentine venu tout droit de la chartreuse de la Verne (p. 232) et agréables ruelles invitent à la promenade.

Les pipes de Cogolin
Maison Courrieu
58, av. Georges-Clemenceau
☎ 04 94 54 63 82
Ouv. t. l. j., 9 h-12 h et 14 h-19 h.
Les fumeurs de tabac blond ne rateront pas l'occasion d'assister à la fabrication de leurs pipes préférées. À Cogolin, elles sont faites en racines de bois de bruyère récoltées dans la forêt des Maures. Une tradition de plus de deux cents ans

qu'honore très bien la maison Courrieu, connue dans le monde entier.

Au tapis
Manufacture de Tapis de Cogolin
6, bd Louis-Blanc
☎ 04 94 55 70 65
Ouv. lun.-ven. 9 h-12 h et 14 h-18 h.
F. j. fér.
De laine, de coton, de jute ou de raphia, les tapis de la Manufacture de Cogolin sont tissés à la main. Des pièces uniques que vous pourrez découvrir dans les salles d'exposition de la manufacture.

LES DIFFICULTÉS D'UNE RÉALISATION

C'est en 1962 que François Spoerry, architecte alsacien, découvre un marécage que l'insuffisance de fond rend impropre à la navigation. Il envisage alors la construction de Port-Grimaud. En 1966, des palanques en fer sont enfoncées dans le sol, des ponts sont construits, des canaux creusés, et la mer se réinstalle naturellement autour d'une cité lacustre qui a poussé sur un désert aquatique… 24 000 t de granit ont été nécessaires pour construire les remblais sur lesquels reposent aujourd'hui plus de 2 000 maisons (toutes privées).

Repères

D4 *(rabat avant)*

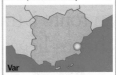

Var

Activités et loisirs

Fabriques de pipes et tapis

Avec les enfants

Port-Grimaud en coche d'eau
Sports nautiques
à Port-Grimaud

À proximité

Fréjus (20 km N.-E.), p. 234.

Offices de tourisme

Grimaud : ☎ 04 94 43 26 98
Cogolin : ☎ 04 94 55 01 10

Cogolin a aussi son style : des tapis tissés sur métiers jacquard et des pièces conçues pour des intérieurs contemporains. Vous pouvez emporter votre tapis sous le bras ou le commander aux dimensions et aux coloris souhaités.

Le musée Raimu

18, av. Georges-Clemenceau
☎ 04 94 54 18 00
Ouv. t. l. j. sf dim. mat.,
10 h-12 h et 16 h-19 h ;
hors saison, 10 h-12 h et 15 h-18 h.
Accès payant.
Qui ne se souvient des inoubliables interprétations de Raimu dans les films de Pagnol ? *Fanny, César, La Femme du boulanger*… Voilà l'un des comédiens français les plus marquants de sa génération. Et

pourtant, c'est à sa famille que l'on doit le musée qui lui est consacré. Aménagé dans un ancien cinéma, il raconte à travers affiches, photos, lettres et objets personnels l'histoire de Jules Muraire, dit Raimu, né à Toulon (1883-1946).

Port-Grimaud

6,5 km à l'E. de Grimaud
Cité lacustre

Chaque région de France a sa « petite Venise » : pour la Côte d'Azur, c'est Port-Grimaud. Construit de toutes pièces, ce **village bâti sur la mer** se découvre en coche d'eau (☎ 04 94 56 21 13 et 06 07 71 61 99. Départs t. l. j. sur la place du Marché. 8 h 30-22 h 30, départ ttes les 15 min en été. F. du 11 nov. à mi-déc.). Sillonnez les 7 km de voies navigables de la cité lacustre, passez sous les ponts vénitiens, longez les îlots et les portes fortifiées… Et dans ce décor, songez que tout cela n'est qu'une (superbe) réalisation immobilière. C'est sensiblement le même

esprit qui anime les Marines de Cogolin, port de plaisance et marina pouvant accueillir près de 6 000 unités avec de beaux immeubles d'habitation et de larges terrasses à fleur de quais où il fait bon profiter de la soirée.

Jeux de glisse sur l'eau

Centre nautique Les Alizés
Ch. de la Plage
☎ 04 94 56 46 51
Ouv. t. l. j. mai-sept., 8 h-19 h.
Planche à voile, hobie-cat, dériveur, pédalo, ski nautique, parachute ascensionnel sont ici à votre disposition. Leçons, stages d'initiation et de perfectionnement pour tous avec des moniteurs diplômés.

Le massif des Maures
en route à travers pins, chênes-lièges et châtaigniers

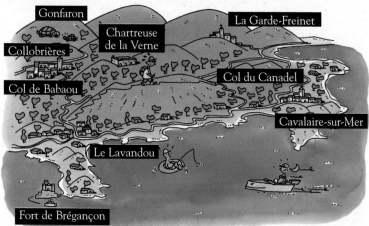

Gonfaron

Chartreuse
de la Verne

La Garde-Freinet

Collobrières

Col de Babaou

Col du Canadel

Cavalaire-sur-Mer

Le Lavandou

Fort de Brégançon

E ntre la mer et les vallées du Gapeau et de l'Argens,
le massif des Maures s'étend de Hyères à Saint-Raphaël.
Sur les formes arrondies de ses nombreuses collines
poussaient les « bois sombres » (*mauro* en provençal) qui lui
ont donné son nom. Ses reliefs piqués de pins, chênes-lièges
et châtaigniers offrent de magnifiques randonnées.

Collobrières

Les marrons des Maures
Situé en bordure de la forêt qui grimpe allègrement sur le massif, le village doit son nom au ruisseau de Réal-Collobrier qui l'arrose. De pittoresques maisons bordent le cours d'eau et la place carrée est un véritable havre de fraîcheur

avec ses platanes et sa fontaine à l'angelot. La reine de Collobrières, c'est la châtaigne, consommée en marron glacé ou en confiture à la Confiserie azuréenne (☎ 04 94 48 07 20. Ouv. t. l. j., visite gratuite). Chaque année, les trois derniers dimanche du mois d'octobre, les **Journées de la châtaigne** attirent 30 000 amoureux du fruit d'automne (également à la Garde-Freinet).

La chartreuse de la Verne
☎ 04 94 43 45 41
Ouv. t. l. j. sf mar., pendant les fêtes religieuses et en janv., 11 h-17 h, (18 h en été). Sur la commune de Collobrières (6 km par une piste carrossable), elle domine l'abîme avec pour horizon, forêts sauvages et échappée sur la Méditerranée. Les

La chartreuse de la Verne

Repères

D4 *(rabat avant)*

Var

Activités et loisirs

La balade des cols
Randonnées dans le massif
L'écomusée du Liège

Avec les enfants

Le village des tortues
Baignade sur les plages
de la corniche des Maures

À proximité

*Hyères (env. 30 km S.-O.),
p. 218.*

Offices de tourisme

Collobrières :
☎ 04 94 48 08 00
La Garde-Freinet :
☎ 04 94 43 67 41

chartreux se sont installés ici en 1170, à l'initiative des évêques de Fréjus et de Toulon. L'édifice héberge aujourd'hui une communauté monastique de l'ordre de Bethléem. S'il reste peu de chose de la période romane, la chartreuse est remarquable pour ses nombreux décors sculptés en **serpentine** : cette pierre verte rehausse à merveille le schiste brun des bâtiments.

Balade de col en col

Au sud de Collobrières (par D 14 puis D 41), avant de se laisser glisser vers la vallée du Réal-Collobrier, le **col de Babaou** domine du haut de ses 415 m les îles de Hyères, la presqu'île de Giens et ses marais salants. Au-delà du col se profilent les plus hauts sommets des Maures. Un peu moins élevé, le **col de Canadel** (267 m), au centre de la route forestière des crêtes, fera le

LES MAURES CÔTÉ PLAGES

La chaîne littorale des Pradels plonge ses contreforts dans les flots aux très belles plages de Cavalière, de Pramousquier et de Canadel-sur-Mer. À Cavalaire-sur-Mer, la plage du centre-ville, le sentier du littoral et quelques sites romains méritent le déplacement (OT, ☎ 04 94 01 92 10).

bonheur des photographes. Splendide panorama sur 5 km jusqu'à la pierre d'Avenon.

Gonfaron

21 km au N. de Collobrières

Le village des tortues

☎ 04 94 78 26 41
Ouv. t. l. j. 9 h-19 h en saison. F. déc.-mars.
Autrefois répandues dans tout le Midi, les tortues ne règnent

plus aujourd'hui que dans le Var. Ce village veille à leur protection et permet de mieux connaître ce curieux animal dont la plus vieille espèce remonte à plus de 35 millions d'années ! Parallèlement aux tortues bien vivantes qui vaquent paisiblement dans le parc, un nouveau **parcours paléontologique** met en scène des espèces qui ont disparu de la planète : un « Jurassic tortue » plus vrai que nature.

L'écomusée du Liège

5, rue de la République
☎ 04 94 78 25 65/30 05
Ouv. t. l. j. sf dim. et j. fér., 8 h 30-12 h.
Accès payant.
La mémoire du liège a trouvé son musée. Un portrait passionnant de cette industrie

traditionnelle qui employait au début du siècle près de 900 ouvriers (visite commentée avec projection d'un film, voir aussi p. 49).

La Garde-Freinet

30 km à l'E. de Collobrières

Une place stratégique

Construit sur les ruines d'un fort médiéval, la Garde-Freinet est un point de passage obligé pour la découverte du massif des Maures. Située sur une route qui traverse le massif, elle garde quelques traces de son passé au conservatoire du patrimoine (au-dessus de l'OT). Dans le village, fontaines, lavoir et église Saint-Clément (XVe s.) lui donnent du caractère. Tout en flânant, on goûte à la spécialité locale, la « **patience** », délicieux gâteau sec parfumé à l'eau de fleur d'oranger.

Fréjus et Saint-Raphaël
les jumelles de la côte

Deux villes qui s'enchâssent l'une dans l'autre, un front de mer débordant d'étals, des embouteillages à la parisienne, des marchands de barbes à papa… Mais aussi des ruines romaines, des promenades à l'ombre des palmiers et le magnifique massif de l'Estérel. Le charme de Fréjus et de Saint-Raphaël est bien réel.

Mont Vinaigre

Zoo

Pic du Cap-Roux

Mosquée

Saint-Raphaël

Agay

Fréjus

Cap du Dramont

Îles d'Or

Fréjus

La vieille ville

La cité épiscopale a poussé sur les vestiges d'un forum romain. De cet épisode antique datent la **porte des Gaules**, l'aqueduc et l'**amphithéâtre**. Dans le vieux Fréjus, le remarquable ensemble épiscopal abrite la **cathédrale** et le **baptistère** paléochrétien, l'un des plus anciens de France (monuments ouv. t. l. j. 9 h-12 h et 14 h 30-18 h 30. Accès payant au groupe épiscopal). Le **Musée archéologique** (☎ 04 94 52 15 78) présente une collection d'antiquités gallo-romaines : pour se souvenir que c'est Jules César en

personne qui créa l'antique cité en 49 av. J.-C. On s'arrêtera plus longuement sur la mosaïque dite « au léopard », et la très belle tête de Jupiter en marbre blanc.

Les pourpres de l'Estérel

Le massif a beaucoup souffert des incendies. Au départ de Fréjus, on suivra la N 7 qui le longe par le nord-est. Après une demi-heure de route, on atteint son point le plus haut, le **mont Vinaigre**, en quittant la nationale au niveau de la maison forestière du Malpey. Du haut de ses 618 m, ce belvédère offre un **panorama** époustouflant des Alpes

jusqu'à la Sainte-Victoire. L'OT organise des visites dans l'Estérel.

Aquatica
RN 98
☎ 04 94 51 82 51
Ouv. t. l. j., juin-sept., 10 h-18 h (19 h juil.-août).
Accès payant.
Huit hectares consacrés à tous les plaisirs aquatiques : l'interminable « pentaglisse », le « kamikaze » ou toboggan de l'extrême, la plus grande piscine à vagues d'Europe… La lagune de l'aventure vous transportera dans un univers tropical.

Le Muy
5 km à l'O. de Roquebrune-sur-Argens
On se bouge !
Ce plaisant village déborde d'activités et d'animations : au pied de l'église, le grand marché du dimanche offre ses étals de fruits, légumes et produits du terroir : olives, amandes, cerises, vins… En famille, les activités

ne manquent pas : parcours aventure (le Vallon perdu, ☎ 04 94 45 11 43), jardin de César et Léonie (☎ 04 94 45 11 43), canoë-kayak sur l'Argens (☎ 04 94 45 90 99), pêche et de nombreuses balades pédestres dans les massifs environnants. (Rens. à l'OT, ☎ 04 94 45 12 79.)

Le Capitou

6 km au N. de Fréjus

Flamants roses et hippopotames

Parc zoologique de l'Estérel

☎ 04 94 40 70 65

Ouv. t. l. j. 10 h-17 h 30 ; mai-sept., 9 h 30-18 h. *Accès payant.*

Les 20 ha du parc zoologique de Fréjus se découvrent en voiture. Tigres, bisons, hippopotames, flamants roses, autruches… y vivent en liberté. Les enfants adoreront la colonie de gibbons (spectacle de dressage t. l. j. à 15 h pendant les vac. scol.).

4 km au N.-O. par N 7 et D 4

La mosquée de Missiri

Rue des Combattants-d'Afrique-du-Nord

UN ROCHER SPECTACULAIRE

Roquebrune-sur-Argens
12 km à l'O. de Fréjus
Site classé entre Maures et Estérel, le rocher de Roquebrune domine la vallée de l'Argens de ses 373 m de grès rouge. Un relief exceptionnel orné de quelques vestiges mégalithiques à découvrir absolument à pied en empruntant le GR 51 ou en vélo en suivant le circuit balisé n° 20 (rens. au CDT du Var).

Réplique réduite de celle de Djenné au Mali, sa silhouette massive en ocre rouge s'élève dans une pinède. Les marabouts et les fausses termitières, implantées devant la mosquée, évoquent l'Afrique des tirailleurs sénégalais pour lesquels elle a été édifiée.

Saint-Raphaël

3 km à l'E. de Fréjus
Une ville lumière

Très fréquentée en hiver au siècle dernier par des gens célèbres et fortunés, la ville a gardé de cette époque son vieux port bordé d'immenses platanes et son agréable plage du Veillat. Au-dessus trônent les roches pourpres du Lion de mer et du Lion de terre. Avec son **casino**, sa curieuse **église** de style byzantin et des **quartiers chic** comme Notre-Dame ou Valescure, Saint-Raphaël offre de jolies promenades (visites guidées payantes avec l'OT, mer. 10 h-11 h 30). De la mi-déc. à début janv., la

Repères

E3-E4 *(rabat avant)*

Var

Activités et loisirs

Randonnée à pied et en vélo à Roquebrune
Visite guidée de Saint-Raphaël
Golfs de Saint-Raphaël

Avec les enfants

Parc zoologique
Aquatica
Activités nature au Muy

À proximité

Sainte-Maxime (19 km S.-O.), p. 228.
Cannes (30 km N.-E.), p. 240.

Offices de tourisme

Saint-Raphaël :
☎ 04 94 19 52 52
Fréjus : ☎ 04 94 51 83 83

ville s'illumine et accueille des spectacles de rue pour ses « Fêtes de la lumière ».

Golf de l'Estérel

À la sortie de Saint-Raphaël, par A 8
☎ 04 94 52 68 30
Ouv. t. l. j. 7 h 40-18 h 15.
À 3 km des plages de Saint-Raphaël, ce superbe golf (de 18 trous, par 71) s'étend sur 40 ha de pinède et plonge jusqu'à la mer. Tennis, piscine et 50 postes de practice sont également à votre disposition. Trois autres golfs : un 18 trous à Valescure (☎ 04 94 82 40 46) et deux 9 trous : golf du Cap Estérel (☎ 04 94 82 55 00) et golf Académie (☎ 04 94 44 64 65).

La côte de l'Estérel
criques sauvages et rochers rouges

C'est la corniche d'Or, somptueuse, rocheuse et rougeoyante… Son tête-à-tête avec la mer bleue offre, de Saint-Raphaël à Cannes, excursions sur les hauteurs et petites plages protégées. Partout, criques et îlots s'insèrent dans un décor autrefois rehaussé d'une touche de vert. Hélas, forêts de pins et de chênes-lièges ont été sérieusement endommagées par des incendies.

Cannes

Pic du Cap-Roux

Pointe de l'Esquillon

Boulouris

Îles d'Or

en bleu (2 h aller-retour) au sémaphore (superbe vue), en traversant le parc forestier du cap du Dramont. À vos pieds, de magnifiques calanques et, au large, l'île d'Or, qui a inspiré Hergé pour son album de Tintin, *L'Île noire*.

Sentiers dans les maquis

Les incendies successifs ont fini par façonner l'actuel visage du massif, coiffé de maquis. Par endroits, la forêt primitive a presque disparu. Rien d'étonnant donc que l'Estérel soit ultrasurveillé. Un circuit de 45 km ceinture une zone interdite aux véhicules mais traversée de sentiers bien balisés.

Boulouris
4 km à l'E. de Saint-Raphaël, sortie est
Des boules et des bains

Son nom vient de « jeu de boules ». Rendez-vous sur « l'estanque » (bd de la Paix), les concours permanents y sont ouverts à tous. Côté baignade, 8 plages nichées au creux de criques sont reliées par le sentier du littoral. Empruntez-le à partir du port de Saint-Raphaël ou d'Agay (2 h 30 de bout en bout).

Le Dramont
4 km à l'E. de Boulouris
Balade forestière

C'est sur cette plage que les soldats américains ont débarqué le 15 août 1944. À droite de la route, une stèle rappelle l'événement. Garez-vous un peu plus loin, au parking du Camp-Long, et montez par le sentier balisé

Agay
2 km au N. du Dramont
Excursions en mer

Guy de Maupassant l'a décrite comme l'**une des plus belles rades de la Côte d'Azur**… Les roches rouges du Rastel qui la surplombent embellissent ce site, point de départ de splendides excursions en mer. Au port, embarquez pour Saint-Tropez ou les îles de Lérins (en été), les calanques et les merveilles de la corniche d'Or (avr.-sept.). Ou bien partez à la découverte des **fonds marins**, dans des bateaux spécialement aménagés (**Bateaux de Saint-Raphaël**, ☎ 04 94 95 17 46 ; **Agay Aquavision**, ☎ 04 94 82 75 40 ; départs toutes les heures, 10 h-18 h).

Anthéor

7 km à l'E. d'Agay
Escalade du pic

Le long de la N 98, à la pointe de l'Observatoire, garez votre voiture et montez à pied vers le splendide **pic du Cap-Roux** (452 m). Une route forestière vous conduit en 2 h au plus **somptueux panorama** de la corniche d'Or.

Théoule-sur-Mer

16 km au N. d'Anthéor
La pointe de l'Esquillon

Sortie N. de Miramar
On y aperçoit les îles de Lérins, où fut enfermé le Masque de fer, et la grande baie de Cannes… Ne ratez pas la **splendide vue circulaire** de cette pointe, à laquelle on accède à la sortie nord de Miramar par un sentier qui part de la N 98.

BAPTÊME DE PLONGÉE
Scubapro, centre de plongée
☎ 04 93 75 48 51
Au large du cap de l'Estérel, les fonds s'étagent de 0 à 48 m. Sous l'eau, roche, faune et flore donnent un paysage aussi magnifique qu'à l'extérieur. Au centre Scubapro, enfants et adultes peuvent passer leur baptême de plongée sous-marine, ou plus s'ils sont expérimentés.

Fabrication de vitraux
Michel Gaston
L'Esquillon
Rte de la Corniche-d'Or
☎ 04 93 75 40 26
Accès gratuit.
Dans cette petite fabrique arti-

sanale de vitraux, les artisans verriers continuent à travailler devant vous, en répondant à vos questions… Regardez-les calibrer, découper le verre

teinté, émailler, vaporiser, et demandez-leur de vous expliquer comment ils réalisent le modèle exposé à l'entrée. La cuisson dure 2 h et il faut attendre 18 h avant de travailler le verre ! Un travail fascinant au pays des couleurs.

Repères
E3 *(rabat avant)*

Var

Activités et loisirs
Sentiers dans le maquis
Concours de boules
Visite d'une fabrique de vitraux

Avec les enfants
Baptême de plongée
Excursions en mer
Balade forestière

À proximité
Cannes (env. 25 km N.-E.), p. 240.

Offices de tourisme
Saint-Raphaël :
☎ 04 94 19 52 52
Théoule-sur-Mer :
☎ 04 93 49 28 28

Pays de Fayence
royaume des villages perchés

Accrochés aux premiers contreforts des Préalpes, Fayence, Seillans, Mons, Tourrettes, Saint-Paul-en-Forêt ou Montauroux sont autant d'étapes de charme où il fait bon s'arrêter. À l'automne, le festival de quatuor à cordes « Musiques en pays de Fayence » fait jouer les villages perchés de Fayence à l'unisson.

Fayence

Au fil des ruelles

En parcourant les vieilles ruelles étroites et pentues de ce beau village perché, on accède au sommet de la colline où s'élançait autrefois le château. Dans l'**église Saint-Jean-Baptiste** (XVIIᵉ s.), belles fresques du XIXᵉ s. À la sortie du village, l'écomusée du Pays de Fayence est un vrai conservatoire de l'outil (ouv. t. l. j. ap.-m. sf lun., 15 h-19 h, 18 h en hiver, rens. à l'OT) : moulin à cuillères du XVIIIᵉ s., atelier du forgeron, matériel de bouilleur de cru, cuve à fouler le raisin du XVIᵉ s…

Figé dans la cire

L'artisanat n'est plus aussi vivace qu'autrefois à Fayence : ceux qui se sont installés pour travailler le bois ou la terre ne trouvent pas toujours de repreneurs lorsque sonne la retraite. Heureusement, le Cirier du pays de Fayence (☎ 04 94 84 79 68. Stages sur r.-v.) installé dans le quartier La Ferrage, fabrique d'étonnantes bougies sculptées et modelées, et fait visiter son atelier. Et **Armelle Barbiéri-Naulin** (☎ 04 94 76 29 14) est toujours experte en douceurs à base de miel : nougatines, nougats, pains d'épices…

Survol en planeur
Centre de vol à voile Aérodrome, quartier Malvoisin
☎ **04 94 76 00 68**
Réserver quelques jours avant.
Pour mieux admirer la

dentelle de la côte, rien de tel qu'une envolée dans l'azur. L'aérodrome de Fayence-les-Tourrettes est un ancien terrain militaire devenu au fil des ans le centre de vol à voile le plus réputé d'Europe. Avec des instructeurs patients et de bons guides, vous pouvez vous offrir un baptême de l'air en planeur (60,98 €).

Mons

13,5 km au N. de Fayence
La folie des hauteurs

Perché entre ciel et terre, à 800 m d'altitude, Mons domine un territoire aménagé en restanques couvertes d'oliviers. Sa jolie **église romane** possède un mobilier d'une rare beauté. Depuis la table d'orientation (place Saint-Sébastien), on découvre par temps clair toute la région. S'il venait à pleuvoir, réfugiez-vous au musée **Marine et Montagne** (rue Pierre-Porre, ☎ 04 94 76 35 66, téléphonez avant de venir) pour jeter un coup d'œil sur les maquettes de navire réalisées avec des allumettes par R. Audibert.

Le circuit des dolmens

Dans le village de Mons, empruntez le sentier qui conduit à la chapelle Saint-Pierre. Vous trouverez les dolmens disséminés sur plusieurs kilomètres : le **dolmen des Riens** se trouve à 400 m de la chapelle, le **dolmen de la**

Colle à 3,5 km du village (près de la ferme du même nom), le **dolmen de la Brainée** à environ 7,5 km de Mons.

L'aqueduc de la Roche-Taillée
S. de Mons par D 56

Cet impressionnant ouvrage romain destiné à alimenter les villes de la côte en eau potable fut creusé à même le roc. À cet endroit, de vaillants ouvriers ont ouvert une tranchée de 50 m de longueur sur 3,6 m de largeur et plus de 10 m de hauteur. Titanesque !

Bagnols-en-Forêt

13 km au S. de Fayence
Les tailleries des gorges du Blavet

Au creux de ces gorges, les hommes ont aménagé depuis des siècles des tailleries de meules à grains dont l'exploitation a perduré depuis l'Antiquité jusqu'au XVIIIᵉ s. Compter 2 h à pied pour atteindre ce site étonnant. Oppidum de la Forteresse et Gorges du Blavet méritent également le détour (rens. à l'OT.)

Seillans

5,5 km à l'O. de Fayence
Village de charme

Ce village perché (à 366 m) possède tout le charme de ses maisons ocrées, harmonieusement resserrées autour de son antique château féodal. Il séduisit le peintre Max Ernst qui y passa les

dernières années de sa vie. Au village, la donation Tanning présente des lithographies de l'artiste (rens. à l'OT).

Cannes, la cité des étoiles

Active, élégante, la ville qui attire les stars déploie ses fastes au fond d'une splendide baie… Palaces, Rolls et casinos animent sans entracte la célèbre Croisette. Derrière cette scène brillante, le charme plus discret du vieux Cannes s'accroche à la colline du Suquet, juste au-dessus du vieux port.

La Croisette

En une heure, faites la revue des palaces (Majestic, Hilton, Carlton, Martinez…) en reliant le palais des Festivals (extrémité ouest) à la pointe de la Croisette (extrémité est). À votre gauche, 3 km de jardins en fleurs et de palmiers séculaires et, sur votre droite, la mer et ses plages privées. Juste avant le Palm Beach, arrêtez-vous devant le port Pierre-Canto (roseraie splendide), où mouillent des yachts somptueux. En fin de balade, faites un saut au n° 47, dans le salon de thé de l'ancien Grand Hôtel construit à la fin du XIXᵉ s.

Baptisé Malmaison, ce musée accueille de belles expos temporaires d'art contemporain (☎ 04 93 38 55 26. F. mar. Accès payant).

Le palais des Festivals

La Croisette
☎ **04 93 39 24 53**
Visites guidées (mer. hors saison).
Voir à l'OT, à droite du grand escalier.
Faites-vous photographier sur les 24 marches de la gloire… Le grand escalier est libre d'accès et garde son tapis rouge toute l'année. Amusez-vous à reconnaître les mains des stars dont les moulages signés forment l'allée des Etoiles (entre 300 et 350 empreintes). Et pénétrez ensuite à l'intérieur : grand auditorium Lumière, théâtre Debussy, salons…(visites guidées gratuites hors congrès, rens. à l'OT). Le soir, venez tenter votre chance au casino Croi-

Tour du Suquet

sette du palais : un vrai casino de star ! (☎ 04 92 98 78 00).

Ciné-Folies

14, rue des Frères-Pradignac
☎ **04 93 39 22 99**
Ouv. t. l. j. sf dim, 10 h 30-12 h 30 et 14 h 30-19 h 30, hors saison, 18 h 30.
Pour les mordus du cinéma, à 5 min du palais des Festivals, le septième art a trouvé son deuxième temple. Faites le plein de cassettes, photos, livres, objets, cartes postales et affiches de films du monde entier… Et emportez surtout celles du

Festival (p. 112), les vraies, que l'on trouve exclusivement ici.

Le musée de la Castre

Le Suquet
☎ 04 93 38 55 26
Ouv. t. l. j. sf mar., juil.-sept., 10 h-12 h et 15 h-19 h ; avr.-juin, 10 h-12 h et 14 h-18 h ; oct.-mars, 10 h-12 h et 14 h-17 h.
Accès payant.
Sur les hauteurs du quartier du Suquet, les communs de l'ancien château des moines de Lérins (XIIᵉ s.) abritent des collections de riches donateurs, tous amateurs de voyages : archéologie méditerranéenne, art primitif, instruments de musique…

Le vieux Cannes

L'ancienne place forte du Suquet a de bien jolis restes. En flânant dans ses ruelles qui grimpent allègrement la colline, on retrouve les témoignages

mêlées des pêcheurs, paysans et aristocrates dont les édifices n'ont pris que quelques rides. Au sommet, la **tour de guet du Suquet** (22 m) offre une belle vue sur la Croisette. Un petit train touristique vous emmène au Suquet depuis le palais des Festivals (☎ 06 14 09 49 39. Autre parcours sur la Croisette).

Canolive

16/20, rue Venizélos
☎ 04 93 39 08 19
Ouv. t. l. j. sf dim., 9 h-19 h.
Une véritable caverne d'Ali Baba. Dans cette maison centenaire, la Provence est tout entière représentée dans deux magasins contigus. À gauche, les produits artisanaux : santons, poteries, faïences de Moustiers… À droite, l'épicerie régionale : huile d'olive, miel, herbes, vins, savons. L'occasion de rapporter des souvenirs.

Demeures de rêve

Quelques Britanniques bon teint ont transformé l'ancien village de pêcheurs en villégiature d'hiver très sélect. De magnifiques résidences secondaires construites

au XIXᵉ s. affichent leur splendeur dans des styles rococo, baroque ou british : **villas Marie-Thérèse et Victoria**, châteaux Saint-Georges et Éléonore (av. du docteur-Picot, palais Vallombrosa (av. Jean-de-Noailles), villas Madrid (av. du Mal-Juin) et Kazbeck (av. Roi-Albert)… À Cannes, le luxe est monnaie courante ! (Guide gratuit : « Ces belles demeures qui ont fait Cannes », édité par l'OT.)

Shopping et marchés

Au **marché Forville**, rue Louis-Blanc, les pêcheurs vendent le produit de leur sortie en mer (sf lun.). Le jour de relâche, c'est la **brocante** qui s'y installe. Le marché aux fleurs s'installe quant à lui dans les allées de la Liberté (sf lun.) qui accueillent également la brocante le samedi (8 h-18 h). Pour le shopping, rendez-vous dans la **rue piétonne Meynadier**, haute en couleur, et dans l'élégante rue d'Antibes, parallèle à la Croisette et beaucoup plus abordable : joailliers, haute couture et galeries d'art.

Les îles de Lérins
la prison du Masque de fer

P renez le bateau à Cannes et rejoignez « les îles »… Dans la première (Sainte-Marguerite), le mystérieux Masque de fer fut enfermé par Louis XIV. Dans l'autre (Saint-Honorat), de paisibles moines occupent encore une superbe abbaye, loin des brouhahas du monde… Ici, la nature intacte – mais un peu aménagée – offre d'inoubliables promenades et de belles criques où se baigner. La circulation automobile est interdite.

Visiter les îles
Embarcadère des Îles
Quais Laubeuf, Albert-Édouard et de la gare maritime
☎ 04 92 98 70 42
Départ ttes les heures en été 7 h 30-17 h. Retour à 18 h et 19 h.
Tarifs : env. 6,8 € (Sainte-Marguerite), 7,6 € (Saint-Honorat), 10,6 € (les deux).
À 10 min au large de Cannes, Sainte-Marguerite et Saint-Honorat bénéficient d'un site préservé et d'une histoire riche en événements. Embarquement immédiat pour une jolie balade.

île sainte-Marguerite
Le fort royal
☎ 04 93 43 45 47
Ouv. t. l. j. sf mar., 10 h 30-12 h 15 et 14 h 15-18 h 30 (jusqu'à 16 h 30 hors saison). F. janv.
Accès payant.
Musée de la Mer
☎ 04 93 43 18 17
Ouv. t. l. j. sf mar. et certains j. fér., 10 h 30-12 h 15, 14 h 15-16 h 30 (18 h 30 en juil. et août, 17 h 30 avr.-juin).
Accès payant.
Ancré sur la falaise, au nord,

on y entrait pour ne jamais en ressortir. Visitez les cellules des prisonniers célèbres qui s'y sont succédé : le Masque de fer, les sept huguenots, le maréchal Bazaine. Repérez l'abrupt par lequel se serait évadé le maréchal en 1874, par une simple corde au-dessus des flots déchaînés…
À l'entrée, le **musée de la Mer** rassemble les épaves romaines

SENTIER BOTANIQUE

L'île couvre 150 ha d'une riche végétation méditerranéenne : pins d'Alep, eucalyptus... entretenue et protégée par l'Office national des forêts. En été, des guides de l'ONF organisent des visites naturalistes sur le sentier botanique.

Depuis le fort, vous partez à la découverte des essences locales : l'allée des Eucalyptus et l'étang salé de Batéguier, peuplé d'oiseaux marins, méritent le détour.

découvertes autour de l'île. Ne manquez pas les peintures murales de l'artiste Jean Le Gac qui s'est réellement enfermé dans le fort pour le peindre !

Dernières nouvelles du Masque de fer

Les suppositions les plus rocambolesques ont été échafaudées sur ce pauvre Masque de fer : rien de moins que 60 identités ont été avancées dont celles – très connues – du frère jumeau, aîné ou cadet de Louis XIV, du fils adultérien d'Anne d'Autriche ou même du père présumé de Louis XIV qui ne serait donc pas Louis XIII mais le duc de Beaufort... de quoi s'y perdre ! Aux dernières nouvelles, le Masque de fer serait un valet du nom d'Eustache Danger qui aurait surpris, en prison, des confidences entre

Fouquet, ex-surintendant des finances de Louis XIV et le comte de Lauzin... Ce qui est sûr, c'est qu'il resta bien onze ans enfermé dans le fort !

Île saint-Honorat

Le tour de l'île

Départ de l'embarcadère

Sous les pins, longez la côte par un magnifique sentier ombragé. Vous croiserez les 7 chapelles qui ornent cette île cistercienne, dont La Trinité (à la pointe est) et Saint-Sauveur (au nord-ouest), qui ont conservé leur aspect d'origine (Ve s.). À la pointe Saint-Ferréol, l'étonnant four installé par Bonaparte était destiné à chauffer les boulets de canon. Au centre de l'île, vignes, orangeraies et champs de lavande sont cultivés par les moines...

Le monastère-forteresse

☎ 04 92 99 54 00
www.abbayedelerins.com
Ouv. t. l. j. 9 h-16 h 30 (jusqu'à 17 h 30 en été).
Accès payant en juil.-août (visites guidées).

C'est l'un des plus beaux spécimens de l'architecture féodale de Provence. Il a les pieds dans l'eau, sur une pointe avancée de la côte sud. Les moines cisterciens ont vécu ici pendant plus de sept siècles, à l'abri des attaques de pirates. On y pénètre par une porte placée à 4 m du sol, autrefois dotée d'une simple échelle, et la visite des étages supérieurs laisse imaginer ce qu'était leur vie cloî-

trée... jusqu'à la Révolution. Vue remarquable du sommet.

La vendange des moines

Lérina SARL
☎ 04 92 99 54 10 / 12
Vente au monastère.

Une trentaine de moines fidèles à la règle de Saint-Benoît vivent encore sur l'île, cultivant 7 ha de vignes de différents cépages. Rouges, blancs, Lérina verte et jaune, liqueurs de mandarine, verveine, eau-de-vie, leur production est réalisée avec les plantes aromatiques qui poussent sur l'île. Chaque année, 20 000 bouteilles sont commercialisées.

Mougins
beau comme un tableau

E nroulée en spirale comme un coquillage, la cité autrefois fortifiée domine, légèrement en retrait, la baie de Cannes. Sur cette jolie colline, Picasso a signé ses dernières œuvres et Winston Churchill y a aussi taquiné le pinceau… Elle inspire toujours d'innombrables artistes et accueille les stars qui s'évadent, en mai, du Festival de Cannes.

Mougins

Le vieux village

Étourdissez-vous dans les ruelles de cette cité-escargot dont la liste des habitants célèbres se renouvelle en toute discrétion. Parmi eux, c'est Picasso qui marqua le plus fortement le village de son génie. En 1937, il s'installa tout d'abord à l'hôtel Vaste Horizon (actuel hôtel des Muscadins) avant d'habiter av. de l'Orangeraie, jusqu'à la fin de sa vie. Par la porte sarrasine, seul vestige des remparts du XIVe s., entrez dans l'église Saint-Jacques. Du clocher, la vue y est imprenable (ouv. t. l. j. sf lun. et mar., 10 h-12 h et 14 h-18 h (10 h-20 h juil.-sept.) ; 14 h-18 h le dim. et j. fér. F. en nov.

Notre-Dame-de-Vie

2 km S.-E. par D 3
Churchill y a livré une bataille artistique. Il a planté son chevalet devant cette chapelle typiquement provençale du XIIe s., légèrement à l'écart du village. Remarquez son porche en plein cintre à 3 arcs et le sanctuaire voisin où l'on « ressuscitait » autrefois les nouveau-nés mal en point. À l'intérieur, très beau retable du XVIe s.

Le musée de l'Automobile

Entre Antibes et Cannes, par A 8, en venant de Nice, aire des Bréguières
☎ **04 93 69 27 80**
Ouv. t. l. j. 10 h-18 h ;
jusqu'à 19 h en été.
F. nov.
Accès payant.
Dans ce musée construit en 1984 par Adrien Maeght, plus d'une centaine de voitures en état de marche retracent l'histoire de l'automobile, de 1894 à nos jours.

Contemplez les premières machines à moteur, les modèles prestigieux (Benz, Bugatti) et les dernières voitures de course…

LA CITÉ DES GRANDS CHEFS

Mougins a toujours attiré des chefs prestigieux. Dans les années 1930, le célèbre Célestin Véran cuisinait des bouillabaisses pour les grands de ce monde, dont le très fidèle duc de Windsor. Puis Roger Vergé a transformé, en 1969, le moulin à huile du village en restaurant. Aujourd'hui, il y propose des cours de « cuisine du soleil ». Assis à une petite table de bistrot, vous pouvez déguster, questionner, prendre des notes et… essayer ensuite à la maison. Le programme varie chaque jour au gré du marché. Renseignements au ☎ 04 93 75 35 70.

Le parc de la Valmasque

Accès par D 35, vers Antibes

On pénètre dans ce superbe parc de 427 ha par l'étang de Fontmerle, à l'est de Mougins. Ses eaux attirent de nombreux oiseaux migrateurs et sont recouvertes d'immenses lotus roses au mois d'août (la plus belle colonie d'Europe). Le long de la D 35, empruntez les itinéraires balisés (en vert) qui sillonnent les 3 collines couvertes de pins et de chênes méditerranéens avec, dans les clairières, des jeux de plein air pour les enfants…

Le musée de la Photographie

Porte Sarrasine
☎ 04 93 75 85 67
Ouv. t. l. j. sf lun. et mar., 10 h-12 h et 14 h-18 h

Repères

E3 *(rabat avant)*

Alpes-Maritimes

Activités et loisirs

Golf
Musée de l'Automobile
Musée de la Photographie
Cours de cuisine au Moulin de Mougins

Avec les enfants

Le parc de la Valmasque

À proximité

Biot (10 km E.), p. 262.
La vallée du Loup (20 km N.), p. 264.

Office de tourisme

Mougins : ☎ 04 93 75 87 67

(10 h-20 h juil.-sept., 14 h-18 h le dim. et j. fér.). F. nov.
Accès payant.
Picasso en pleine période Mougins y est immortalisé au naturel et au travail par les plus grands photographes du siècle : Robert Doisneau, Jacques-Henri Lartigue, André Villers, Raph Gatti (2ᵉ étage). Au premier niveau, admirez une collection d'antiques appareils photographiques. Les clichés, quant à eux, sont exposés à tour de rôle au rez-de-chaussée.

Saint-Cézaire-sur-Siagne
10 km au N. de Pont-de-Siagne

Mougins, très golf

La tradition golfique est une évidence à Mougins qui cultive cette passion sur 2 magnifiques parcours : le golf Cannes-Mougins qui court sur 60 ha (☎ 04 93 75 79 13) et le Royal Mougins golf club, un 18 trous dont le périlleux n° 2 baptisé « saut de l'Ange »… (☎ 04 92 92 49 69).

La vallée de la Siagne

D ans cet arrière-pays verdoyant, les gorges de la Siagne forment une somptueuse frontière naturelle entre Grasse et Fayence. Artisanat d'art, découvertes souterraines et balades dans les parcs et les villages composent le menu touristique de cette jolie vallée.

La-Roquette-sur-Siagne

2 km à l'O. de Mougins

Parc de sculptures du Caillenco

1411, bd du 8-Mai
Ouv. tte l'année sf jours de pluie. Visite guidée sur r.-v. Accès payant.
Dans un grand parc provençal, des artistes renommés ont réalisé des « plantations » d'art contemporain… Autour d'une bastide du XVIIIe s., leurs sculptures cohabitent avec la faune et la flore naturelles de ce lieu. Laissez-vous séduire par cette initiative originale, enrichie aux beaux jours par la présence de poètes, musiciens et acteurs…

Auribeau-sur-Siagne

3 km à l'O. de la Roquette

Village perché

Parmi les plus pittoresques villages perchés de la Côte d'Azur, Auribeau s'accroche à son piton rocheux et laisse la rivière en bas… Au XIIe s., il fallait d'abord se protéger des envahisseurs, avant même de songer à se désaltérer… Dans ce village préservé, entrez par le portail Soubran (XVIe s.) et suivez les ruelles étroites qui grimpent vers l'église (jolie vue) ou redescendent vers la rivière nourricière.

Le cirier d'Auribeau

Moulin du Sault
D 9
☎ 04 93 40 76 20
Ouv. t. l. j. 9 h-12 h et 14 h-18 h 30.
On y travaille la cire dans les caves d'un moulin au décor moyenâgeux. Devant vous, le cirier colore les bougies, les parfume et les décore de fleurs des champs séchées.

Pont-de-Siagne

16 km au N. d'Auribeau-sur-Siagne

Les bambous du Mandarin

Rte de Draguignan
D 562
☎ 04 93 66 12 94
Ouv. sam. mars-nov., 8 h-18 h et sur r.-v.

Repères

E3 *(rabat avant)*

Alpes-Maritimes

Activités et loisirs

Gorges de la Siagne
Visite du cirier à Auribeau
Les bambous du Mandarin
Brocante de mai à
Montauroux

Avec les enfants

Les grottes de Saint-Cézaire

À proximité

Biot (10 km E.), p. 262.
La vallée du Loup
(20 km N.), p. 264.

Office de tourisme

Saint-Cézaire-sur-Siagne :
☎ 04 93 60 84 30

Grand spécialiste (et amoureux) du bambou, Benoît Béraud cultive, sur les bords de la Siagne, cette plante raffinée mais inflexible. Parmi la trentaine de variétés disponibles, originaires des quatre coins du globe, choisissez celle qui agrémentera votre intérieur ou votre jardin et demandez-lui, en prime, comment on peut les cuisiner.

Saint-Cézaire-sur-Siagne

10 km au N. de Pont-de-Siagne

Grottes et gouffre

☎ 04 93 60 22 35
Ouv. t. l. j. juin-sept., 10 h 30-12 h et 14 h-18 h ; juil.-août, 10 h 30-18 h 30 ; hors saison, 14 h 30-17 h. F. 1er nov.-15 fév., sf dim. ap.-m. *Accès payant.*
Descendez à 50 m sous terre, dans un univers rougeoyant parsemé de splendides concrétions… Ces grottes ont été mises au jour il y a un siècle par un coup de pioche

hasardeux. Suivez le parcours qui traverse la salle des Draperies, puis celle des Orgues… avant de se terminer au bord d'un gouffre impressionnant, à côté de l'Alcôve des fées. Température ambiante : 14 °C.

Les gorges de la Siagne

Sortie de Saint-Cézaire vers Saint-Vallier par D 105
On les contemple depuis le village féodal de Saint-Cézaire, qui les domine (point de vue au bout de l'itinéraire balisé depuis l'église). On les découvre

ensuite en voiture en suivant sur 5 km une route étroite qui monte vaillamment à l'assaut des hauteurs évasées de ces gorges verdoyantes et profondes. À l'endroit où le pont franchit la rivière, on peut se retourner pour admirer la vue en enfilade sur le canyon. Magnifique.

Montauroux

14 km au S.-O. de Saint-Cézaire

Brocante de mai

☎ 04 94 47 75 90 (OT)
1er ou 2e dim. de mai.
Près de 200 exposants investissent tantôt les hauteurs du village médiéval, place du Clos, tantôt la partie basse du village. De nombreux entrepôts d'antiquaires et de brocanteurs sont également installés le long de la D 562.

Grasse et ses parfums

Capitale des parfums, on y fabrique les deux tiers de la production française, et son marché aux fleurs se tient tous les jours place aux Aires, dans un décor pittoresque de vieilles maisons aux jardins étagés. Ici, le climat est d'une douceur telle que la sœur de Napoléon venait y passer l'hiver, tout comme la reine Victoria (d'Angleterre).

Les grands parfumeurs

Fragonard
20, bd Fragonard
☎ 04 93 36 44 65
Galimard
73, rte de Cannes
☎ 04 93 09 20 00
Molinard
60, bd Victor-Hugo
☎ 04 93 36 01 62

Musée international de la Parfumerie

Salon des Parfums
ZI des Bois de Grasse,
Av. E.-Rouquier
☎ 04 93 09 00 04
Parfumerie Guy Bouchara
14, rue M.-Journet
☎ 04 93 40 07 29
Parfumerie de Grasse
Atelier ZI Tiragon,
50, ch. du Puit-du-Plan
☎ 04 93 75 16 00
Visites guidées gratuites t. l. j.

Découvrez comment s'élaborent les fragrances délicates qui inondent le monde entier, en visitant les ateliers des trois grands noms locaux – Fragonard, Galimard et Molinard – et des autres parfumeurs. De la fleur au flacon, toutes les étapes de la fabrication des grands parfums débouchent dans l'étonnant laboratoire du « nez », sorcier des senteurs, qui peut reconnaître jusqu'à 500 odeurs différentes !

Le musée international de la Parfumerie

8, pl. du Cours-H.-Cresp
☎ 04 93 36 80 20 / 01 61
Ouv. t. l. j. juin-sept., 10 h-19 h ; oct.-mai., 10 h-12 h 30 et 14 h-17 h 30.
Accès payant.
Dans ce musée qui ne sent pas la poussière, découvrez l'histoire des industries du parfum, les techniques d'extraction des essences et l'évolution des arts de la toilette et du flacon. Vous pouvez aussi tester votre aptitude à la composition parfumée (visite guidée et animation olfactive sur r.-v.).

Le musée d'Art et d'Histoire de Provence

2, rue Mirabeau
☎ 04 93 36 01 61
Mêmes horaires que musée de la Parfumerie.
Accès payant.

Le meilleur de la Provence, dans un superbe hôtel du XVIIIᵉ s. Plongez dans l'histoire régionale, de l'époque préhistorique (objets provenant des fouilles locales) aux derniers apports de la modernité, sans oublier les arts (peinture, faïences, céramiques…), le mobilier (chambres meublées) et les traditions populaires.

La villa Fragonard
23, bd Fragonard
☎ 04 93 36 01 61
Mêmes horaires que musée de la Parfumerie.
Accès payant.
Le célèbre peintre, enfant de Grasse, s'y réfugia pendant la Révolution. Admirez au rez-de-chaussée la copie des superbes panneaux (désormais à New York) qu'il avait peints pour Mme du Barry, puis les talents des membres de sa famille : dans l'escalier, les œuvres de son fils qui s'essayait dès 14 ans à l'art du trompe-l'œil. Dans l'hôtel de Clapiers Cabris (2, rue Jean-

Ossola, ☎ 04 93 36 44 65), Fragonard a aussi installé un musée provençal du costume et du bijou.

Le domaine de Manon
36, ch. du Servan-Plascassier
☎ 04 93 60 12 76
Roses : mai à mi-juin, de préférence en début d'ap.-m. pour voir la cueillette. Jasmin : 20 juil.-fin oct., visites tôt le mat. (8 h-10 h). Visites guidées sur r.-v.
Accès payant.
On y cultive depuis 3 générations les roses et le jasmin,

Fragonard, *La Chemise enlevée*

destinés aux parfumeries de Grasse. Hubert Biancalana vous accueille dans ses immenses champs colorés et odorants à l'époque des cueillettes (les roses d'abord, puis le jasmin, tout blanc). Un grand bol de senteurs sur un coteau baigné de soleil… Savez-vous qu'il faut 200 à 1 000 kg de pétales (soit environ 1 million de fleurs !) pour obtenir un litre d'essence ?

Grasse d'antan
3, rue des Moulinets
☎ 04 93 40 07 29
Ouv. t. l. j. avr.-11 nov., 10 h-19 h.
Accès payant.
Dans une petite rue du vieux Grasse, ce nouveau musée donne l'image vivante de Grasse au XIXᵉ s. : 150 santons en costumes, des maquettes de sites et monuments comme la cathédrale et son clocher à étages et une belle collection d'étiquettes de parfumerie.

CRÉER SON PROPRE PARFUM
Molinard et Galimard vous proposent de composer votre propre parfum. On évalue votre sensibilité olfactive avant d'expliquer l'architecture d'un bon parfum. Ensuite, vous avez le nez libre, tout en respectant notes de tête, de cœur et de fond (env. 34 € le flacon de 100 ml). Fragonard propose un stage d'aroma-synergie afin d'apprécier, en 2 h tapantes, les vertus des huiles essentielles.

Repères
E3 *(rabat avant)*
Alpes-Maritimes

Activités et loisirs
Visite de parfumeries
Créer votre parfum et stage d'aroma-synergie

Avec les enfants
Musée Grasse d'antan
Domaine de Manon

À proximité
*Cagnes-sur-Mer (25 km E.), p. 256.
Vence (25 km N.-E.), p. 260.
Biot (20 km E.), p. 262.
La vallée du Loup (10 km N.-E.), p. 264.*

Office de tourisme
Grasse : ☎ 04 93 36 66 66

Le domaine de Manon

Vallauris
la cité des potiers

Dans les collines avoisinantes plantées d'oliviers, des fumées signalent les ateliers de poterie. Car depuis les années 1950, Vallauris célèbre à nouveau ses épousailles avec la terre. Il faut dire que Picasso est passé par là. Son génie a ouvert la voie à une nouvelle production complètement tournée vers l'art décoratif. Jean Marais y avait également élu domicile.

Flâner dans la ville

Visites guidées de la ville en été, rens. à l'OT. Dévastée par la peste, Vallauris est entièrement rasée au XIVᵉ s. Son visage actuel est un héritage du XVIᵉ s., avec un plan en damier qui ménage peu de surprises. Reste que la **place Paul-Isnard**, le cœur vivant de la cité où se tient tous les matins le **marché**, s'enorgueillit à juste titre d'une belle statue en bronze de Picasso, *L'Homme au mouton*, que l'artiste offrit à la ville dont il était citoyen d'honneur.

Peintures et céramiques

Château-musée
☎ 04 93 64 16 05
Ouv. t. l. j. sf mar., 10 h-12 h et 14 h-18 h. En été, 10 h-18 h 30. *Accès payant.*
Le château de Vallauris,

ancien prieuré de Lérins reconstruit au XVIᵉ s., est l'un des rares édifices Renaissance de la région. Les 3 grands musées de la ville y ont trouvé leur place. Il y a (c'était inévitable) le **musée national Picasso** et sa gigantesque œuvre *La Guerre et la Paix* (125 m²) peinte dans la chapelle du château. Picasso encore et toujours au **musée de la Céramique**, au milieu

d'autres créations du début du XXᵉ s. ou plus récentes. Le troisième musée est consacré au peintre **Alberto Magnelli** (1888-1971).

La galerie Madoura
Av. Suzanne-et-Georges-Ramier
☎ 04 93 64 66 39
Ouv. t. l. j. sf w.-e., 10 h-12 h 30 et 14 h 30-18 h (jusqu'à 19 h en été).
On s'y rend pour découvrir de très belles céramiques. Mais aussi parce que c'est là que Picasso s'initia à cet art avec le sculpteur Prinnier et les potiers Suzanne et Georges, qui dirigeaient à l'époque la fabrique Ramier. Aujourd'hui, l'atelier, outre sa propre production, édite les céramiques de Picasso.

Fans de poterie
Les apprentis potiers sont ici les bienvenus ! Après une première

FLEURS D'ORANGER

Coopérative agricole du Nérolium
12, av. Georges-Clemenceau
☎ 04 93 64 27 54
Ouv. t. l. j. sf dim., 8 h-12 h 30 et 15 h 30-19 h ; lun. ouv. 9 h., sam ap.-m. 15 h.
Vallauris est aussi un important centre de distillation et de production de fleurs. On y traite la fleur d'oranger, la rose et le jasmin. Après distillation, la première donne la fameuse essence de néroli, qui est employée dans les eaux de Cologne réputées. Profitez de votre séjour pour visiter cette coopérative agricole datant de 1904. Vous pourrez y acheter eau de toilette, eau de fleur d'oranger.

visite au **musée de la Poterie** (rue Sicard, ☎ 04 93 64 66 51), ils visitent un atelier (rens. à l'OT) et peuvent s'inscrire à un stage de découverte des techniques de la terre (rens. à l'école des Beaux-Arts, ☎ 04 93 63 07 61). Les vrais mordus doivent obligatoirement être présents à Vallauris le 2ᵉ dim. d'août pour la **fête des Potiers** !

Je tire ou je pointe ?
Maison de la pétanque
1193, ch. de Saint-Bernard
☎ 04 93 64 11 36
Ouv. t. l. j. sf dim. et j. fér., 9 h-12 h et 14 h-18 h 30. F. en nov. et le sam. oct.-mars.
Accès payant.
Pour tout savoir sur la pétanque (historique, atelier de fabrication, champions…) tester son « tir au but » et jouer avec des boules bien à sa main, rendez-vous dans ce petit écomusée installé sur les lieux d'une ancienne fabrique.

Repères

E3 *(rabat avant)*
Alpes-Maritimes

Activités et loisirs
Visite de la coopérative agricole du Nérolium
Fête des Potiers

Avec les enfants
Reconstitution du débarquement de Napoléon
Stages de poterie

À proximité
Biot (5 km N.), p. 262.

Offices de tourisme
Vallauris : ☎ 04 93 63 82 58
Golfe-Juan : ☎ 04 93 63 73 12

Golfe-Juan
2 km au S. de Vallauris

Le retour de Napoléon
Chaque année le premier week-end de mars, Napoléon renaît de ses cendres sur la plage de Golfe-Juan. Un bivouac de 200 tentes accueille 400 figurants déguisés en soldats, une vraie troupe napoléonienne qui anime la ville toute la journée : reconstitution du débarquement avec de vieux gréements, bataille terrestre, concert de musique napoléonienne, défilés et menus spéciaux dans les restaurants… Quel spectacle ! (tribunes payantes sur la plage : entre 9 et 14 € la journée, rens. à l'OT).

Le cap d'Antibes
un bord de mer très sélect

Prolongement d'Antibes et de Juan-les-Pins, ce cap étroit est celui des milliardaires. Dans un décor où le pin d'Alep domine, hôtels et villas somptueuses se côtoient dans un tête-à-tête paradisiaque avec la mer… Pour les apercevoir, il faut prendre la mer, mais le tour de la presqu'île à pied constitue déjà une balade enchanteresse.

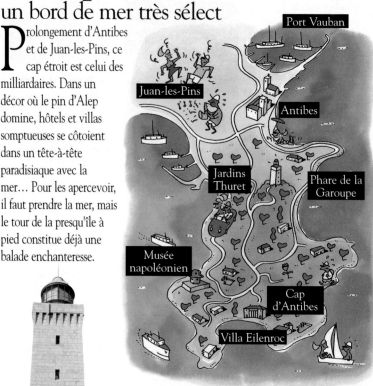

Le phare de la Garoupe
Au sommet de la colline dont il a pris le nom, il embrasse les deux tiers de la Côte d'Azur, de Saint-Tropez à l'Italie ! À côté, la chapelle Notre-Dame-du-Bon-Port (XIIIe-XVIe s.) a accumulé une remarquable collection d'ex-voto marins.

Le jardin Thuret
62, bd du Cap
☎ 04 93 67 88 66
Ouv. t. l. j. sf sam., dim. et j. fér., 8 h-18 h (8 h 30-17 h 30 hors saison). *Accès gratuit pour les individuels.* Ce jardin botanique est le domaine des scientifiques : chercheurs et botanistes de l'INRA y scrutent plus de 3 000 espèces d'arbres et de plantes subtropicales, testent leurs capacités d'adaptation au climat méditerranéen. Mais vous pouvez vous promener dans ces 4 ha exotiques.

Le Musée naval et napoléonien
Av. Kennedy
À côté de l'Eden Roc
☎ 04 93 61 45 32
Ouv. t. l. j. sf sam. ap.-m., dim. et j. fér., 9 h 30-12 h et 14 h 15-18 h. F. en oct. *Accès payant.*
Initialement napoléonien (souvenirs de Napoléon Bonaparte, figurines de soldats…), le musée est actuellement réorganisé pour devenir **musée de la Mer**. Édifié dans l'ancienne batterie du Graillon, son point de vue est magnifique et ses jardins très agréables.

Le chemin du Tire-Poil
Au départ de la plage du Cap d'Antibes, c'est un chemin piétonnier qui s'étire le long d'une multitude de criques et rejoint le chemin des douaniers et la villa Eilenroc. En y flânant, on côtoie la

VILLA EILENROC

Fondation Beaumont
Av. de Beaumont
☎ 04 93 67 74 33

Visite mar. et mer., oct.-fin juin, 9 h-17 h. F. juil. et août.
Accès gratuit.
Garnier, l'architecte des opéras de Paris et de Monaco construisit cette villa pour un richissime Hollandais qui la baptisa Eilenroc, anagramme du prénom de sa femme Cornélie. Le premier étage se visite (le mer. 9 h-12 h et 13 h 30-17 h, accès gratuit) mais ce sont surtout les jardins qui valent le détour : 11 ha plantés d'essences variées avec la mer pour toile de fond.

fameuse « **baie des milliardaires** ». N'oubliez pas vos chaussures si vous voulez vous baigner, l'accès à l'eau n'est pas évident !

La baie des milliardaires en Visiobulle
☎ 04 94 74 85 42
D'avr. à fin sept., de 4 à 7 départs par jour du ponton Courbet à Juan-les-Pins.
Rés. à l'avance,
Accès payant.
Dans le compartiment immergé du Visiobulle, admirez les fonds marins du cap d'Antibes, sa faune colorée, ses herbiers de posidonies… Et, sur le pont, ne manquez pas le spectacle doré de la surface : les villas qui abritent, dans la pinède, les milliardaires. À gauche, le mythique hôtel du Cap, où sont descendues les plus grandes stars : Marlene Dietrich, Douglas Fairbanks, Madonna…

L'Eden Roc
Av. Kennedy
☎ 04 93 61 39 01
Il est si célèbre qu'il en est devenu incontournable, au moins pour le voir ! Cette ancienne villa du fondateur du Figaro, Hubert de Villemessant, fut transformée en hôtel en 1870. Ce palace de rêve a accueilli Chagall, Hemingway, Chaplin, De Niro… L'écrivain F. S. Fitzgerald y a planté le décor de son roman *Tendre est la nuit*. Chambre double en saison de 412 à 503 €.

La capitale de la rose
Roses d'Antibes, Constans et Fils
145, ch. de la Constance
☎ 04 93 33 98 98

Repères
E3 *(rabat avant)*
Alpes-Maritimes

Activités et loisirs
Villa Eilenroc
Roses d'Antibes

Avec les enfants
Jardin Thuret
Chemin du Tire-Poil et baignade dans les criques
Balade en Visiobulle

À proximité
Cagnes-sur-Mer-(10 km N.), p. 256.
Saint-Paul-de-Vence (20 km N.), p. 258.
Biot (10 km N.), p. 262.
Nice (20 km N.), p. 268.

Office de tourisme
Antibes : ☎ 04 92 90 53 00

Ouv. lun.-sam., 8 h-12 h et 14 h-20 h, dim., 9 h-14 h.
Depuis qu'un « fada de Parisien » (le botaniste Thuret) a choisi en 1865 de planter sur le cap d'Antibes « des espèces bizarres qui ne servent à rien » (disait-on à l'époque), ce dernier est devenu la capitale mondiale de la rose. Ne repartez pas sans votre bouquet de roses cultivées par les rosiéristes Constans. Seize variétés de toutes les couleurs vous y attendent. Env. 4 € le bouquet de 10 petites roses.

Antibes et Juan-les-Pins
jolies voisines

S tation balnéaire qui s'est ouverte au tourisme pendant les Années folles, Antibes a bien du charme : un site superbe entre deux anses, un port de plaisance célèbre, une vieille ville aux ruelles tortueuses… Tout séduit dans l'ancienne Antipolis des Grecs. Son charme a inspiré le génie de Picasso. Voisine, Juan-les-Pins vit au rythme du jazz et de la nuit.

Port d'Antibes et fort Carré

Antibes

Le yachts du port Vauban

Les plus beaux navires du monde font escale ici, sous la protection du fort Carré qui pointe ses bastions du XVIe s autour de la tour circulaire (visites guidées, dép. ttes les 30 min ; 10 h-18 h, 16 h 30 hors saison, ☎ 06 14 89 17 45).
À quelques pas du port, dans les remparts du bd d'Aguillon, les anciens bains douches municipaux ont été rénovés et accueillent expos et ateliers (ouv. t. l. j., entrée gratuite).

L'église de l'Immaculée-Conception

C'est en fait l'ancienne cathédrale d'Antibes, dotée d'une tour carrée qui lui sert de clocher. À l'entrée des sanctuaires, ses vantaux de bois sculpté datent de 1710. Dans une petite chapelle, à droite, beau retable de la Madone du Rosaire attribué à Louis Bréa.

Picasso chez les Grimaldi

Pl. Mariéjol
☎ 04 92 90 54 20
Ouv t. l. j. sf lun. et j. fér., 10 h-18 h ;
hors saison, 10 h-12 h et 14 h-18 h.
Accès payant.
Sur l'acropole primitive d'Antibes, le château des Grimaldi servit d'atelier à Picasso en 1946. Le peintre, en vacances à Juan-les-Pins, recherchait de grandes surfaces. Le conservateur du musée lui offrit ce **bel espace ouvrant sur la mer**. Picasso a fait don à la ville de la majorité de ses œuvres réalisées ici, dont la très belle suite d'*Antipolis*. Peintures, dessins et céramiques de ce génie prolifiques côtoient des œuvres de Miró, Ernst,

Picabia, Nicolas de Staël… Des expositions temporaires sont également organisées autour d'artistes contemporains.

Le marché du cours Masséna

Ouv. t. l. j. juin-août, sf lun. sept.-mai, 6 h-13 h. C'est l'un des plus charmants de la région. Les marchands proposent fruits, légumes, fleurs et de merveilleux fromages de chèvre aux olives. Le jeudi et le samedi tout le vieil Antibes accueille un marché à la brocante.

Les amoureux de Peynet

Musée Peynet et du Dessin humoristique
Pl. Nationale
☎ 04 92 90 54 30
Ouv. t. l. j. en été, 10 h-18 h ; oct.-mai, 10 h-12 h et 14 h-18 h.
Accès payant.

Un kiosque à musique – celui de Valence – et deux personnages, un musicien et une spectatrice : les tendres « amoureux de Peynet » sont nés du talentueux coup de crayon de Raymond Peynet. On peut les admirer à travers 300 œuvres que Peynet légua à Antibes : dessins, affiches, costumes, décors de théâtre, porcelaines et sculptures. Des expositions temporaires complètent cette belle collection.

JUAN, MECQUE DU JAZZ

Juan-les-Pins a vu se succéder le swing des Années folles et le be-bop de l'après-guerre avant de se transformer, à partir de 1960, en capitale du jazz. Depuis cette date, la seconde quinzaine de juillet, son festival a accueilli les grands noms de cette musique : Armstrong, Miles Davis, Coltrane… Au fil des ans, de nouvelles vedettes et de nouveaux rythmes s'emparent de la pinède de Gould : Al Jarrau, George Benson, Stan Getz (OT, ☎ 04 92 90 53 05. Places à partir de 25 € et tarifs jeunes).

Juan-les-Pins
2 km au S. d'Antibes
Marineland
À l'entrée d'Antibes
☎ 04 93 33 49 49
Ouv. t. l. j. 10 h-22 h en été (18 h hors saison). Entièrement consacré aux richesses de la mer, ce parc est un vrai festival : le nouveau bassin d'orques est gigantesque ! Sous leur bulle vitrée de 64 m de long sur 4,60 m de haut, les plus grands prédateurs des océans se font bien remarquer. Dauphins, otaries, requins et poissons exotiques ne sont pas en reste dans leur bassins et aquariums (shows nocturnes en juil. et août). Sans oublier la jungle des papillons, la petite ferme

Repères
E3 *(rabat avant)*
Alpes-Maritimes

Activités et loisirs
Le marché de la place Masséna
Le festival de Jazz

Avec les enfants
Marineland

À proximité
*Cagnes-sur-Mer (8 km N.), p. 256.
Saint-Paul-de-Vence (20 km N.), p. 258.
Biot (7 km N.), p. 262.
Nice (20 km N.), p. 268.*

Office de tourisme
Antibes : ☎ 04 92 90 53 00

provençale, le grand parcours de minigolf et, nouveauté 2001, l'Aqua-Splash : 13 toboggans géants et des piscines à ne plus savoir qu'en faire ! (ouv. de mi-juin à mi-sept. 10 h-19 h).

FAITES VOS JEUX !

La Siesta à Antibes ou l'Eden Casino à Juan-les-Pins : joueurs invétérés, vous avez le choix ! Entièrement rénovée, la Siesta est un casino classique avec salles de jeux et de machines à sous, bar, discothèque et restaurant (☎ 04 93 33 31 31). L'Eden Casino a quant à lui choisi le thème de la ruée vers l'or et sa salle de machines à sous semble tout droit sortie d'un western ! On peut visiter ses coulisses en prenant un forfait « passion d'un jour » (10 h-15 h. Env. 23 €, ☎ 04 92 93 71 71).

Cagnes-sur-Mer

et l'estuaire du Var

On y dispute chaque année le championnat de boules… carrées, pour qu'elles ne dévalent pas les pentes abruptes de cet ancien village de pêcheurs. Adoptée par Auguste Renoir et de nombreux artistes, Cagnes-sur-Mer est désormais une station balnéaire très fréquentée. De la superbe cité médiévale des Hauts-de-Cagnes à la gigantesque Marina-Baie des Anges de Villeneuve-Loubet, sa corniche contemple l'une des plus belles baies de la Côte d'Azur.

Cagnes-sur-Mer
Château-musée
Hauts-de-Cagnes
☎ 04 92 02 47 30
Ouv. t. l. j. sf mar.,
1er mai-30 sept.,
10 h-12 h et 14 h-18 h ;
hors saison
10 h-12 h et 14 h-17 h.
Accès payant.
La famille de Monaco aurait

pu habiter ici. Propriété d'un précédent Rainier, ce château féodal possède un joli patio Renaissance et 8 salles basses du Moyen Âge. Au 1er étage, les salles du XVIIe s. accueillaient les réceptions du marquis de Grimaldi.

Les Hauts-de-Cagnes
Navette gratuites au départ de la gare routière.
Aux pieds des remparts et du château, profitez des rues pittoresques du vieux bourg et de ses maisons à arcades (XVe-XVIIe s.). Entrez (par la tribune) dans l'église Saint-Pierre, dotée d'une étonnante double nef (gothique d'un côté, baroque de l'autre). Au fil des escaliers et passages voûtés, admirez la chapelle Notre-Dame-de-Protection

LE MUSÉE RENOIR
Ch. des Collettes
☎ 04 93 20 61 07
Ouv. mai-sept.
t. l. j. sf mar.,
10 h-12 h et
14 h-18 h ;
oct.-avr.,
10 h-12 h et
14 h-17 h.
Accès payant.
Renoir aimait la lumière de ces lieux. Entrez dans sa maison, aujourd'hui transformée en musée (11 tableaux et 13 sculptures de l'artiste et quelques tableaux d'amis). Dans le jardin, des oliviers millénaires entourent un terreplein planté d'orangers et une terrasse couverte de rosiers. À l'image du maître, profitez ici du supplément d'inspiration que représentaient pour lui les couleurs et les odeurs… La propriété bénéficie d'une vue exceptionnelle sur le vieux Cagnes.

(XVIe s.) et ses fresques (rens. à l'OT, la chapelle n'est pas toujours ouverte).

Le parc de Vaugrenier

Repères

E3 *(rabat avant)*

Alpes-Maritimes

Activités et loisirs

Courses hippiques
Créer son parfum

Avec les enfants

Le parc Vaugrenier
Visite du port de pêche
de Cros-de-Cagnes

À proximité

*Grasse (25 km E.), p. 248.
Antibes (8 km S.), p. 254.
Nice (5 km E.), p. 268.*

Office de tourisme

Cagnes : ☎ 04 93 20 61 64

Un tour en pêche

Savez-vous que le port du Cros-de-Cagnes fut le plus grand port des Alpes-Maritimes dans les années 1930 ? À l'époque, près de 300 pêcheurs faisaient vivre 1 000 familles. Revivez cette tradition en participant à la visite hebdomadaire organisée par l'OT : retour de pêche et rencontre avec les pêcheurs, explication de l'aquaculture, achat possible de poisson sur place et petit tour à l'université de la mer (ins. oblig. à l'OT, accès payant).

Un jour aux courses

Parmi les hippodromes incontournables en France, il y a justement celui de Cagnes-sur-Mer. Turfiste ou non, on peut y passer une soirée en famille au sud de Cagnes (N 7). Les nocturnes au trot sont une tradition d'été qui allie beauté du spectacle et excitation des paris (en juil. et août : env. 4,5 €). L'hippodrome organise également un meeting d'hiver de la mi-déc. à la mi-mars (rens., ☎ 04 92 02 44 44).

L'Atelier des parfums

48, ch. des Presses
Dir. Vence.
☎ **04 93 22 69 01**
Ouv. t. l. j. sf dim. 9 h 30-12 h et 14 h-18 h 30. Cette petite entreprise familiale dévoile les us et coutumes du métier de parfumeur : différentes méthodes de traitement des fleurs et des plantes, étapes de préparation et fabrication d'un parfum… On y découvre l'aromathérapie et l'on peut même créer son propre parfum (stage d'env. 2 h 30).

Villeneuve-Loubet
3 km à l'O. de Cagnes-sur-Mer

Musée culinaire Escoffier

Fondation Auguste-Escoffier
3, rue Escoffier
☎ **04 93 20 80 51**
Ouv. t. l. j. sf lun. et j. fér., 14 h-18 h ; jusqu'à 19 h en été. F. en nov.
Accès payant.
Ici a vécu l'inventeur de la pêche Melba… Dans sa maison natale, Auguste Escoffier a laissé la trace d'un savoir-faire célébrissime qui lui a permis d'exporter au début du siècle dernier la cuisine française dans le monde entier. Feuilletez ses livres de cuisine, visitez sa cave, son potager provençal et admirez l'incroyable collection de 1 500 menus qui côtoient d'invraisemblables pièces montées en sucre.

Le parc de Vaugrenier

Av. du Logis-de-Bonneau
N 7 après Villeneuve-Loubet.
Sur 21 ha de prairies et 72 ha de bois, plan d'eau douce et flore protégée ornent ce joli parc où s'ébattent canards, aigrettes, hérissons et renards. Les Romains ne s'y étaient pas trompés, qui s'étaient installés dans ce havre il y a 2 700 ans (allez voir les vestiges). Les promeneurs arpenteront 11 km de promenades balisées.

Saint-Paul
cité des artistes

Le village médiéval de Saint-Paul, domine les collines de l'arrière-pays. Par la volonté de François Ier, cette cité tortueuse est devenue ville royale au XVIe s. : ses maisons seigneuriales (très restaurées) en témoignent. À l'imitation de Prévert, Pagnol, Signoret et Montand, poètes, artistes et peintres, inspirés par l'exceptionnelle lumière du lieu, s'y donnent plus que jamais rendez-vous.

Les remparts

Ils sont quasi intacts depuis que François Ier les a faits construire au XVIe s. Faites le tour de la cité en suivant l'ancien chemin de ronde, à partir des portes nord ou sud (vue remarquable sur les Alpes, le cap d'Antibes et l'Estérel). Dans la vieille ville, les maisons anciennes (XVIe-XVIIe s.) regorgent de galeries et d'ateliers d'artisanat d'art, notamment dans la rue Grande, artère centrale piétonne et animée.

L'église collégiale

Plusieurs siècles se retrouvent dans ces beaux bâtiments : le chœur est du XIIIe s., la voûte de la nef centrale du XVIIIe s. Splendeur baroque aux stucs impressionnants dans la chapelle Saint-Clément (XVIIe s.) et riche trésor (dans les vitrines de la chapelle Saint-Matthieu) composé de somptueuses pièces d'orfèvrerie (XIVe et XVe s.) et d'un parchemin signé en 1588 par le roi Henri III sont remarquables.

Personnages de cire

Musée d'Histoire locale
Pl. de l'église
☎ 04 93 32 41 13
Ouv. t. l. j. sf 25 déc. et 1er janv., 10 h-12 h 30 et 13 h 30-17 h 30.
Accès payant.

En costumes d'époque et grandeur nature, reconnaissez les grands visiteurs qui ont succombé au charme de Saint-Paul-de-Vence au cours des siècles : le comte de Provence, François Ier, la reine Jeanne, Vauban, la reine Victoria d'Angleterre… En photographies, les célébrités actuelles et passées

LA FONDATION MAEGHT

Rte de Cagnes
Peu avant le village
☎ 04 93 32 81 63
Ouv. t. l. j. juil.-sept.,
10 h-19 h ; oct.-juin,
10 h-12 h 30 et
14 h 30-18 h.
Accès payant.
Ce centre prestigieux
est tout entier consacré
à l'art contemporain.
Artistes et passionnés
s'y rencontrent et s'ex-
tasient devant la collec-
tion unique
rassemblée par
Marguerite et Aimé
Maeght : peintures,
sculptures, céramiques
et dessins réalisés par
les plus grands noms
comme Braque, Calder,
Kandinsky, Léger,
Miró,
Matisse,
Léger,
Giacometti,
Soulages, Chagall…
Les œuvres monumen-
tales de certains
d'entre eux, créées
pour le lieu, rehaussent
encore l'harmonie de ce
lieu magnifique et de
son jardin où il fait si
bon prendre son temps
pour profiter de cet
environnement –
nature et art mêlés –
vraiment exceptionnel.

s'adonnent aux rituelles
parties de pétanque
sur la place du village
(comme Yves Montand)…

Le cercle des Arts
La Vieille Forge
Place du Tilleul
☎ 04 93 32 61 32
Ouv. t. l. j. sf w.-e.
15 h-19 h.
Ce nouveau lieu situé à
l'entrée de Saint-Paul
regroupe une cinquantaine
d'artistes adhérents. Certains

d'entre eux ont des ateliers où
l'on peut aller leur rendre
visite, d'autres non, d'où ce
lieu ouvert à tous et pour tous.
À découvrir avant de faire la
tournée des artistes dans les
ruelles du village.

Balades sur le chemin du canal
Rens. à l'OT.
Deux charmantes balades sont
possibles par l'ancien chemin
du canal. On passe par le
pittoresque oratoire
Sainte-Made-
leine, les
ruines de
Saint-Pierre
et, de forêts
en cours
d'eau, on
rejoint Vence.
Départ n° 1

sur les hau-
teurs du village
(1 h 15) et n° 2 à la fondation
Maeght (1 h 30).

L'auberge de la Colombe-d'Or
Pl. du Général-de-Gaulle
☎ 04 93 32 80 02
F. 5 nov.-22 déc.
Pour marier coup de
fourchette, coup d'œil

artistique et regard en biais,
rendez-vous à l'auberge de la
Colombe d'Or, haut lieu du
Tout-Saint-Paul. Ici, vous
déjeunez en compagnie des
chefs-d'œuvre de Lurçat,
Braque ou Bonnard accrochés
aux murs, tandis qu'aux tables
voisines les célébrités viennent
s'asseoir, comme le firent
longtemps Montand et Signoret qui se rencontrèrent puis se
marièrent ici. En face, la
terrasse du Café de la Place
donne sur le jeu de boules :
belle aubaine pour boire un
café ou siroter un pastis !

Vence
sur les pas de Matisse

La ville se dresse en plein ciel, cernée par deux ravins. Au pays des roses, des mimosas et des citronniers, elle s'offre tout en douceur, à l'écart des remous du littoral. Pendant l'entre-deux-guerres puis dans les années 1950, peintres et écrivains s'y donnèrent rendez-vous. Matisse y laissa un cadeau magnifique, la chapelle du Rosaire. Vence, comme Saint-Paul, demeure l'un des lieux phares de l'histoire de l'art moderne.

Art contemporain au château
Vence

2, pl. du Frêne
☎ 04 93 58 15 78
Ouv. t. l. j. sf lun., 10 h-12 h 30 et 14 h-18 h (10 h-18 h juil.-sept.).
L'ancien château des barons de Villeneuve (XIIIᵉ s.), rivaux célèbres des évêques de Vence pendant tout le Moyen Âge, accueille la **fondation Émile-Hugues** et ses expositions temporaires consacrées aux œuvres réalisées lors de leurs séjours vençois par Matisse, Dubuffet, Dufy ou Chagall. Elles voisinent avec des créations plus récentes.

César, Victoire de Villetanneuse (bronze)

La chapelle du Rosaire
Av. Henri-Matisse
☎ 04 93 58 03 26
Ouv. t. l. j sf dim. 10 h-11 h 30 et 14 h-17 h 30 (mar. et jeu.), 14 h 30-17 h 30 (lun., mer., sam. et ven. des vac. scol.). F. en nov. Sur r.-v. pour groupes. *Accès payant.*
De l'extérieur, rien ne la signale à votre attention. Mais cette bâtisse possède une décoration exceptionnelle signée par Henri Matisse. Pour remercier les dominicaines qui l'avaient soigné pendant la Seconde Guerre mondiale, l'artiste fit reconstruire la chapelle. Les vitraux au décor floral éclairent 2 nefs convergentes. De grands dessins muraux sur céramique blanche dispensent l'éclat de leur couleur dans ce lieu si sobre. Matisse disait qu'il avait signé là son chef-d'œuvre et l'on ne peut que lui donner raison.

Beaubourg à Notre-Dame-des-Fleurs
Galerie Beaubourg
2,5 km N.-O. de Vence par D 2210
☎ 04 93 24 52 00
Ouv. t. l. j. sf dim. (et lun. en hiver) 11 h-19 h, 11 h-17 h 30 oct.-mars.

Le château, reconstruit au XIXᵉ s. sur les vestiges d'une abbaye, a longtemps abrité un musée des Arômes. Aujourd'hui, les anciens propriétaires de la galerie Beaubourg à Paris y ont installé leurs pénates, ouvertes aux amateurs d'**expositions d'art moderne**. Si ces créations vous laissent de marbre, réfugiez-vous dans le magnifique **jardin** (planté de sculptures) et admirez, depuis la terrasse, la très ample vue qui s'étend du cap Ferrat à l'Estérel.

Sur la route de l'art sacré
Plusieurs chemins vous mènent dans les chapelles et les oratoires qui fleurirent sur les collines de Vence à partir du IVᵉ s. À proximité, la chapelle des Pénitents-Blancs

Arman, Fontaine Turbeau

Repères

E3 *(rabat avant)*

Alpes-Maritimes

Activités et loisirs

Les chemins des chapelles
rurales de Vence
Journée provençale
Balade à Coursegoules

Avec les enfants

La chapelle du Rosaire

À proximité

*Grasse (25 km O.), p. 248.
Antibes (20 km S.), p. 254.
Nice (15 km S.), p. 268.*

Office de tourisme

Vence : ☎ 04 93 58 06 38

JOURNÉE PROVENÇALE

Inscriptions à l'OT.
Si la pétanque vous démange mais que vous n'osez pas vous y mettre seul, ruez-vous sur cette journée : on vous prête les boules en vous expliquant les règles et les astuces pour bien tirer. Le midi, votre table est réservée dans un restaurant de Vence pour un déjeuner provençal… (env. 20 € la journée).

du XVIIe s. (av. Henri-Isnard,
☎ 04 93 24 65 58) est coiffée de ses tuiles polychromes. Certaines chapelles rurales plus éloignées ont encore de superbes fresques : les plus belles sont à Sainte-Élisabeth (ch. de Sainte-Élisabeth, à 2 km). Mais Sainte-Anne, Sainte-Colombe et les chapelles du Calvaire méritent également quelques petites haltes (rens. à l'OT).

Musée Nall

232, bd De-Lattre
☎ 04 93 58 13 26
Ouv. juil.-sept. les sam. et dim., 15 h-18 h.
Ce peintre américain contemporain (il est né en 1948) a installé sa fondation (NALL Art Association) sur 3 hectares aux portes de Vence : les ateliers d'artistes accueillent peintres et sculpteurs mais aussi écrivains. Étonnant, le musée a été réalisé avec des matériaux venus des quatre coins du monde : mosaïques de Matisse ou venues de Syrie, miroirs, portes hindoues des XIIe et XVe s., planchers en trompe l'œil… Un lieu magique où se déroulent expos, conférences et concerts.

Col de Vence

10 km au N. de Vence par D 2
Le vertige de la côte

À 970 m d'altitude, le col de Vence offre un des panoramas les plus étendus de la région. Cœur fragile s'abstenir. Les yeux rivés à la table d'orientation, on distingue la rive gauche du Var jusqu'au mont Agel, puis la côte où se dessinent, par grand beau temps, le cap Ferrat, la Baie des Anges, le cap d'Antibes, l'île Sainte-Marguerite et, enfin, l'Estérel. Allez-y de bon matin ou le soir au coucher du soleil : les grands paysages demandent un peu de tranquillité.

Coursegoules

16 km au N. de Vence par D 2
Balade au pays des aigles

Accroché à la montagne sur son piton au pied du Cheiron, on se croirait au bout du monde. Suspendus au bord du Foussa, ses remparts surplombent le vide traversé de merles et d'aigles qui sont nombreux à y nicher. Dans sa petite église, face au terrain de boules, on trouvera un joli retable attribué au peintre niçois Louis Bréa.

Coursegoules

Biot
de terre et de verre

Petit village perché des Alpes-Maritimes, Biot (prononcer « Biotte ») s'abrite derrière la mondaine Baie des Anges. Arrimé à son piton rocheux, il domine toute la vallée de la Brague. Célèbre pour son artisanat de céramique et de verre soufflé, il vous séduira comme il a séduit Fernand Léger.

Balade dans le vieux Biot

Circuit fléché avec historique dispo. à l'OT. La porte des Tines et celle des Minagriers sont les seuls vestiges de l'enceinte du XVIe s., mémoires d'une époque agitée. Aujourd'hui, la tranquille place des Arcades accueille l'église paroissiale d'origine romane. Des fresques ornaient autrefois ses murs mais un évêque très prude les fit effacer en 1699 car il les jugeait trop coquines. Ne manquez pas le retable du Rosaire, attribué à Louis Bréa, ni l'exposition sur l'art du verre à Biot dans les sous-sol de l'OT.

Des milliers de bonsaïs
Musée Bonsaï Arboretum
299, ch. du Val-de-Pôme
☎ 04 93 65 63 99
Ouv. t. l. j. sf mar., 10 h-12 h et 14 h-17 h 30 ; avr.-sept., 15 h-18 h 30.
Accès payant.
Sur 3 000 m² de terrain, la famille Okonek collectionne près de 5 000 bonsaïs. Ces pépiniéristes installés à Biot depuis vingt ans ont créé des arbres miniatures avec des essences d'oliviers, de grenadiers, d'abricotiers, de tilleuls, de saules ou d'eucalyptus. Cours pratiques de bonsaï et conception de jardin japonais sont donnés sur place.

Le musée d'Histoire et de Céramiques biotoises
9, rue Saint-Sébastien
☎ 04 93 65 54 54
Ouv. t. l. j. sf lun. et

Le musée national Fernand-Léger

Ch. du Val-de-Pome
☎ 04 92 91 50 30
Ouv t. l. j. sf mar., 10 h-12 h 30 et 14 h-
18 h (17 h 30 oct.-mars).
Accès payant.
Le peintre possédait une très jolie villa à proximité
du bourg et venait travailler à Biot avec le céramiste
Roland Brice. À sa mort, en 1955, sa veuve, Nadia
Léger, y fit édifier un espace signé par l'architecte
niçois Svetchine et qui rassemble près de 400 œuvres
de l'artiste (9 autres ont rejoint dernièrement
cette belle collection). L'architecture d'une grande
sobriété fait la part belle aux œuvres.
En fait, le musée a été conçu autour de deux pièces
monumentales, la grande mosaïque-céramique
(500 m²) qui orne la façade et le somptueux vitrail
du hall, aux dimensions imposantes (50 m²).

Ici, Léger se laisse
découvrir aisément
à travers des peintures
qui vont de sa rupture
avec l'impressionnisme
jusqu'aux *Constructeurs*
de 1950. Une partie
du musée est aussi
consacrée à des aspects
moins connus de son
travail : tapisseries,
céramiques, sculptures,
architectures...

Repères

E3 *(rabat avant)*

Alpes-Maritimes

Activités et loisirs

Cours de bonzaï
Visite de la Verrerie de Biot
et de la Poterie provençale

Avec les enfants

Balades autour de Biot

À proximité

Grasse (20 km O.), p. 248.
Antibes (7 km S.), p. 254.
Vallauris (5 km S.), p. 250.

Office de tourisme

Biot : ☎ 04 93 65 78 00

mar., 10 h-18 h (été) ;
hors saison, 14 h-18 h.
Accès payant.
Dans l'ancienne chapelle des
Pénitents, découvrez toute
l'histoire de l'ancienne cité
gallo-romaine, devenue plus
tard commanderie des
Templiers. Célébrité de la
ville, la poterie y tient une
place honorable grâce à la
belle collection de jarres et de
fontaines d'appartement en
terre cuite vernissée. Reconstitution d'une cuisine du XIXᵉ s.
et très beaux costumes
anciens. Les vieilles familles
du village ont offert l'essentiel
des pièces exposées.

La Verrerie de Biot
Ch. des Combes
☎ 04 93 65 03 00
Ouv. lun.-sam., 9 h 30-
20 h (18 h hors saison) ;
dim. et j. fér., 10 h-13 h

et 15 h-19 h 30.
Visite guidée sur r.-v.
Accès gratuit.
Des huit verreries de Biot,
celle-ci est la plus ancienne,
créée en 1956. À la
fois galerie, écomu-
sée, atelier et
boutique, elle
dévoile toutes les
facettes de cet art
magnifique qui
joue si bien avec
le feu. Les objets
réalisés par les
autres verreries de
Biot n'ont pas droit au
label « verre de Biot ».

À pied
autour de Biot
Circuit des vieux moulins ou
des quatre rivières ? De l'aqueduc romain ou des pierres à
four ? En 11 itinéraires de 2 à 7
h de marche, c'est toute la val-

lée de la Brague que vous avez
à vos pieds !
Sous-bois feuillus ou maquis
méditerranéens, cours d'eau et
rivières, la végétation se prête à
de jolies découvertes balisées
de rectangles jaunes et de panneaux indiquant les différentes
directions (brochure en vente à
l'OT : env. 5,5 €).

Jarres de terre
Biot a été un grand centre de la
céramique au Moyen Âge,
avant de céder la place à
Vallauris au XIXᵉ s.
Même si la verrerie a
pris le relais, il reste
encore une dizaine
de potiers qui façon-
nent sous les yeux
des curieux les
jarres, vases et grès
d'ornement pour
jardins qui font la
réputation du lieu.
Vous pouvez visiter la
**Poterie provençale Auge-
Laribe**, la plus ancienne de
Biot (1689, rte de la Mer,
☎ 04 93 65 63 30. Ouv. t. l. j.
sf dim. mat., 8 h 30-12 h
et 14 h-18 h ; 19 h en été).
La jarre traditionnelle
de Biot en terre naturelle
(70 cm) est à env. 235 €.

La vallée du Loup
Tourrettes, Le Bar, La Colle et Gourdon

Caussols
Gréolières
Gourdon
Gorges du Loup
Tourrettes-sur-Loup
Bar-sur-Loup

Torrent carnassier, le Loup a creusé le calcaire sur plus de 40 km, pour rejoindre la Méditerranée à Cagnes, 1 200 m plus bas ! Ce faisant, il a façonné un chemin de pierre somptueusement sculpté, parsemé de sites enchanteurs et d'extraordinaires villages perchés. Dans ce décor, s'épanouissent violettes et orangers ; tandis que le visiteur s'étourdit de randonnées, de canyoning et de vol en parapente…

Tourrettes-sur-Loup

Au paradis des violettes

Altitude : 400 m
Les violettes embellissent les champs alentour et fleurissent d'octobre à mars (visite des champs de violette, rens. à l'OT). Au sommet de son éperon rocheux, le village médiéval fortifié n'a pas changé depuis le XVᵉ s. Parcourez la Grand-Rue – en partant du beffroi, au sud de la place centrale – et entrez dans les **ateliers d'artisans** qui ont choisi la quiétude de ce lieu pour travailler (céramistes, peintres, graveurs, potiers, sculpteurs, tisserands…).

Violettes au menu
La Tanière du Loup
11, pl. de la Libération
☎ 04 93 24 12 26
Ouv. t. l. j. 10 h-20 h

Tourrettes-sur-Loup

Repères

E3 *(rabat avant)*

Alpes-Maritimes

Activités et loisirs

Parapente à Gréolières
Randonnées dans les gorges
du Loup
La source parfumée
de Gourdon

Avec les enfants

Canyoning dans les cascades
Karting au Bar-sur-Loup
Visite d'une confiserie au
Pont-du-Loup
Fête des Violettes à
Tourrettes et fête de
l'Oranger au Bar-sur-Loup

À proximité

*Grasse (10 km S.-O.),
p. 248.*

Offices de tourisme

Tourrettes-sur-Loup :
☎ 04 93 24 18 93
Bar-sur-Loup :
☎ 04 93 42 72 21

en été ; 14 h-18 h hors saison (janv. et nov.). Dans cette boutique, découvrez les principales déclinaisons de l'emblème du lieu : violettes naturelles cristallisées, confit de pétales de violettes récoltées spécialement lors de la grosse floraison en début d'année,

LA FÊTE DES VIOLETTES

Instituée en 1950, elle se déroule chaque année, le premier ou le deuxième dimanche de mars, à Tourrettes-sur-Loup. Dans le village tapissé de fleurs fraîches, les chars fleuris défilent, célébrant la culture qui fait vivre ici près de 30 familles. La fête se termine par une grande bataille de fleurs. Les fleurs, cueillies une à une de la mi-octobre à la mi-mars, servent à confectionner des bouquets (tous de 25 fleurs) et des confiseries. Fin avril et début mai, on coupe la feuille pour la vendre aux usines de Grasse, qui en tirent l'extrait destiné à la parfumerie. La production annuelle est de 150 t.

ou sirop de violette. Et, bien sûr, le parfum, fabriqué à partir de la feuille.

Pont-du-Loup
8 km à l'O. de Tourrettes-sur-Loup

La Confiserie des gorges du Loup

☎ 04 93 59 32 91
Visite guidée (dégustation de bonbons et de confitures) t. l. j. 9 h-18 h 30 ; hors saison, 9 h-12 h et 14 h-18 h 30. *Accès gratuit.*
Au bord de la rivière, dans un ancien moulin, cette jolie fabrique artisanale ressemble au pays des mille et un bonbons. Écoutez le récit délicieux de la fabrication des fleurs cristallisées (17,10 € les 250 g), des clémentines confites (12,5 € les 500 g), des

écorces de citrons et des autres douceurs provençales.

Randonnées dans les gorges du Loup

D 3 à partir du Pont-du-Loup
4 h minimum.
Engagez-vous dans ce couloir extraordinaire… Le torrent a magnifiquement creusé le calcaire et les occasions

Bar-sur-Loup

de haltes sont nombreuses : la **cascade de Courmes** saute de 40 m de hauteur, la **rivière au Saut-du-Loup** (site privé, accès payant) est dans tous ses états… À Bramafan, tournez à gauche vers Gourdon : à 700 m d'altitude, les vues sur le fond des gorges sont vertigineuses.

Bar-sur-Loup
3 km au S.
de Pont-de-Loup
Un diable dans l'église
Altitude : 350 m.
Sa situation a longtemps fait de cette cité perchée la gardienne des gorges du Loup. Place de la Tour, au pied de l'ancien donjon, contemplez la beauté du site et visitez l'église Saint-Jacques (XVe s.), dotée d'un remarquable retable et d'une rarissime *Danse macabre* (au fond de l'église) où le

diable multiplie ses méfaits dans la maison de Dieu… Faites aussi le tour du vieux village, à l'intérieur des remparts (IXe-XVe s.).

Karting
Funkart
☎ 04 93 42 48 08
Ouv. t. l. j. tte l'année.
En circuits extérieurs (150 m pour les enfants, 350 et 650 m), laissez-vous griser par la vitesse et découvrez-vous le sang-froid et l'âme d'un pilote accompli (env. 15,25 € les 10 min).

Le vin d'orange
Possibilité d'acheter du vin d'orange à l'office de tourisme du Bar-sur-Loup
C'est la spécialité du Bar-sur-Loup, cité des orangers, qui organise tous les premiers lundis de Pâques la fête de l'Oranger et son concours de vins

d'orange sur les deux places du village. La culture de l'oranger était autrefois très importante : les fleurs partaient en parfumerie à Grasse et les feuilles chez les herboristes. C'est avec les fruits : 5 oranges bigarades (amères) et 1 orange douce que l'on fabrique le vin d'orange, macérées pendant 45 jours et filtrées… à la pleine lune ! (vente à l'OT ou chez le fabricant : Ange Pucci, ☎ 04 93 09 40 50).

La Colle-sur-Loup

14 km au S.-E. du Bar-sur-Loup
Canyoning dans les cascades
Destination nature
Parc Saint-Donat
Par D 6 en dir. de Bar-sur-Loup, au niveau du stade
☎ 04 93 32 06 93
Ouv. t. l. j., avr.-15 nov.
Réserver (tous niveaux).
Matériel fourni.
Dans un décor magique, initiez-vous aux joies du canyoning. Franchissez pour débuter les petites cascades, qui n'excèdent pas 5 m de haut… (dès 8 ans). Puis, découvrez les frissons des toboggans naturels et de la descente en escalier (avec cordes) de la cascade de Courmes (rappel géant de 70 m) et des gorges du Loup. Les moniteurs d'État restent à vos côtés et vous demandent seulement de ne pas détester l'eau…

Gourdon
12 km au N.-E.
de Bar-sur-Loup
Nid d'artisans

À 760 m d'altitude, l'immense panorama de la place de l'église (chevet) embrasse toute la côte, de Nice à Théoule ! Dans ce nid d'aigle accroché au bord de la falaise, les vieilles maisons de pierre du XVIe s., lovées autour du château, abritent un foisonnement de boutiques d'artisans où l'on trouve, pêle-mêle, santons, nougat, pain d'épice, poteries, objets en bois d'olivier…

Le château
☎ 04 93 09 68 02
Ouv. t. l. j. juin-sept.,
11 h-13 h et 14 h-19 h ;
hors saison, 14 h-18 h,
sf mar.
Accès payant.
Du haut de son piton, il domine solidement les gorges du Loup… Bâti au IXe s. par les Sarrasins pour préserver leurs conquêtes locales, puis transformé en résidence par un protégé d'Henri IV, il a conservé de nombreux meubles, armes, documents et peintures des XVIIe-XVIIIe s. Dessinés par Le Nôtre, les jardins en terrasses sont impressionnants, suspendus au-dessus du précipice (300 m de dénivelé) et défiant le trou béant des gorges du Loup.

Traversez la haie d'honneur plantée de buis, le jardin médiéval et le jardin italien, trois jardins des délices !

La source parfumée
Rue Principale
☎ 04 93 09 68 23
Ouv. t. l. j.
Visite guidée payante des champs de fleurs (4 km plus bas sur la D 3).
Cette véritable institution

date de 1946. On y récolte, comme dans le passé, la lavande, le thym, la sauge et le genêt, au cœur de champs disséminés dans la vallée du Loup. Visitez ces grands parterres fleuris et initiez-vous, dans la distillerie artisanale, parmi les alambics en cuivre patiné, aux différentes étapes de la fabrication des parfums alpestres, savons et bougies odorantes…

Le plateau de Caussols
10 km à l'E. de Gourdon
Pour observer les étoiles
Depuis Gourdon par D 12
Grimpez en voiture jusqu'au plateau de Caussols et arpentez-le à pied (par le GR 4, qui part de la D 12 vers le nord). Dans ce

GRÉOLIÈRES
15 km N. de Grasse
École de parapente Cumulus
☎ 04 93 38 25 92
À plus de 1 300 m, le grand saut dans les airs… D'abord, sur une pente douce, initiez-vous au maniement du parapente. Puis faites vos premiers grands vols en décollant de 6 points successifs, de plus en plus élevés au-dessus des gorges du Loup… Adossé à la muraille du Cheiron, le site de Gréolières offre, en effet, des dénivellations progressives de 300 à 1 000 m… et des sensations fortes à n'en plus finir ! De la journée-découverte au stage de 6 jours.

paysage lunaire, à plus de 1 000 m d'altitude, les cinéastes viennent tourner des scènes qui se passent dans le quasi-désert… Au-dessus de ce site extraordinaire truffé de grottes et de crevasses (sites de spéléologie), le ciel est incroyablement pur et propice à l'observation des étoiles.

Nice, capitale de la Côte d'Azur

Italienne jusqu'en 1860, la septième ville de France a su conserver les meilleurs témoignages de ses différentes appartenances. Anglaise par sa promenade, savoyarde par ses villas, ses innombrables musées trahissent la passion que lui vouent artistes et scientifiques. Contemplez la capitale de la Côte d'Azur depuis la colline de Cimiez, saisissez ses saveurs et ses couleurs sur le cours Saleya et perdez-vous dans ses musées (ouverts gratuitement le premier dimanche de chaque mois)…

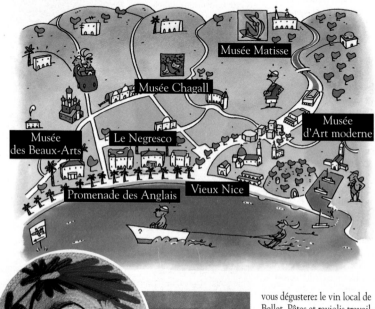

Musée Matisse

Musée Chagall

Musée d'Art moderne

Musée des Beaux-Arts

Le Negresco

Promenade des Anglais

Vieux Nice

vous dégusterez le vin local de Bellet. Pâtes et raviolis travaillés à l'ancienne sont excellents chez Tosello (6, rue Sainte-Réparate, ☎ 04 93 85 61 95). Enfin, goûtez la socca, spécialité niçoise à base de farine de pois chiches chez René Socca (2, rue Miralheti, ☎ 04 93 92 05 73).

Shopping dans le vieux Nice

Entre le boulevard Jean-Jaurès et le port, marchez dans les ruelles de l'ancienne cité, remplies de boutiques et d'ateliers typiques. Autour de la cathédrale Sainte-Réparate, les artisans fabriquent des tissus et des santons traditionnels (rue Paradis et rue Pont-Vieux). Au n° 10 de la rue Saint-Gaétan (Aux parfums de Grasse, ☎ 04 93 85 60 77), vous trouverez le délicieux « Bouquet de Nice » parfumé au mimosa. Aux **caves Caprioglio** (16, rue de la Préfecture, ☎ 04 93 85 66 57) et **Bianchi** (7, rue de la Terrasse, ☎ 04 93 85 65 79),

Le cours Saleya, dans le vieux Nice

Les marchés

Rendez-vous chaque matin au plus célèbre d'entre eux, le marché du cours Saleya, grand-messe quotidienne des fleurs, légumes et fruits niçois. **Ambiance haute en couleur** et en odeur, au cœur du vieux Nice (le lundi, place à la **brocante**). Tous les matins également, le marché aux poissons de la place Saint-François offre le spectacle typique des pêcheurs qui vendent la bogue, le rouget, la mostelle… fraîchement sortis de la Méditerranée.

La cathédrale Sainte-Réparate
Pl. Rossetti

Dédiée à la sainte patronne martyre de la ville, cette cathédrale toute en couleur (XVII⁰ s.) est coiffée d'une coupole couverte de tuiles polychromes et ornée d'une façade (re)colorée en 1980. À l'intérieur : somptueuses chapelles baroques décorées de marbre et de stuc. En sortant, arrêtez-vous chez **Fenocchio** si vous êtes gourmand : 90 parfums de glace fabriquée de façon artisanale vous y attendent (☎ 04 93 80 72 52).

L'église Saint-Martin-Saint-Augustin
Rue Sincaire

Avant de devenir protestant, Luther y a célébré la messe en 1510… Puis Garibaldi, le fondateur niçois de la République italienne, y a reçu le baptême en 1807… Gare à la destinée de ceux qui entrent dans cette église : elle se révèle souvent aussi chargée que son décor baroque, qui inclut toutes sortes de marbres polychromes. Dans le chœur : splendide *pietà* (XVI⁰ s.) de Louis Bréa, surnommé le « Fra Angelico niçois ».

Produits régionaux
Huilerie des Caracoles
5, rue Saint-François-de-Paule (vieux Nice)
☎ **04 93 62 65 30**
Ouv. t. l. j. sf dim.,

Repères
F3 *(rabat avant)*

Alpes-Maritimes

Activités et loisirs

Marchés de Nice
Initiation au thé au musée
des Arts asiatiques
Festivals d'été

Avec les enfants

Observatoire de Nice
Parc Phœnix
Promenades en mer
Parc forestier du mont Boron

À proximité

Cagnes-sur-Mer (5 km O.), p. 256.
Monaco (15 km N.-E.), p. 280.
Vallée de la Vésubie (env. 25 km N.), p. 290.

Office de tourisme

Nice : ☎ 04 92 14 48 00

9 h 30-13 h et 14 h 30-18 h 30.
Accès gratuit.
Juste en face, au n° 2, Bonaparte avait installé son quartier général en 1796. Jean-Pierre et Ginette Lopez, quant à eux, ont rassemblé dans leur boutique toute la gamme des ingrédients niçois : aromates, miels, olives, huiles (de 10 à 14,5 € le litre)… On y trouve aussi les vrais pains de savon de Marseille, version impériale (2,44 € les 600 g, olive ou palme).

Promenades en mer

Trans Côte d'Azur
Quai Lunel
☎ 04 92 00 42 30
Ouv. t. l. j. oct.-mai.
Départ 15 h.

Toute l'année, faites la promenade côtière vers l'est : en 1 h, les splendides profils de la Baie des Anges, du cap Ferrat et de la baie de Villefranche. Pour pousser plus loin, rejoignez **Monaco** en 45 min (départ à 10 h le lun. et le mer., à 9 h le sam. ; relève de la garde t. l. j. à 11 h 55), **San Remo** en 1 h 45 (marché populaire le sam.), les **îles de Lérins** en 1 h 15 (messe de l'abbaye de Saint-Honorat à 9 h le dim.) ou **Saint-Tropez** en 2 h 30. Pour varier, choisissez la vision sous-marine dans le **Visiobulle** (également Trans Côte d'Azur sur le quai Lunel).

La promenade des Anglais

D'un côté, les plages caillouteuses, de l'autre les plus belles façades de Nice. Ornée de palmiers, cette artère emblématique longe la Baie des Anges depuis qu'un pasteur

anglais a financé sa construction en 1820... Alors les plus grands palaces de la ville y ont poussé : le **palais de la Méditerranée** (n° 17), le **Royal** (n° 23),

La promenade des Anglais

le **Westminster** (n° 27), le **West End** (n° 31) et l'incontournable **hôtel Negresco** (n° 35), classé Monument historique. Un dimanche par mois (rens. à l'OT), la promenade est fermée aux voitures : seuls marcheurs, bicyclettes et calèches ont droit de passage. En été, des orchestres s'installent dès la fin d'après-midi au kiosque du jardin Albert-1er : on les écoute face à la mer, confortablement assis dans une chaise bleue redessinée par Jean-Michel Wilmotte... Le bonheur !

Le Negresco

37, promenade des Anglais
☎ 04 93 16 64 00
Cet imposant palace classé Monument historique doit son nom à son premier

UN ÉTÉ TRÈS FESTIVAL

Rens. à l'OT.
Événement phare de juillet, le « Nice jazz festival » prend ses quartiers d'été aux arènes et jardins du Cimiez : Joe Cocker, Paolo Conte, Claude Nougaro font scène commune avec de jeunes talents qui montent. La première semaine de juillet, le festival Voucalia fait venir groupes polyphoniques et chants méditerranéens au théâtre de Verdure. C'est également ici que se déroulent les concerts gratuits de musique du monde : Musicalia, deux soirs par semaine de la mi-juillet à la fin août. Et pour démarrer la belle saison, les églises du vieux Nice accueillent le festival de Musique sacrée (fin juin à début juillet).

propriétaire d'origine
roumaine. Chambres de 215 à
435 € env. Pour admirer l'intérieur, on peut venir boire une
coupe de champagne ou une
tasse de thé au bar le **Relais**.
On peut également déjeuner
au restaurant la **Rotonde** pour
contempler son magnifique
carrousel.

Le musée
des Beaux-Arts
33, av. des Baumettes
☎ **04 92 15 28 28**
Ouv. t. l. j. sf lun.
et certains j. fér., 10 h-
12 h et 14 h-18 h.
Accès payant.
Installé dans une villa
grandiose (XIXᵉ s.)
mélangeant les styles génois
et Renaissance, il mérite
une visite tant pour son
architecture que pour ses
collections. De salon en salon,
traversez toute l'histoire de la
peinture de Fragonard à
Bonnard et découvrez le
joyeux inventeur niçois de
l'affiche moderne, Jules
Chéret. Au dernier étage,
très belles sculptures de Car-
peaux et de Rodin.

Fragonnard, Les Baigneuses

Le parc Phœnix
Parc floral de Nice
**405, promenade
des Anglais**
☎ **04 93 18 03 33**
Ouv. t. l. j. 9 h-19 h ; mi-
oct. à mi-mars, 9 h-17 h.
Accès payant.
Traversez le jardin
astronomique, l'oued Oasis,
les paysages méditerranéens…

Visitez les réserves de papillons
et d'insectes. Puis entrez dans
le Diamant vert, une serre
géante où sont reconstitués
simultanément 7 climats
tropicaux différents !

Musée des Arts
asiatiques
**405, promenade des
Anglais (parc Phœnix)**
☎ **04 92 29 37 00**
Ouv. t. l. j. sf mar., 10 h-
18 h (17 h mi-oct.-avr).
F. 1ᵉʳ janv, 25 déc.
et 1ᵉʳ mai.
Accès payant.
L'architecture « Zen de chez
Zen » est remarquable : une
construction géométrique de
marbre blanc coiffée d'une
pyramide de verre évoque un
mandala tibétain. À l'intérieur,
les civilisations chinoise,
japonaise, cambodgienne et
indienne trouvent refuge dans
4 cubes qui semblent flotter sur
le lac. Le pavillon du thé et la

rotonde présentant le
bouddhisme complètent cette
muséographie très réussie.
Spectacles de danse,
cérémonies autour du thé,
documents visuels et sonores
avivent encore la soif de
connaissance envers cette
culture asiatique.

Le musée Marc-Chagall

Av. du Dr-Ménard,
bd de Cimiez
☎ 04 93 53 87 20
Ouv. t. l. j. sf mar.,
10 h-18 h ; hors saison,
10 h-17 h.
Accès payant.
Un musée tout entier pour
une seule œuvre ! Le Message
biblique de Chagall occupe
la totalité de ce bâtiment,
taillé sur mesure
pour recevoir
les 17 toiles
monumentales
qui le composent.
Venez apprécier la
puissance évocatrice
d'un chef-d'œuvre et
la force d'un lieu
dévoué à sa cause (éclai-
rages admirables). Le jardin est
tout aussi magnifique…

Le musée Matisse

164, av. des Arènes-
de-Cimiez
☎ 04 93 81 08 08
Ouv. t. l. j. sf mar.,
avr.-sept., 10 h-18 h ;
hors saison, 10 h-17 h.
Accès payant.
Matisse disait avoir trouvé la
« nécessaire limpidité » à Nice,
où il vécut de 1917 à 1954…
Dans une superbe villa (la villa
des Arènes), le cheminement
de l'artiste est retracé depuis ses
débuts, en 1890, jusqu'à ses
dernières œuvres. Arrêtez-vous
notamment devant la *Nature
morte aux grenades* (1947) ou
le *Nu IV*, célèbre gouache
découpée.

Célébration de l'huile d'olive

Moulin
318, bd de la Madeleine
☎ 04 93 44 45 12
Ouv. t. l. j. nov.-fév. sf
sam. Tél. avant.
Magasin
14, rue Saint-François-
de-Paul
☎ 04 93 85 76 92
F. dim. et lun.

Chez Nicolas
Alziari, l'huile d'olive
est choyée comme un grand
vin. C'est d'ailleurs une AOC.
Pressée dans le dernier moulin
de la ville (ouv. à la visite), elle
vous attend dans de jolis
bidons d'aluminium bleu et
jaune, reconnaissables entre
tous. À goûter également les
succulentes olives.

Le parc forestier du mont Boron

*Au S.-E. de Nice,
Moyenne corniche,
dir. le col de Villefranche-
sur-Mer.*
Cinquante-sept hectares
plantés de pins d'Alep en 1866,
11 km de sentiers balisés, des
espèces rares (orchidées
sauvages, lentisques, œillets
nains, etc.) font de ce beau

*La villa des Arènes, abritant le
musée Matisse*

parc un lieu très apprécié des
botanistes et des promeneurs.
Au pied du **mont Boron**, les
hommes préhistoriques
installèrent un campement : le
site de Terra Amata. Le **musée
de Paléontologie humaine** est
installé sur les lieux (25, bd
Carnot, ☎ 04 93 55 59 93.
Ouv. t. l. j. sf lun., 10 h-12 h et
14 h-18 h). Vue magnifique sur
Saint-Jean-Cap-Ferrat, à l'est,
et la Baie des Anges, à l'ouest.

Le jardin des Arènes du Cimiez

Pl. du Monastère
☎ 04 93 81 00 04
Église ouv. t. l. j. 8 h 30-
12 h 30 et 14 h-
18 h 30 ; jardins ouv.
t. l. j. 8 h-19 h en été ;
Musée franciscain ouv.
t. l. j. sf dim. et j. fér.,
10 h-12 h et 15 h-18 h.
Accès gratuit.
Son oliveraie centenaire et ses
parterres de fleurs incitent à la
contemplation. Dans l'amphithéâtre restauré, des spectacles
sont donnés en été. À
proximité, le monastère-
couvent du XVIᵉ s. abrite des
chefs-d'œuvre de Louis Bréa
(☎ 04 93 81 00 04) et le
musée archéologique de Nice-
Cimiez(160, av. des Arènes,
☎ 04 93 81 59 57) est riche
en témoignages de l'âge des
métaux jusqu'au haut Moyen
Âge. En sortant, notez
l'ensemble thermal du IIIᵉ s.

L'intérieur du musée Marc-Chagall

Observatoire de Nice

Bd de l'Observatoire Mont-Gros, Grande Corniche
Dir. Menton
☎ 04 92 00 30 11
Visite guidée (1 h 30) sam. à 15 h.
Accès payant.
Du haut de la Grande Corniche (372 m), la vue sur la ville et la Baie des Anges est magique, et le ciel « le plus pur de France » ignore les nuages. Dans cet observatoire inauguré en 1881, remarquez les 3 grandes lunettes historiques. Grâce à elles, plus de 2 000 étoiles doubles ont été découvertes (découverte pratique de l'astronomie tous les soirs en juil. et août à partir de 18 h).

Le Mamac

Musée d'Art moderne et d'Art contemporain
Promenade des Arts
☎ 04 93 62 61 62
Ouv. t. l. j. sf mar., 10 h-18 h.
Accès payant (sf 1er dim. du mois).
Au Mamac (jolie contraction du musée d'Art moderne et d'Art contemporain), 4 tours de marbre reliées par des passerelles transparentes vous plongent dans les univers de Klein (et son célèbre bleu), Christo, César, Arman, Ben… Les grands courants européens

et américains des années 1960 à nos jours – Andy Warhol, Roy Lichtenstein… – sont ici brillamment exposés.

La maison Auer

7, rue Saint-François-de-Paule
☎ 04 93 85 77 98
Ouvert t. l. j. sf dim. ap.-m. et lun., 8 h-12 h 30 et 14 h 30-18 h.
Visite guidée janv.-fév.

et juil.-août sur r.-v.
Accès gratuit.
Spécialisée dans les **fruits confits** provençaux depuis 1850, cette véritable institution gourmande vous ouvre ses ateliers, où l'on pique devant vous les fruits pour leur faire boire le sirop. La visite s'achève dans la boutique rococo. Un pot de **confiture** (exquise) : env. 6 € le pot de 450 g.

LE CARNAVAL

Depuis 1873, le rituel est immuable. Tous les ans au mois de février, Sa Majesté Carnaval (un char plus beau que les autres) fait sa première sortie officielle dans les rues de Nice. Et la fête s'installe, pendant près de 3 semaines : défilés de chars, grosses têtes, théâtre de rue et fanfares se succèdent en alternance avec de

sompteuses batailles de fleurs… Puis, le dernier soir, le roi est brûlé sur l'eau, et la fête reprend un an plus tard, autour d'un nouveau thème. Changeant chaque année de titre, Sa Majesté est devenue roi de l'Euroland en 2002 : un certain sens de l'à-propos ! (Voir aussi p. 116-117.)

Le cap Ferrat

paradis fortuné

Tout près de Nice et de Monte-Carlo, le cap Ferrat et ses rutilants environs sont couverts de villas somptueuses. Son extraordinaire douceur hivernale, la beauté de la rade de Villefranche-sur-Mer et le calme de la presqu'île ont attiré ici, au début du XXᵉ s., les plus grosses fortunes du monde…

Saint-Jean-Cap-Ferrat
Villa Éphrussi de Rothschild
Av. Éphrussi de Rothschild
☎ 04 93 01 33 09
Ouv. t. l. j., juil.-août, 10 h-19 h ; autres horaires hors saison. Visites guidées sam. et dim. à 11 h 30, 14 h 30, 15 h 30 et 16 h 30. Restaurant-salon de thé à partir de 11 h.
Accès payant.

Dans un site incomparable, des merveilles peuplent cette villa d'Ali Baba. Tout est beau : les volumes, les décors, les meubles, les objets rares, les toiles de maîtres, les tapisseries, les tapis…
Les 5 000 œuvres qui peuplent le musée-souvenir de la baronne Béatrice Éphrussi de Rothschild rayonnent comme un hymne à l'argent… bien dépensé.

Elle voulut recréer les émotions botaniques de ses voyages… Faites le tour de ses 7 jardins entourés par la mer, de l'éden espagnol au paradis florentin, et attardez-vous dans la roseraie, le **Jardin lapidaire** et le **jardin des Muses**. Enchanteur.

Promenade rouge
Promenade pédestre au départ de l'OT.
Cette jolie balade se fait en deux heures, par temps calme (délicate en cas de mer forte). À 50 m en aval de l'OT, le chemin de Passable vous conduit à la plage. Vous longez ensuite le bord de mer par le chemin du Roy et les pointes qui abritent des criques très prisées des plongeurs. Au pied du phare, vous continuez le sentier qui vous mène au **Grand Hôtel** du cap Ferrat, un palace Belle Époque avec piscine olympique à l'eau de mer (☎ 04 93 76 50 50).

Après avoir traversé la carrière, vous rejoignez le village de Saint-Jean par l'avenue Claude-Vignon : une jolie promenade qui ne lâche pas la vue sur la mer.

Stages de voile
École française de voile
☎ 04 93 76 10 08
Cette base nautique du « Cros du Pin » loue catamarans de sport, dériveurs, laser 420-470, ponants, optimists pour enfants, planches à voiles, bateaux… Des moniteurs brevetés d'État donnent des cours particuliers (env. 40 €/h) et animent des stages d'initiation ou de perfectionnement (101 €, lun.-ven., 9 h-12 h).

Villefranche-sur-Mer
4 km au N. de Saint-Jean-Cap-Ferrat
La chapelle Saint-Pierre
Quai Courbet
☎ 04 93 76 90 70
Ouv. t. l. j. sf lun., 10 h-12 h et 16 h-20 h 30 ; autres horaires hors saison. *Accès payant.*
Jean Cocteau l'a décorée spécialement à l'intention de ses « amis pêcheurs ». En 1957, cet enfant du pays a consacré une partie de l'année à embellir l'intérieur de cet édifice aux formes romanes, aidé par les artisans de Villefranche (céramistes, tailleurs de pierre)…

Les filets qui couvrent les murs et les voûtes rappellent, disait-il, que « Dieu, lui aussi, pêche les âmes… ».

La citadelle Saint-Elme
☎ 04 93 76 33 44
Citadelle et musée Volti
Ouv. t. l. j. sf mar. et dim. mat., 10 h-12 h et 14 h-19 h (été) ; 9 h-12 h et 14 h-18 h (hiver). F. nov.
Érigée en 1557, les militaires l'ont quittée en 1965 pour laisser la place aux collections artistiques de la ville. Au menu, le **musée d'Art et d'Histoire**, la **collection Goetz-Boumeester** (avec entre autres des œuvres de Picabia, Picasso…) ou la **collection du 24ᵉ BCA** (bataillon de chasseurs alpins). Sans oublier, bien sûr, la **fondation-musée Volti** (☎ 04 93 76 33 27), sculpteur contemporain qui expose ses œuvres dans les casemates de la **citadelle**.

Repères
F3 *(rabat avant)*

Alpes-Maritimes

Activités et loisirs
Stages de voile
Promenade pédestre

Avec les enfants
Le zoo de Saint-Jean-Cap-Ferrat

À proximité
Cagnes-sur-Mer (10 km O.), p. 256.
Monaco (11 km N.-E.), p. 280.
Vallée de la Vésubie (env. 25 km N.), p. 290.

Offices de tourisme
Saint-Jean-Cap-Ferrat :
☎ 04 93 76 08 90
Villefranche-sur-Mer :
☎ 04 93 01 73 68

Beaulieu-sur-Mer
4 km au N.-E de Villefranche-sur-Mer
La villa grecque Kérylos
Fondation Théodore-Reinach
Rue Eiffel
☎ 04 93 01 01 44 / 61 70
Ouv. 15 fév.-11 nov., 10 h 30-18 h (19 h en juil. et août), mi-déc.-14 fév., 14 h-18 h (w.-e. et vac. scol., 10 h 30-18 h). F. 12 nov.-mi-déc. *Accès payant.*
Périclès s'y sentirait chez lui. Copie conforme d'un palais grec antique, cette œuvre d'un féru d'hellénisme possède toutes les pièces d'une villa grecque : péristyle, grand salon, marbres, fresques, mosaïques… Sa bibliothèque est remplie de trésors du VIᵉ au Iᵉʳ s. av. J.-C. et, dans le jardin, la vue sur la mer est divine.

LA VIE DES ANIMAUX
Zoo de Saint-Jean-Cap-Ferrat
☎ 04 93 76 07 60
Ouv. t. l. j. 9 h 30-19 h (17 h 30 en hiver). *Accès payant.*
Trois cents animaux s'ébattent dans ce parc zoologique à la végétation luxuriante. À chacun son espace : autruches et zèbres vivent en bonne intelligence dans la savane africaine, tigres de Sibérie se prélassent derrière une vitre épaisse, ours de l'Himalaya escaladent rochers et cascades. Quant aux crocodiles, ils rampent calmement dans le bassin extérieur. À voir également les animaux de la ferme, singes, oiseaux, etc.

Èze et La Turbie
entre ciel et terre

Accrochée à cette extraordinaire corniche, des villages médiévaux surplombent la côte entre Nice et Menton. Èze et La Turbie notamment. Dans ce paysage sculpté par l'eau, les trois routes qui sillonnent les hauteurs – vertigineuses – ne quittent jamais la mer des yeux…

Col d'Èze

Plus près des astres

Astrorama
Rte de la Revère
2 km du croisement avec la rte de la Grande-Corniche
☎ 04 93 41 23 04
Internet :
www.astrorama.net
Ouv. t. l. j. juil.-août, 18 h-23 h ; hors sais., mar., ven. et sam., 17 h 30-22 h (23 h avr.-sept.).
Accès payant.
On y touche les étoiles, à 650 m au-dessus de la mer. Incroyable sensation d'infini : avant d'arriver, sur la Grande Corniche, la mer devient sou-

Le Jardin exotique

dain immense, en bas… Puis, sur la terrasse, au-dessus de vos têtes, l'espace se rapproche à son tour grâce aux lunettes et aux télescopes mis à votre disposition. Inoubliable, ce voyage astral s'entreprend le soir, dès que s'allume le ciel…

Balade au fort de La Revère

Accès à partir du col d'Èze
On ne le visite pas, mais sa situation offre un **panorama incroyable** sur la mer et sur les reliefs de la corniche. Montez vers l'Astrorama : 1 km plus loin, entre ciel et terre, ce belvédère naturel contemple la région. On remarque à peine que ce site, désormais protégé, a été ravagé par le grand incendie de 1986. Sur place, **Maison de la nature**, table d'orientation et sentier nature donnent un bon aperçu de l'environnement local (rens. à l'Assem, ☎ 04 92 60 78 78).

Èze-Village

Le sentier Friedrich-Nietzsche

Au bout de l'av. du Jardin-Exotique
Sous les pins et les oliviers, Nietzsche a imaginé la dernière partie de son chef-

d'œuvre, *Ainsi parlait Zarathoustra*. Après avoir fait un petit tour dans les adorables ruelles d'Èze, empruntez le sentier qui vous mène en 1 h à la corniche inférieure, au niveau de la station balnéaire d'Èze-Bord-de-Mer. Après le bain de mer, remontez, car Nietzsche a reçu l'inspiration… dans le sens ascendant de ce charmant sentier.

Cosmétiques et savons

Les deux célèbres maisons de Grasse : Galimard et Fragonard sont également installées à Èze. Place De-Gaulle (☎ 04 93 41 10 70),

La Turbie
5 km au N.-E. d'Èze
Le trophée des Alpes
9, pl. Théodore-de-Banville
☎ 04 93 41 20 84
T. l. j. sf lun. et j. fér., avr.-juin, 9 h 30-18 h ; juil.-sept. 9 h 30-19 h ; oct.-mars 10 h-17 h.
Accès payant sf 1er dim. du mois.

Il marque la frontière qui séparait il y a 2 000 ans la Gaule de l'Italie. Ce gigantesque monument, initialement surmonté d'une statue de l'empereur de Rome, fut construit en 6 av. J.-C. pour marquer la victoire d'Auguste sur les Ligures. À le voir, la puissance romaine apparaît inusable : il n'a rien perdu en vingt siècles. Le village médiéval et l'**église baroque Saint-Michel** sont également remarquables.

Galimard fait visiter son petit musée et sa savonnerie. L'usine-laboratoire de Fragonard (Moyenne Corniche, ☎ 04 93 41 05 05) regroupe, quant à elle, l'unité de production « cosmétiques et savons » de la parfumerie, que l'on peut visiter.

Le trophée des Alpes

Repères
F3 *(rabat avant)*

Alpes-Maritimes

Activités et loisirs
Activités et loisirs
Le sentier Nietzsche
Les savonneries Galimard et Fragonard
Balade au fort de la Revère

Avec les enfants
L'Astrorama
Le jardin exotique

À proximité
Monaco (7 km E.), p. 280.
Roquebrune (12 km N.-E.), p. 286.

Office de tourisme
Èze : ☎ 04 93 41 26 00

Coup d'œil sur Monaco
Dans ce pays aux vues imprenables, ne manquez pas celle qui surplombe entièrement la principauté de Monaco. Coup d'œil *Paris-Match* qui permet d'admirer la physionomie de ce petit État à la si grande notoriété…
À la sortie de La Turbie en direction de Monaco, prenez à gauche la route de la Tête-de-Chien. Au bout, un petit parking et, derrière les rochers (à contourner par la droite), vous êtes aux premières loges…

LE JARDIN EXOTIQUE
Rue du Château
☎ 04 93 41 10 30
Ouv. t. l. j. en été et vac. scol., 9 h-20 h ; sept.-juin, 9 h-18 h.
Accès payant.
Connaissez-vous les « coussins de belle-mère » ? Cette plante piquante orne, avec des centaines d'autres

cactées, ce jardin haut perché : à plus de 400 m d'altitude, plantes grasses et espèces rares entourent les vestiges d'un vieux château, au sommet de la falaise.

Le bassin des Paillons
un petit air de bout du monde

Au nord de Nice, les trois branches de la rivière Paillon se rejoignent, avant de pénétrer dans la ville. Dans la montagne, leurs vallées recèlent des trésors intacts, souvenirs de l'ancien comté de Nice, disséminés dans de ravissants villages médiévaux. Arpentez leurs ruelles, entrez dans leurs églises baroques, et apprenez quelques mots du « nissard » (la langue niçoise) que l'on parle toujours dans l'« arrière-haut-pays »…

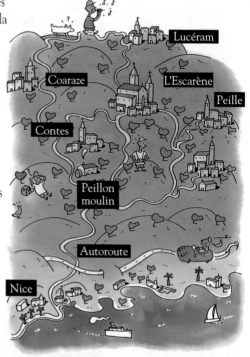

Peillon

Les fresques des Pénitents

C'est le bout du monde. Rien n'a changé depuis le Moyen Âge dans ce village dressé sur son éperon étroit : on y circule par des escaliers et des passages voûtés. Coup de cœur garanti. Pénétrez dans la **chapelle des Pénitents-Blancs**, à l'entrée du village, ornée de magnifiques fresques du XVe s., et rejoignez, au sommet, l'église baroque **Saint-Sauveur**, enrichie d'œuvres d'art.

Le village de Peillon

Peille

14 km au N. de Peillon
Vue sur la Baie des Anges

Altitude : 600 m.
Les ruines voisines du château des comtes de Provence (XIVe s.) témoignent de l'ancienne importance de ce village médiéval. Son église a conservé un retable du XVIe s., et ses ruelles mènent toutes à la ravissante **place de la Colle**, bordée d'arcades.

En juillet, Peille accueille également le festival « Les Baroquiales » (p. 295).

Mont Agel

Parcours de golf
Monte-Carlo Golf Club
Rte du mont Agel, dir. Peille par D 153
☎ 04 93 41 09 11
Ouv. t. l. j., tte l'année.
Sur la commune de La Turbie mais proche du mont Agel, ce magnifique parcours 18 trous (5 683 m, par 71) construit en 1911, domine la mer à 900 m

d'atitude. Le dernier trou passé, grimpez jusqu'au sommet du mont Agel, à 1 146 m : vous êtes arrivé au point le plus élevé de la côte !

L'Escarène

15 km au N.-O. de Peille

Église baroque
Église Saint-Pierre-aux-Liens

Sur l'ancienne route royale du sel, qui reliait Nice à Turin, ce village possède une énorme église baroque du XVIIᵉ s., encadrée de 2 chapelles. La façade de cet ensemble monumental rappelle étrangement celle de la cathédrale de Nice : l'architecte fut le même. À la mi-juillet, l'église accueille un festival de Musique ancienne (☎ 04 93 79 61 35).

Contes

9 km au S.-O. de l'Escarène

Une forge et un moulin

Syndicat d'initiative
Pl. Docteur-Ollivier
☎ 04 93 79 13 99
Ouv. sf sam., 9 h 30-12 h et 14 h 30-17 h

Au pied du village perché de Contes, l'ancienne forge hydraulique est restée intacte.

Elle est classée Monument historique, et l'eau du Paillon frôle encore sa grande roue à aubes, mais elle n'entraîne plus les engrenages de bois… Dans ce charmant musée, rien n'a bougé et, à proximité, subsiste le vieux moulin à huile du village.

Coaraze

10 km au N.-O. de Contes

L'art du cadran

C'est, dit-on, le village le plus ensoleillé de France. Six grands **cadrans solaires** en céramique y donnent l'heure… Le plus célèbre (sur la façade de la mairie) a été réalisé par Jean Cocteau, grand amoureux du lieu. Dans ce village médiéval construit en rond (XIVᵉ s.), goûtez au charme des ruelles couvertes, dans un paysage d'oliviers et de châtaigniers.

Repères

Activités et loisirs

Fête des Baguettes et des Limaces
Le Monte-Carlo Golf Club
Itinéraire des cadrans à Coaraze
Festival de Musique ancienne à l'Escarène
Baroquiales à Peille

Avec les enfants

Le circuit des crèches à Lucéram

À proximité

Monaco (env. 25 km S.), p. 280.
Vallée de la Vésubie (env. 25 km N.), p. 290.

Offices de tourisme

Lucéram : ☎ 04 93 79 46 50
Coaraze : ☎ 04 93 79 37 47

Lucéram

18 km au N.-O. de Coaraze

Le circuit des crèches

Une vieille tour et quelques créneaux rappellent les remparts qui entouraient le village bâti sur une arête calcaire, au XIIIᵉ s. Ses maisons gothiques se serrent autour de jolies ruelles agrémentées de passages voûtés. L'église Sainte-Marguerite renferme un bel ensemble de retables de Louis Bréa et Jean Canavesio. En décembre, les caves et les églises du village abritent des crèches, à découvrir en suivant le parcours fléché.

FÊTE DES BAGUETTES ET DES LIMACES

Il y a la fête des Baguettes, le premier dimanche de septembre à Peille : les jeunes filles offrent ce jour-là une petite baguette enrubannée aux garçons de leur choix, en souvenir d'un sourcier qui avait reçu ce cadeau de la fille du seigneur, assorti d'une promesse de mariage, s'il trouvait de l'eau pour le village assoiffé !
En juin, la procession des Limaces illumine Coaraze, Lucéram et Levens : à la tombée de la nuit, les villageois emplissent d'huile des coquilles d'escargot, les enflamment et balisent ainsi le chemin de la procession rituelle de la Fête-Dieu.

Monaco, le Rocher des Grimaldi

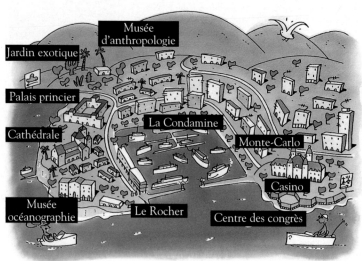

Musée d'anthropologie
Jardin exotique
Palais princier
Cathédrale
La Condamine
Monte-Carlo
Casino
Musée océanographie
Le Rocher
Centre des congrès

U n petit État souverain de quelque 1,9 km² enclavé en plein territoire français, une principauté trônant du haut de son Rocher, un cadre grandiose bénéficiant d'un climat d'une exceptionnelle douceur et, surtout, une famille princière dont les membres défraient régulièrement les

chroniques de la presse à sensation, voilà qui suscite la curiosité des très nombreux visiteurs de la principauté de Monaco. Derrière cette façade, on peut aussi découvrir un site riche en monuments et en activités.

Petit traité de géographie monégasque

Monaco la principauté, c'est tout simplement Monaco-Ville (c'est-à-dire le Rocher) et Monte-Carlo. Ces villes se jouxtent sans pourtant se confondre, reliées entre elles par le quartier de la Condamine où dorment de superbes yachts. Monaco,

capitale de la principauté, forme une terrasse qui surplombe la mer du haut de ses 60 m. Sur ce petit carré privilégié (300 m sur 800 m) se serrent les très belles demeures de la vieille ville ainsi que l'incontournable palais princier.

Flânerie dans la vieille ville

Offrez-vous une promenade pittoresque dans les venelles de la cité médiévale, communiquant entre elles par des passages voûtés. Au fil de votre flânerie, arrêtez-vous à la **chapelle de la Paix**, dans les

Le palais princier

jardins voisins de la place de la Visitation, puis sur la petite place Bosio, dédiée au célèbre sculpteur monégasque. Sur la place Saint-Nicolas s'élance une fontaine surmontée d'une statue. Enfin, la rampe Major (1714), pavée de briques rouges et fortifiée de 2 portes, relie la Condamine à la place du Palais. Ceux qui cherchent un peu de calme pourront aller flâner dans les jardins Saint-Martin, face au large.

MONACO PRATIQUE

À Monaco, il faudra affranchir vos « bons baisers » sur les cartes postales avec des timbres monégasques. Si vous souhaitez utiliser la monnaie locale, sachez qu'elle a aussi cours dans les Alpes-Maritimes. Mais vos euros restent ici parfaitement valables. Enfin, n'hésitez pas à « abandonner » votre voiture dans un des parkings payants de la principauté et à emprunter les bus. De toute façon, l'accès au Rocher est réservé aux véhicules immatriculés à Monaco ou dans les Alpes-Maritimes. En outre, la ville est truffée d'ascenseurs pour ceux que l'escalade du Rocher rebuterait…

Le palais princier
☎ 00 377 93 25 18 31
Ouv. t. l. j. juin-sept., 9 h 30-18 h, oct. 10 h 30-17 h. F. nov.-mai. Visite guidée obligatoire (4 langues : français, angl., ital., all. Durée : env. 40 min. *Accès payant.*
Au milieu d'une foule abondante, vous pourrez assister à la relève en fanfare de la section des carabiniers qui assure la garde du palais princier (t. l. j., 11 h 55 précises). La cérémonie fait très couleur locale. On peut lui préférer une visite plus détaillée du palais princier. Une série de salons somptueux, la très belle salle du trône, la galerie italienne, la très belle cour d'honneur

Repères
F3 *(rabat avant)*

Alpes-Maritimes

Activités et loisirs
Le chemin des sculptures
Les fêtes de la Saint-Jean
Exploration sous-marine

Avec les enfants
Le Musée océanographique
Jardin exotique
Historial des princes
de Monaco

À proximité
*Nice (15 km S.-O.), p. 268.
Cap Ferrat (11 km S.-O.), p. 274.
Èze (7 km O.), p. 276.*

Office de tourisme
Monaco :
☎ 00 377 92 16 61 16

pavée de galets blancs et de couleur, voilà qui vous réserve une agréable promenade à travers les siècles. À voir également dans l'aile méridionale du palais (accès payant), une **riche collection d'objets** ayant appartenu à Napoléon Ier : bicornes, gants, drapeaux, autographes, pieux souvenirs de Sainte-Hélène. Au total, plus de 1 000 objets évoquant l'Empereur.

La cathédrale
4, rue Colonel-Bellando-de-Castro
☎ 00 377 93 30 87 70
Ouv. t. l. j. 7 h 15-19 h 15, sf pendant les offices.
Accès libre.

La cathédrale, construite en calcaire blanc de La Turbie

Construite à la fin du XIXe s. dans un style néoroman bien lourd. Elle abrite la **tombe de Grace Kelly** : cela suffit à expliquer l'engouement dont bénéficie l'édifice. À l'entrée gauche du déambulatoire, le très beau *Retable de saint Nicolas* signé par le peintre niçois Louis Bréa (XVIe s.). Lorsque les **Petits Chanteurs de Monaco** ne sont pas en déplacement, ils chantent à la messe de 10 h le dimanche.

Le Musée océanographique
Av. Saint-Martin
☎ **00 377 93 15 36 00**
Ouv. t. l. j. juil.-août, 9 h-20 h ; avr.-juin et sept., 9 h-19 h ; nov.-fév,. 10 h-18 h ; oct.-mars, 10 h-19 h.

Visites commentées pour enfants sur r.-v.
Accès payant.
Il justifie à lui tout seul une halte à Monaco. Fondé au début du siècle dernier par le prince Albert Ier, amoureux fou des mers et marin émérite (et dirigé par le commandant Cousteau de 1957 à 1988), il regroupe, dans 90 bassins, près de 6 000 poissons de 370 espèces du monde entier. Un récif corallien vivant importé de la mer Rouge abrite 70 espèces de coraux. Le clou du spectacle, c'est la

salle de la Baleine qui expose des squelettes de grands mammifères marins et le nouveau bassin, très impressionnant : le Lagon aux requins.

Le chemin des sculptures
Ce musée à ciel ouvert développé chaque année par une dizaine d'œuvres supplémentaires égrène une centaine de sculptures à travers la Principauté. Dans le quartier de Fontvieille, un chemin piétonnier regroupe de nombreuses œuvres monumentales. Parmi les signatures : Botero, Calder, Arman, Folon, Canestraro, Emma de Sigaldi… (Rens. à l'OT.)

Le jardin exotique
62, bd du Jardin-Exotique
☎ **00 377 93 15 29 80**
Ouv. t. l. j. 15 mai-15 sept., 9 h-19 h ; hors saison, jusqu'à 17 h 30 ou 18 h.
Accès payant.
Accroché au flanc de la falaise, il offre un échantillon impressionnant de cactées provenant d'Afrique ou d'Amérique latine mais aussi d'aloès du Cap et d'agaves géants des plateaux aztèques. L'influence de la Méditerranée voisine, l'inclinaison de la falaise, l'orientation des lieux

La façade monumentale du Musée océanographique plonge dans les flots bleus.

LES FÊTES DE LA SAINT-JEAN

Le 23 juin, veille de la Saint-Jean d'été, les Monégasques se rassemblent sur la place du Palais. Des groupes folkloriques en costumes d'autrefois chantent, dansent et jouent à ravir de la mandoline. Dans la chapelle du Palais, la famille princière assiste à un office. À l'issue de cette cérémonie, deux valets de la maison souveraine, en livrée d'apparat, allument le bûcher dressé au milieu du Palais. Le lendemain, la fête se déplace à Monte-Carlo.

favorisent l'implantation d'une flore caractéristique des déserts, représentée par plusieurs milliers d'espèces. Le billet d'accès au jardin vous permet la visite du musée d'Anthropologie préhistorique (☎ 00 377 93 15 80 06).

L'histoire d'une dynastie

Monaco le film
Terrasses du parking du chemin des Pêcheurs
☎ **00 377 93 25 32 33**
T. l. j. 11 h-18 h. Durée : 35 min.
Accès payant.
À proximité du Musée océanographique, un spectacle retrace la passionnante histoire des seigneurs et princes de Monaco dans la plus pure tradition de

La statue de saint Nicolas, sur la place du même nom

l'ancestrale lanterne magique, remise au goût du jour par des techniques actuelles. Même sujet à l'Historial des princes de Monaco (27, rue Basse, ☎ 00 377 93 30 39 05, ouv. t. l. j. 10 h-18 h, 16 h oct.-janv., accès payant) qui retrace l'histoire des Grimaldi du XIIIe s.

à nos jours en mettant en scène des personnages de cire.

Plongée dans la grande bleue

Club d'exploration sous-marine de Monaco
Jetée du port de Fontvieille
☎ **00 377 99 99 99 60**
Ouv. sur r.-v., t. l. j. en été ; le w.-e. hors saison.
Autour du rocher de Monaco, la mer invite à explorer ses beaux fonds rocheux et ses herbiers où se cachent murènes, poulpes, crabes et langoustes… Baptême de plongée et cours tous niveaux.

Monte-Carlo, vitrine du luxe

Placée sous le signe de la toute puissante Société des bains de mer, qui gère ses hôtels et son casino, Monte-Carlo est un mélange d'architectures anciennes et ultramodernes. Terrasses fleuries et gratte-ciel plongeant sur la mer, villas et magasins de luxe servent de toile de fond à des manifestations sportives de réputation internationale.

La salle Garnier

Jouxtant les salons de jeux du casino, elle est signée par Charles Garnier, l'architecte de l'Opéra de Paris. Dans cette salle assez originale pour l'époque (il n'y a pas de balcon et son parterre est rectangulaire) ont défilé les grands noms de l'art lyrique.

Faites vos jeux

Casino
☎ 00 377 92 16 21 21
*Accès payant
et très réglementé.*
Construit entre 1878 et 1910, le lieu a vu se faire et se défaire bien des fortunes. La décoration intérieure vaut le détour mais il faut payer pour accéder aux salles. On peut se contenter d'une visite du hall… et profiter des jardins et de la vue splendide qu'offre la terrasse du casino… Au Café de Paris, en revanche, les salles de jeux très modernes sont libres d'accès : jeux américains (à partir de 17 h), roulette américaine, black-jack et vidéo-poker (à partir de 22 h).

Les ors fastueux de la salle Garnier

Les voitures du prince Rainier

Les terrasses de Fontvieille
Esplanade Rainier-III
☎ 00 377 92 05 28 56
Ouv. t. l. j. 10 h-18 h.
Accès payant.

Ce passionné d'automobiles a réuni sur près de trente ans une collection de quelque 100 voitures : De Dion Bouton 1903, Lamborghini Countach 1986, Bugatti 1929, Citroën Torpedo de la Croisière jaune ou Rolls Royce 1952.

Le Jardin japonais

Av. Princesse-Grace
Ouv. de 9 h au coucher du soleil.
Accès gratuit.

Conçu par l'architecte-paysagiste Yasuo Beppu, ce jardin aménagé sur 7 000 m² en bordure de Méditerranée a été béni par un grand prêtre du shinto, la religion officielle des Japonais. Pins et oliviers sont taillés selon la tradition de l'empire du Soleil-Levant, cascades et pièces d'eau sont agrémentées d'îlots aux formes symboliques.

Manifestations sportives

En janvier, le rallye automobile de Monte-Carlo est l'épreuve phare du championnat du monde. En avril, l'Open de tennis de Monte-Carlo est le premier rendez-vous de la saison sur terre battue. En mai, le **Grand Prix automobile** se déroule sur le circuit tracé au cœur de la ville par Anthony Noghès. En juillet, c'est la reprise du championnat de France de football en division 1. Rens. à l'OT.

Festival du Cirque

Espace Fontvieille
☎ 00 377 92 05 23 45
Ce festival international offre les plus beaux numéros de cirque sous un même festival. Pendant une semaine (principalement en janvier, parfois en février), Monaco porte le nez rouge, jongle avec des balles et récompense les

PARACHUTISME ASCENSIONNEL

Monte-Carlo Beach (SBM), av. Princesse-Grace, Saint-Roman
☎ 04 93 28 66 66
Ouv. avr.-oct., t. l. j., 8 h-20 h.
Pour embrasser en silence les espaces limpides, de 50 à 300 m au-dessus d'une mer étale, le parachutisme ascensionnel offre ses ailes, en toute sécurité : env. 38,50 € le vol de 10 min (à partir de 6 ans).

Repères

F3 *(rabat avant)*

Alpes-Maritimes

Activités et loisirs

Tennis et piscine au Monte-Carlo Country-Club
Ski nautique et scooter
Casino

Avec les enfants

Festival international du Cirque
Parachute ascensionnel

À proximité

Nice (15 km S.-O.), p. 268.
Èze (7 km O.), p. 276.

meilleurs artistes du monde entier en remettant Clowns d'or et d'argent. Du très grand spectacle, une soirée de clôture présidée par le prince Rainier et une matinée (à 15 h) spéciale-ment réservée aux enfants (loc. ouvertes à partir de fin juin).

Ski nautique et scooter des mers

Ski Vol
Plage du Larvotto
☎ 00 377 93 50 86 45
Ouv. t. l. j. juin-sept. 9 h-20 h.
Un tour en ski nautique (30,5 €/10 min) ou une escapade en scooter des mers (53,5 €/10 min, permis de voiture obligatoire) vous donnera l'occasion de sillonner le large des plages du Larvotto, bien loin de la foule.

Tennis-Club

Monte-Carlo Country-Club
Av. Princesse-Grace
☎ 04 93 41 30 15
Ouv. tte l'année, t. l. j., 8 h-20 h (21 h en été).
Ce rendez-vous du Tout-Monte-Carlo dispose de 21 cours en terre battue et d'une piscine de 25 m (ouv. mai-oct.) : env. 33,5 € par jour et par personne avec Jacuzzi et sauna.

Roquebrune-Cap-Martin et Beausoleil bon chic, bon genre…

Entre Monaco et Menton, Roquebrune s'élève jusqu'à 300 m au-dessus de la mer… Accroché à la falaise, le vieux village a fait longtemps partie de la principauté de Monaco. À ses pieds, Cap-Martin reste voué aux demeures et jardins aristocratiques de Monaco. Au-dessus, le mont Agel protège ce site splendide des vents du nord, créant un climat exceptionnel : jamais de brouillard et une température moyenne annuelle de 17 °C…

Roquebrune-Cap-Martin

L'église Sainte-Marguerite

Ouv. 15 h-18 h.
Dans cet édifice reconstruit au XVIIe s., le décor baroque met en valeur 3 autels en bois doré, 2 tableaux et une statue de Notre-Dame-des-Neiges, qui sauva Roquebrune d'une épidémie de peste au XVe s. À remarquer, *Le Jugement dernier* de Michel-Ange… Une copie couleur conforme de la fresque de la chapelle Sixtine, à Rome.

Olivier millénaire et procession

Ch. de Menton
On dit qu'il a 4 000 ans… Cet arbre étonnant est une curiosité mondiale : songez, si les calculettes provençales fonctionnent bien, que son tronc de 10 m de diamètre aurait connu les ancêtres de l'homme de l'âge du bronze… ! À côté, la petite chapelle de la Pausa est le point de départ d'une grande procession annuelle, le 5 août, au cours de laquelle le village entier mime les scènes de la passion du Christ. Et cela depuis 1467.

Château carolingien

Pl. William-Ingram
☎ 04 93 35 07 22
Ouv. t. l. j. en hiver, 10 h-12 h 30 et 14 h-17 h (jusqu'à 19 h en été).
Accès payant.
Au sommet du village, cette forteresse austère épouse les formes du rocher qui la porte. Pénétrez dans le vieux donjon du Xe s. et admirez le décor sans faste de ses pièces étagées, dont la plupart ont été ajoutées au XVe s. : la grande salle à ciel ouvert, la prison,

la salle d'armes, le logis seigneurial, la cuisine… Panorama splendide.

Sentier et cabanon Le Corbusier

Cette promenade qui part de l'av. W.-Churchill vous conduira à ce « château de poche » imaginé par le grand architecte. Ses dimensions : 3,66 m x 3,66 m, prototype d'habitat minimal sorti tout droit de son « modulor », un système de proportion architectural que Le Corbusier avait breveté (visite mar. et ven. mat. à 10 h. Rens. à l'OT). Suivez ensuite par l'ouest les contours sauvages et escarpés du cap Martin qui rejoignent Monte-Carlo en longeant de somptueuses propriétés (durée 4 h l'aller-retour).

Sur l'eau et dans les airs
Base nautique Promenade Robert-Schumann
☎ 04 93 57 33 59
T. l. j.

Stages (2h/jour) et cours de planche sont proposés du lundi au vendredi, en initiation et perfectionnement. On peut aussi louer uniquement le matériel. Et tester le kayak de mer pour de petites randonnées. Roquebrune-Cap-Martin est également une base pour le vol libre.

Beausoleil
5 km à l'O. de Roquebrune-Cap-Martin
Le mont Gros à pied ou en VTT
Itinéraires détaillés à l'OT.
Ce belvédère exceptionnel (686 m) domine tout le cap

Martin. Rejoignez-le en VTT (1 h) ou à pied (1 h 45). Suivez, au-dessus du boulodrome, le GR 52 balisé en blanc et rouge (et joliment appelé les balcons de la Côte d'Azur), puis le chemin de la Coupière et, à gauche, la piste barrée qui traverse l'arboretum… Pour le VTT, partez de la place de Gorbio (10 km au N. de Roquebrune) et ne lâchez pas le balisage blanc et rouge. Un conseil : consultez l'itinéraire avant de partir.

Camp préhistorique du mont des Mules
Accès par la route de La Turbie (D 53)
Un vrai choc historique ! Beausoleil, symbole de l'architecture Belle Époque (visite commentée gratuite chaque premier sam. du mois ou sur r.-v. à l'OT), possède également un oppidum au mont des Mules, habité par les hommes préhistoriques puis par les Celto-Ligures. Classé Monument historique, ce site est remarquable par la monumentalité de ses murailles. Il n'y fait jamais moins de 10 °C. Sous la protection du mont Agel, qui a donc profité en premier de ce petit paradis climatique ? Les hommes préhistoriques ! Montez au camp du mont des Mules, où les Ligures ont eux aussi coulé, il y a 2 000 ans, des jours

heureux au milieu des oiseaux migrateurs et d'une incroyable végétation composée de plantes des pays chauds.

Repères
F3 *(rabat avant)*

Alpes-Maritimes

Activités et loisirs
Planche à voile, kayak et parapente
Sentier Le Corbusier
Mont Gros à pied ou en VTT

Avec les enfants
Fête des Genêts
Château carolingien

À proximité
Nice (20 km S.-O.), p. 268.
Cap Ferrat (15 km S.-O.), p. 274.
Èze (12 km S.-O.), p. 276.

Offices de tourisme
Roquebrune :
☎ 04 93 35 62 87
Beausoleil :
☎ 04 93 78 01 55

LA FÊTE DES GENÊTS
L'histoire est très belle : en 638, un gigantesque tremblement de terre qui courut de la Sicile jusqu'en Islande faillit écrouler le village de Roquebrune : « Roquebrune a glissé, un genêt l'a arrêté », dit la légende. Chaque dimanche à la fin juin, on fête cette petite plante sauvage pour la remercier d'avoir sauvé le village du cataclysme. Les enfants se déguisent sans oublier de mettre quelques fleurs de genêts sur leur costume. Un bal couronne la journée et l'on récompense le plus beau déguisement.

Menton, ville-jardin

Au siècle dernier, la ville avait hérité du joli surnom de « perle de la France ». Il est vrai que les joyaux vont très bien à cette ancienne possession des Grimaldi. Menton, lieu de villégiature très goûté des têtes couronnées, offre de très jolies balades sur son vieux port et dans ses rues piétonnes. Sur ses jardins en cascades, orangers et citronniers fleurent bon l'Italie proche.

La vieille ville

Dans un enchevêtrement de toits brûlés par le soleil, de murailles en terrasses et de portes fortifiées, la basilique Saint-Michel-Archange domine la ville de son architecture baroque parmi les plus belles de la côte. Sur son parvis se tient le festival de musique de Menton (en août). Secteur sauvegardé depuis 1993, le vieux Menton abrite également la chapelle des Pénitents-Blancs et de superbes halles construites en 1898, dans un décor de céramiques vernissées et de masques grimaçants. Tous les matins (6 h 30-13 h),

Jean Cocteau, Faune jouant de la flûte

on y fait provision des spécialités locales : pissache (pissaladière), paniche (beignets de farine de pois chiches), fougasse mentonnaise sucrée…

Sur les pas de Jean Cocteau

Dans la salle des mariages de l'hôtel de ville, mobilier et décoration sont signés par le « prince des poètes » (visites t. l. j., 8 h 30-12 h 30 et 13 h 30-17 h. F. sam. et dim. ☎ 04 92 10 50 00.

Accès payant). Plus loin, au-dessus de la jetée, s'enracine le **musée Cocteau** (☎ 04 93 57 72 30. Ouv. t. l. j. sf mar., 10 h-12 h et 14 h-18 h. Accès payant). Citoyen d'honneur de la ville, Cocteau demanda de transformer le fortin du bastion en un musée pour ses œuvres.

La fête du Citron

Chaque année pendant trois semaines en février, 400 000 personnes se pressent pour admirer les défilés de

KOALAND

Av. de la Madone
☎ **04 92 10 00 40**
Ouv. t. l. j. 10 h-12 h et
15 h-24 h (été), 10 h-12 h
et 14 h-19 h (hiver).
F. mar. sf vac. scol.
Accès payant.
**Sur les 1,5 ha d'une
ancienne propriété de la
famille Grimaldi, ce parc
fait le plein des attractions spécialement
étudiées pour les jeunes
enfants : jeux, manèges,
carrousel, structures
gonflables, petit train,
moto, karting, minigolf...**

chars décorés d'agrumes : plus
de 300 personnes travaillent
aux préparatifs, utilisant
500 000 élastiques et 130 t
d'agrumes ! Dans l'enceinte des
jardins Biovès, des motifs géants
en citrons et oranges racontent
chaque année une nouvelle histoire. Et dans les rues de
Menton, les corsos des fruits
d'or (défilé des 10 chars l'après-midi des 3 dimanches) et les 2
corsos nocturnes apportent un
supplément de féerie à la fête.

Garavan

Le Beverly Hills de Menton
parade entre la vieille ville et
la frontière italienne. On y
flâne pour rêver à la vie de
ces villas de luxe, typiques des
cités balnéaires, construites
pour de rares privilégiés qui
avaient choisi Menton comme
lieu de villégiature.

En ces jardins...

*Accès payant sf les
jardins Biovès et ceux
du palais Carnolès.*
À Menton, la tradition des
jardins existe depuis le XIXᵉ s.
Pour cette visite bucolique et
forcément exquise de Menton,
commencez par le **jardin de
Maria Séréna** à l'extrémité est
de la ville (21, prom. Reine-Astrid, visite le mar. à 10 h) :
plantes tropicales et
subtropicales entourent
joliment une villa Second
Empire. Au Garavan, découvrez
le jardin des romanciers : le
Fontana Rosa (av. Blasco-Ibanez, visite le ven. à 10 h),
décoré de céramiques, pergolas
et tonnelles odorantes. Niché
dans la baie de Garavan, le **jardin exotique du Val-Rameh**
(av. Saint-Jacques,
☎ 04 93 35 86 72. Ouv. 10 h-12 h 30, 15 h-18 h) décline
en terrasses ses agrumes, bananiers, bambous

Repères
F3 *(rabat avant)*

Alpes-Maritimes

Activités et loisirs
Visite des jardins de Menton
Marché aux halles

Avec les enfants
Koaland
La fête du Citron

À proximité
*Cap Ferrat (20 km S.-O.),
p. 274.
Èze (16 km S.-O.), p. 276.
Haute vallée de la Roya
(env. 20 km N.), p. 294.*

Office de tourisme
Menton : ☎ 04 92 41 76 76

japonais et hibiscus.
Derrière le casino, les **jardins
Biovès** se succèdent en
enfilade entre les avenues de
Verdun et Boyer, jolie
promenade au milieu des
palmiers et des orangers (accès
libre). À l'extrémité ouest de
Menton, le jardin d'agrumes
du **palais Carnolès** (3, av. de
la Madone, ☎ 04 93 35 49 71.
Ouv. 10 h-12 h et 14 h-18 h
sf mar. et j. fér., accès libre)
abrite une collection unique et
délicieusement odorante
d'agrumes, et quelques
sculptures contemporaines.
Enfin, la **serre de la Madone,**
(74, rte de Gorbio. Visite
guidée uniquement,
☎ 04 93 57 73 90)
classée Monument
historique, est riche
d'essences venues du
monde entier et d'un
environnement
magnifié par des
statues, fontaines
et bassins.

Une villa à Garavan

La vallée de la Vésubie
gorges et cascades

C'est l'une des plus belles vallées de l'arrière-pays niçois. De Saint-Martin-Vésubie à Saint-Jean-la-Rivière, le torrent dévale les sommets montagneux, puis s'évanouit au fond de gorges profondes avant de rejoindre le Var, qui le conduit directement à la mer. Chemin naturel entre les hauteurs alpines et la Méditerranée, cette vallée offre une incroyable palette de végétation, de climats et de promenades…

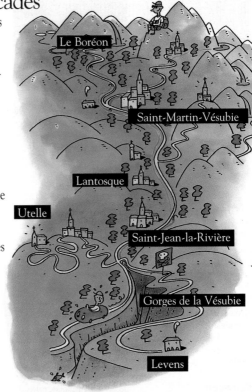

Le Boréon

Saint-Martin-Vésubie

Lantosque

Utelle

Saint-Jean-la-Rivière

Gorges de la Vésubie

Levens

Saint-Martin-Vésubie

Village médiéval

À 960 m d'altitude, c'est le point de départ de splendides excursions estivales en montagne (voir pages suivantes). Le village médiéval possède de jolies maisons gothiques. Remarquez, rue du Docteur-Cagnoli, le petit canal au milieu, qui sert à

laver les rues en été et à charrier la neige en hiver… Dans l'église (XIIᵉ et XVIIᵉ s.) joliment décorée, une Vierge souriante en bois de cèdre du Liban (XIVᵉ s.) rejoint chaque été son sanctuaire montagnard : c'est la très vénérée Madone de Fenestre.

Le musée des Traditions
ZA du Pra d'Agout, Saint-Martin-Vésubie
☎ 04 93 03 32 72
Ouv. été et vac. scol., sf lun., 14 h 30-18 h 30 ; en hiver, le w.-e. uniquement.
Accès payant.
Dans les locaux du vieux moulin communal et de la première

Le fronton de la mairie, à Saint-Martin-de-Vésubie

Repères

F2 (rabat avant)

Alpes-Maritimes

Activités et loisirs

Canyoning, escalade
Excursions à ski
ou en raquettes avec les
guides de Saint-Martin-Vésubie
Pêche en vallée du Boréon

Avec les enfants

Randonnées pédestres
Le musée des Traditions
à Saint-Martin-Vésubie

À proximité

*Nice (env. 30 km S.),
p. 268.
Le parc du Mercantour
(env. 30 km N.-O.),
p. 296.*

Office de tourisme

Saint-Martin-Vésubie :
☎ 04 93 03 21 28

usine électrique, feuilletez les pages de l'histoire locale : la vie quotidienne en haute montagne au XIXe s., les croyances religieuses, l'habitat rural, les productions agricoles, l'arrivée du tramway… Dans ce musée vivant, l'une des meules du moulin fonctionne encore et les turbines ont été restaurées en 1993. Une dernière salle est consacrée aux expositions temporaires.

Aux environs

Le vallon de la Madone

12 km N.-E. de Saint-Martin-de-Vésubie par D 94

À 1 903 m d'altitude, c'est ici que la vierge de Saint-Martin-Vésubie prend ses quartiers d'été, entre le dernier samedi de juin et le deuxième dimanche de septembre. Rejoignez ce sanctuaire en voiture, tout en profitant de la belle forêt de conifères du Devense que vous traversez. Au sanctuaire, la vue sur la **cime du Gélas** (3 143 m), coupé en deux par une faille, est magnifique. Si le sommet vous tente, il vous faudra 4 h de marche aller, une bonne corde et la présence d'un guide accompagnateur car c'est un vrai parcours d'alpinisme ! (Rens. auprès des guides de la Vésubie, voir page suivante.)

Pêche en vallée du Boréon

8 km au N. de Saint-Martin-Vésubie par D 89

À 1 473 m d'altitude, ce site alpestre se trouve au beau milieu d'une forêt de pins, sapins, épicéas et mélèzes. Dans ce cadre enchanteur, les pêcheurs sont les rois. Long de 4,5 km de rivières, cascades et torrents, le parcours de pêche du Boréon regorge de truites fario et arc-en-ciel et saumons de fontaines. Au toc, à la cuillère, à la mouche, toutes les techniques sont bonnes pour se faire plaisir ! Rendez-vous pour une demi ou une journée au chalet des pêcheurs, à 150 m au-dessus du lac du Boréon (☎ 04 93 03 24 09).

LES LACS DE PRALS

Au départ du vallon de la Madone-de-Fenestre. Boucle de 4 h, facile. Période conseillée : mai-nov.
Suivre les balises 361 à 367, puis 359 à 361. Pénétrez au cœur du Mercantour en reliant à pied les lacs. Véritable enchantement, les alpages fleuris traversés par un torrent fougueux vous conduisent 500 m plus haut, au bord d'une eau à 13 °C… Garez-vous avant le sanctuaire, à hauteur de la balise 361, et empruntez le large chemin horizontal qui s'enfonce dans la forêt de mélèzes… N'oubliez pas, en route, d'acheter du fromage de pays aux vacheries de Fenestre !

Randonnées aux lacs Besson

Au départ du parking supérieur du Boréon, par D 189
Suivre les balises 420 à 424 (aller).
Durée : 5 h 30 l'aller-retour. Période conseillée : juin-nov. Randonnée sportive, mais inoubliable. Rejoignez, à plus de 2 500 m d'altitude, les lacs « jumeaux » (bessons) qui abritent dans leurs eaux claires les truites les plus haut perchées de la région. Au bout de la D 189, à l'est du Boréon, garez votre voiture (balise 420) et prenez le large chemin qui remonte la rive gauche du vallon... Un conseil, partez le matin et munissez-vous de bonnes jumelles pour surprendre quelques chamois ou mouflons...

Roquebillière
9 km au S.-E. de Saint-Martin-Vésubie
Cascades
Sur la rive droite de la Vésubie, l'église gothique de Roquebillière (1533) possède un riche mobilier et 2 retables sculptés du XVIIIe s. En face, plus haut sur la rive gauche, le bien nommé bourg de Belvédère surplombe la rivière et débouche sur la splendide **vallée de Gordolasque**.

Empruntez la très pittoresque D 171 jusqu'à la cascade du Ray (à 7 km) et, tout au bout de la route, rejoignez à pied (1 km de sentier) la **cascade de l'Estrech**, qui descend d'un cirque magnifique.

À Lantosque, l'épicerie propose viandes séchées et fromages qui ont fait la réputation du lieu

Lantosque
4 km au S. de Roquebillière
Souvenirs autrichiens
Au-dessous des 500 m, la vallée devient ici plus accessible, plus riche et plus verdoyante. Sur son piton rocheux, le vieux bourg est peuplé d'Otto, prénom importé par les soldats autrichiens au XVIIIe s., puis par les ouvriers de même nationalité venus creuser le canal de la Vésubie au XIXe s. ! Dans l'église Saint-Sulpice (XVIIe s.), un cuir repoussé représente la naissance de la Vierge (rarissime !).

Lantosque

Saint-Jean-la-Rivière
11 km au S. de Lantosque
Grand spectacle
Quand un torrent rencontre de la roche calcaire, il creuse... Suivez la D 2565, entre Saint-Jean-la-Rivière et Pont-Durandy, qui longe le fond de ces gorges extraordinaires, et

levez les yeux : la couleur des parois varie sur des centaines de mètres de hauteur entre le blanc et mille et un gris striés par les verts de la végétation, rougeoyante en automne. Mais ne lâchez pas le volant pour autant : la route se rétrécit dangereusement par endroits.

Utelle

9 km à l'O. de Saint-Jean-la-Rivière par D 132

Seul sur son piton

Altitude : 800 m.

À l'écart des voies de communication, ce village de montagne constitue un ensemble médiéval superbement préservé par son isolement. Comptez les lacets très serrés qui parsèment la route d'accès et goûtez le prodigieux panorama qui domine la vallée. Non loin de l'**église Saint-Véran** (retable en bois sculpté du XVIIᵉ s.), le GR 5 rejoint le **brec d'Utelle** (1 606 m, dénivelé de 500 m, comptez env. 1 h 30 de marche, chaussures de montagne indispensables), sur les traces de Masséna à la poursuite de l'armée autrichienne…

Le sanctuaire d'Utelle

6 km S.-O. d'Utelle par D 132

Notre-Dame-des-Miracles reçoit depuis plus de 1 000 ans la dévotion de ses fidèles dans un décor divin. De la chapelle qui l'abrite, contemplez l'incroyable panorama (les Alpes enneigées au nord, l'Estérel au sud-ouest) avec, tout au fond, la Méditerranée ! Attention, la route d'accès est terriblement raide et pleine d'épingles à cheveux.

Duranus

5 km au S. de Saint-Jean-la-Rivière par D 19

Le Saut-des-Français

Sur la rive gauche des gorges de la Vésubie, un belvédère splendide fut le théâtre d'un terrible drame en 1793. Au lieu-dit Le Saut-des-Français, une plaque commémorative rappelle l'acte des barbets (jeunes gens réfractaires à leur incorporation dans l'armée révolutionnaire), qui précipitèrent les soldats républicains, qu'ils avaient capturés, au fond du gouffre (300 m de dénivelé). Juste en face, la Madone d'Utelle n'a pas cillé.

Levens

13 km au S. de Saint-Jean-la-Rivière par D 19

Outils d'artistes

Atelier
☎ 04 93 79 73 62
Visites sur r.-v.

Exposition à la Maison du Portal
1, pl. V.-Masseglia
☎ 04 93 79 85 84
Ouv. t. l. j. en été, 10 h-12 h et 14 h 30-18 h 30 ; hors saison, sam.-dim. et j. fér., 14 h 30-17 h 30.

Mettez un soc de charrue camouflé dans votre salon ! Jean-Pierre Augier collectionne depuis 25 ans les outils du terroir provençal et les métamorphose en de jolies sculptures figuratives.

Roya-Bévéra :
vallées des merveilles

Parties orientales des Alpes entre Italie et Méditerranée, les vallées Roya-Bévéra se succèdent dans cet arrière-pays niçois orné de villages perchés, de cités médiévales et d'églises baroques. De Tende à Sospel, la nature, splendide et sauvage, fait concurrence à ce riche patrimoine où l'homme a laissé des traces depuis la nuit des temps.

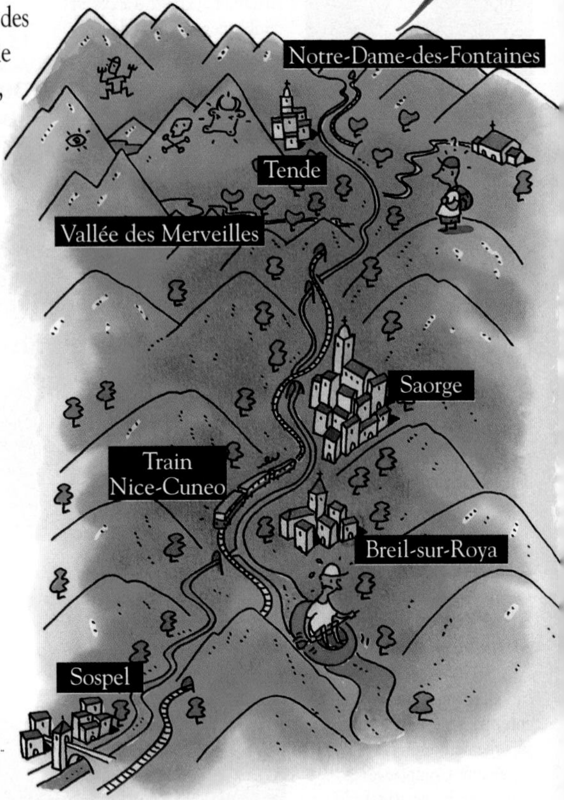

Notre-Dame-des-Fontaines

Tende

Vallée des Merveilles

Saorge

Train Nice-Cuneo

Breil-sur-Roya

Sospel

Les cités médiévales de Saorge et Tende

Accrochées en amphithéâtre au-dessus de la Roya, ces cités médiévales étagent leurs toits de lauzes dans un décor de montagnes abruptes. Arpentez les ruelles en escalier, aux maisons anciennes ornées de linteaux (admirez la pierre verte de Tende), et poussez la porte des édifices religieux richement décorés : à Saorge, l'église Saint-Sauveur, le couvent des Franciscains (☎ 04 93 04 55 55) ou la collégiale Notre-Dame-de-l'Assomption.

Le musée des Merveilles

Av. du 16-septembre-1947
☎ **04 93 04 32 50**
Ouv. t. l. j. sf mar., 10 h 30-18 h 30 ; 16 oct.-avr., 10 h-17 h.
Accès payant.
Dans un décor ultramoderne, maquettes, objets et animations expliquent l'incroyable effervescence qui régnait dans la vallée des Merveilles il y a 5 000 ans (voir aussi p. 67).

La vallée des Merveilles

☎ **04 93 04 77 73**
Visites guidées t. l. j. en été.
Accès payant.
Il y a environ 5 000 ans, les hommes de l'âge du bronze et du cuivre ont

Saorge et ses maisons en escaliers

laissé plus de 36 000 gravures rupestres : armes, bovins, formes humaines… dans ce paysage de roches glaciaires rouge et vert aux lacs étincelants. Pour en découvrir quelques-unes, prenez les sentiers autorisés et les sentiers d'interprétation. Si vous voulez voir les plus belles et profitez totalement de cette vallée classée Monument historique, suivez une visite guidée au départ des refuges de Fontanalbe et des Merveilles (juin-sept., entre 2 et 3 h de circuit, rés. ☎ 06 86 03 90 13).

La Brigue
6,5 km au S.-E. de Tende
Notre-Dame-des-Fontaines
Une petite chapelle Sixtine en pleine montagne. Derrière la porte de cette incroyable chapelle, isolée au-dessus d'un torrent, contemplez l'un des plus beaux ensembles peints du XVe s. ! Du sol au plafond, plus de 200 m^2 de fresques bibliques, impressionnantes de fraîcheur et de beauté…

Via Ferrata
Deux des trois *via ferrata* du circuit des Comtes Lascaris – une référence en matière d'itinéraires aériens – se trouvent à La Brigue (OT, ☎ 04 93 04 36 07) et Tende (Maison de la montagne, ☎ 04 93 04 77 73). De très beaux parcours qui raviront les amateurs de sensations fortes !

Breil-sur-Roya
19 km au S. de Tende
Eaux-vives en Roya
Roya-Évasion
1, rue Pasteur
☎ 04 93 04 91 46
Suivez les eaux tumultueuses de la Roya, sautez dans les vasques d'eau, laissez-vous glisser dans les cascades… Mais pour accéder aux joies du canyoning, du rafting ou du canoë-kayak, il faut marcher au moins 1 h à travers la forêt pour rejoindre les sites de départ avec un guide professionnel. Tarif demi-journée : de 12 € (kayak) à 44 € (canyoning).

Le train Nice-Cuneo (Italie)
Depuis Sospel et les villages de la Roya
Il roule à nouveau depuis 1979. Ce train pittoresque s'accroche à la montagne et effectue de stupéfiantes acrobaties ferroviaires.

Repères
F2 *(rabat avant)*

Alpes-Maritimes

Activités et loisirs
Les Baroquiales
Via Ferrata

Avec les enfants
Le train Nice-Cuneo
Musée et vallée des
Merveilles
Eaux vives à partir de 7 ans

À proximité
Menton (env. 30 km S.),
p. 288.

Offices de tourisme
Tende : ☎ 04 93 04 73 71
Sospel : ☎ 04 93 04 15 80
Association pour le développement Roya-Bévéra :
☎ 04 93 04 92 05

Empruntez-le notamment entre Breil-sur-Roya et le col de Tende : vous franchirez 50 tunnels dont 3 hélicoïdaux, d'incroyables ponts et des viaducs qui franchissent allègrement les à-pics des gorges de la Roya (informations en gare de Nice, ☎ 08 36 35 35 35).

LES BAROQUIALES
Rens. à l'Association pour le développement des vallées Roya-Bévéra ☎ 04 93 04 92 05 La première semaine de juillet, tout l'art baroque grimpe dans les vallées de la Roya et de la Bévéra : opéras, ballets, commedia dell'arte, musique et expositions se succèdent dans les églises de Breil-sur-Roya, Sospel, Saorge, La Brigue, Fontan, Tende ainsi qu'à Peille (prix des places : entre 6,5 et 15,5 € env.).

Le parc du Mercantour
détour nature au pays des loups

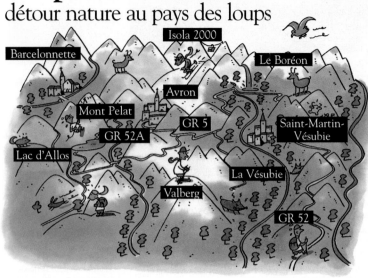

Isola 2000
Barcelonnette
Le Boréon
Avron
Mont Pelat
GR 5
Saint-Martin-Vésubie
GR 52A
Lac d'Allos
La Vésubie
Valberg
GR 52

Point de rencontre entre les sommets alpins et la douceur méditerranéenne, le parc national du Mercantour est un enchantement. Ruisselets, sources, bouillonnement des cascades, fraîcheur des lacs cristallins dans les montagnes altières : l'eau étourdit le marcheur à l'envi. Dans ce décor 100 % naturel, quelques loups ont enfin retrouvé leur place, suivis par le gypaète barbu, réintroduit dernièrement par les deux parcs transfrontaliers et partenaires, le Mercantour et le parc italien Alpi Marittime.

Flore et faune

S'étirant sur plus de 100 km contre la frontière italienne, entre les hautes vallées de l'Ubaye et du Verdon au nord (p. 298) et les vallées du Var, de la Vésubie et de la Roya au sud (p. 294), il offre aux amoureux de la nature ses quelque 68 000 ha de lacs, forêts, sites rocheux et pâturages. Une flore abondante et variée (plus de 2 000 espèces dont 40 qui ne poussent qu'ici), une faune caractéristique de la haute montagne qui se laisse approcher sans crainte (chamois, bouquetins, mouflons…) et mille et une bestioles discrètes (marmottes, lièvres, hermines…) peuplent ce parc.

Jolis villages de montagne

Avec ses 7 vallées sauvages aux eaux tumultueuses : du sud au nord, Roya, Bévéra, Vésubie, Tinée, haut Var, haut Verdon et Ubaye, le Mercantour abrite des villages de montagne ornés de charmantes **églises romanes** et de maisons en pierres épaisses et couvertes de lauzes : Rimplas, Breil, Saorge, Entrevaux, Saint-Martin-Vésubie, Roubion… On y fera provision de miel, tommes et autres fromages.

Les loups du Mercantour

On en dénombre actuellement une vingtaine, venus tout seuls d'Italie par la chaîne des Apennins. Leur présence est attestée sur le parc depuis 1992. Inoffensifs pour l'homme qu'ils craignent, les loups sont parfois la cause de

RANDONNÉES

Avec près de 600 km de circuits de randonnée très bien balisés ou de promenade, voilà un site qui séduira les marcheurs. D'autant que, dans ce parc protégé, le milieu est encore peu perturbé par l'homme. Le GR 5 et le GR 52 traversent le Mercantour tandis que le GR 52A le longe de village en village dans sa partie sud. Pour découvrir les meilleurs endroits, n'hésitez pas à prendre un guide (bureau des guides du Mercantour, ☎ 04 93 03 31 32).

dommages dans les troupeaux. Des dispositifs – pastoralisme et gestion du loup, programme Life – sont donc mis en place pour lieux gérer cette « problématique loup » qui doit encore compter avec les peurs ancestrales. S'ils n'ont rien à craindre des loups, les randonneurs doivent être prudents lorsqu'ils croisent les chiens patous qui assurent la surveillance des troupeaux : inoffensifs, ils peuvent néanmoins se montrer impressionnants si l'on s'approche des moutons.

À pied, à skis…

Ne l'oublions pas : le Mercantour est vraiment un parc de haute montagne qui s'étage entre 500 et 3 143 m d'altitude (la cime du Gélas). Dans des paysages magnifiques, vous pourrez vous livrer aux joies de la randonnée. La zone centrale du parc est interdite au VTT, mais plusieurs circuits vous attendent en zone périphérique. Enfin, le ski est un des plaisirs de l'hiver dans les stations de Valberg, Isola 2000 et Auron (voir aussi p. 88-89).

Pique-nique de lacs en cascades

Le Boréon (au-dessus de Saint-Martin-Vésubie), haut lieu de l'escalade, est le point de départ de nombreuses randonnées dans les forêts ou vers les lacs. L'une d'elles conduit à la superbe **cascade du Boréon**, qui tombe de 40 m de haut à plus de 1 500 m d'altitude. Beaucoup plus à l'est (près de Barcelonnette par la D909), le **lac d'Allos**, masse d'eau azur sur fond de roches déchiquetées, est le plus grand lac naturel d'Europe, à 2 300 m d'altitude.

Les Maisons du parc national

Amoureux de la nature mais un peu néophyte, vous souhaitez être guidé pour découvrir le parc. Dans les Maisons du parc, vous rencontrerez les gardes moniteurs qui vous feront partager leur expérience. Ces Maisons se répartissent par secteurs : Roya-Bévéra à Tende (☎ 04 93 04 67 00), haute Vésubie à Saint-Martin-Vésubie (☎ 04 93 03 23 15), haute Tinée à Saint-Étienne-de-Tinée (☎ 04 93 02 42 27), moyenne Tinée à Saint-Sauveur-de-Tinée

(☎ 04 93 02 01 63), haut Var/Cians à Valberg (☎ 04 93 02 58 23), haut Verdon à Allos (☎ 04 92 83 04 18) et haute Ubaye à Barcelonnette (☎ 04 92 81 21 31). La Maison du parc national dispose d'une liste de guides agréés qui proposent des visites commentées de la faune et de la flore du parc (rens. au siège social du parc).

Repères

E2 *(rabat avant)*

Alpes-de-Haute-Provence

Activités et loisirs

Randonnées
Ski et balades pédestres

Avec les enfants

Découverte de la faune et de la flore avec les guides agréés par le parc

À proximité

La vallée de la Vésubie, p. 290.

Office de tourisme

Parc national du Mercantour :
☎ 04 93 16 78 88

Les hautes vallées du Var et du Verdon

à deux pas des Alpes

Au pied du Mercantour, le pays de la Roudoule est celui des gorges flamboyantes. Descendant de la montagne, les torrents fougueux s'y sont frayé des chemins magnifiques à travers le schiste rouge… En contrebas, baignées par le Var, les cités historiques d'Entrevaux et de Puget-Théniers conservent les souvenirs de ce pays qui fut longtemps à la frontière entre la France et le comté de Nice…

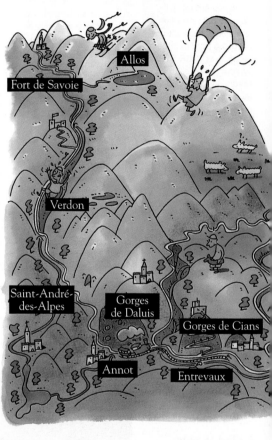

Allos
Fort de Savoie
Verdon
Saint-André-des-Alpes
Gorges de Daluis
Gorges de Cians
Annot
Entrevaux

Gorges du Cians

Entrevaux

À l'assaut du château

Adossée à son rocher, cette cité fortifiée est couronnée par une citadelle incroyablement haut perchée… Pénétrez dans ce décor médiéval et XVIIe s. par la porte Royale et son pont-levis et passez en revue la cathédrale (XVIIe s.), l'enceinte à créneaux de Vauban, les ruelles médiévales (rue du Marché, rue Basse, rue du Four et son four à pain) et… l'imprenable citadelle !

Avant d'y arriver et de profiter d'une vue inoubliable sur le Var, vous pouvez faire halte au **musée de la Poudrière** pour connaître l'histoire militaire d'Entrevaux.

Moulin et moto

Pl. Moreau, extra-muros
Visites guidées du moulin à huile
Rens. à l'OT
Accès payant.
Musée de la Moto
☎ 04 93 79 12 70
Ouv. t. l. j. juin-mi-sept., le w.-e. avr.-sept., 10 h-

12 h et 14 h-19 h.
Dans ce moulin du XVᵉ s., tous les producteurs viennent en février à tour de rôle presser leurs olives. Après avoir rempli 12 escourtins (et non pas couffins) de leurs fruits, ils les empilent et pressent doucement l'ensemble afin d'obtenir la première huile, pressée à froid, extravierge. Changement de décor au **musée de la Moto** (rue Serpente) qui expose 75 motos dont la plus vieille date de 1905 !

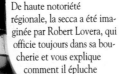

De haute notoriété régionale, la secca a été imaginée par Robert Lovera, qui officie toujours dans sa boucherie et vous explique comment il épluche soigneusement un petit muscle de la cuisse postérieure du bœuf (le rond de gîte), puis le dégraisse, le sale et le sèche lentement pendant quatre-vingt-dix-jours… À déguster en carpaccio avec un filet d'huile d'olive et quelques copeaux de parmesan.

La secca
Robert Lovera
Pl. Charles-Panier
☎ **04 93 05 40 08**
On dirait de la viande des Grisons, mais cette spécialité d'Entrevaux est bien plus fine.

CANYONING DANS LES GORGES
Accès par D 28 vers Guillaumes, puis rte de Tire-Bœuf à droite (parking).
Arrivée au pont Durandy (parking), 5 km plus bas
Durée : 4 h.
Si vous êtes néophyte, renseignez-vous à l'OT de Valberg, ☎ 04 93 23 24 25.
Idéales pour les débutants, les gorges de Daluis offrent une splendide randonnée aquatique dans un paysage de rêve. Ici, la combinaison en néoprène est jugée inutile par les professionnels…
Profitez-en : sur ce parcours balisé, en pente douce, vous traverserez le lit du cours d'eau une trentaine de fois et vous vous baignerez à mi-chemin dans la vasque des cascades de la clue d'Amen… Une marche paradisiaque en plein Colorado niçois, avec, en fond sonore, le chant du merle bleu qu'on ne rencontre qu'ici.

Repères
D2-E2 *(rabat avant)*

Alpes-de-Haute-Provence

Activités et loisirs
Les gorges de Daluis
Les gorges de Cians
Randonnées aquatiques
Sentier des gorges
de Saint-Pierre
Baptême en parapente
Promenades au lac d'Allos

Offices de tourisme
Allos : ☎ 04 92 83 02 81
Annot : ☎ 04 92 83 23 03
Entrevaux :
☎ 04 93 05 46 73
Saint-André-des-Alpes :
☎ 04 92 89 02 39

Puget-Théniers
7 km à l'E. d'Entrevaux
Les demoiselles du Castagnet
Via Ferrata
Rens. à la Maison de pays-office du tourisme
Au pied des ruines d'un vieux château autrefois propriété des Grimaldi, ce joli village au quartier médiéval cumule les attraits de la moyenne montagne et ceux de la Provence. À la sortie du village en direction d'Entrevaux, une *via ferrata* – les Demoiselles du Castagnet – a été installée non loin du stade : sur 750 m de long et en 3 h 30 (inclus l'accès par un sentier) ; pont himalayen, pont de singe et tyrolienne rythment cette balade à flanc de falaise avec vues imprenables sur le Verdon, le Var et la Roudoule. Impressionnant mais réservé à ceux qui n'ont pas le vertige !

À toute vapeur
Train des Pignes
Billets en vente à la
Maison de pays
☎ **04 93 88 18 78 ou**
04 93 82 10 17

Circule de mai à oct. Accrochez-vous. Ce train historique remorqué par une locomotive à vapeur de 1909 (classée Monument historique) circule sur les hauteurs les plus infréquentables (pour un train) de l'arrière-pays provençal… Émotions garanties : il cahote, se dandine, il « boulègue », comme on dit ici, et s'arrête partout. Mais surtout, il offre les paysages les plus beaux des Alpes du Sud, dans une ambiance inoubliable. Durée du trajet Annot-Puget (20 km) : 1 h 05 ! Tarif aller-retour : 16,77 €.

Beuil

30 km au N.-E. de Puget-Théniers
Les gorges du Cians

Le torrent impétueux dévale 1 300 m de dénivelé en moins de 25 km. Suivez sa course folle à partir de Beuil (D 28) : prodigieux décor où, à deux reprises, la roche rouge surplombe entièrement la route (très impressionnant) ! Ne manquez pas, au croisement vers Pierlas, la vue générale, et montez au village de Lieuche (route sinueuse), dont l'église possède une œuvre digne du Louvre, le **polyptyque de l'Annonciation** de Louis Bréa (fin XVᵉ s.).

Daluis

15 km au N. d'Entrevaux
Gorges de schistes

On les appelle aussi les « gorges rouges » tant les schistes qui les tapissent offrent un **spectacle magnifique**… Sillonnez ces couloirs somptueux à partir du village de Daluis, perché à 800 m au-dessus du Var, en suivant l'étroite D 2202 qui parcourt le site en corniche. Après le pont de Berthéon, remarquez le rocher dit Tête-de-Femme, laquelle semble avoir choisi ces gorges comme décolleté, rehaussé 3 km plus loin par une superbe cascade (de diamants).

Annot

13 km à l'O. d'Entrevaux
De fascinants grès

Ce village semi-alpin (700 m) où l'on pratique le ski de fond en hiver est cerné par d'énormes blocs de grès venus de la falaise voisine, une particularité unique au monde ! Suivez le sentier des « Grès d'Annot » (balisage jaune) qui part de la gare, rejoint la « Chambre du roi » et grimpe jusqu'à la belle chapelle «Vers la ville ». En chemin, vous verrez encore dans la roche quelques habitations « naturelles » des bergers ligures, premiers habitants d'Annot.

Colmars-les-Alpes

28 km au N. de Saint-André-les-Alpes
Le fort de Savoie

☎ 04 92 83 41 92
Visite guidée à 10 h, 14 h 30-19 h juil.-août. Sur r.-v. sept.-juin.
Au nord du vieux village entouré de fortifications, imaginez l'ambiance qui régnait dans ce fort chargé au XVIIᵉ s. de protéger la Savoie des attaques piémontaises. De salle en salle, les passages bas et voûtés sont conçus pour empêcher l'ennemi de progresser… La tour de guet possède une superbe charpente en mélèze rouge et le chemin de ronde plonge directement sur le Verdon…

Baptême en parapente
Aérogliss
Base de loisirs des Iscles
☎ 04 92 89 11 30
Internet :
www.aerogliss.com
Stages de fin mars à nov. Tarifs du vol : à partir de 47,74 €.
Élancez-vous des hauteurs de la vallée du haut Verdon, site des championnats du monde de la discipline. Pour votre baptême de l'air en parapente, un pilote professionnel vous initie aux joies du décollage en duo… et de l'atterrissage. Ensuite, il suffit de recommencer : quelques kilos de toile, à déplier et à gonfler en courant dans la pente…

RANDONNÉE
AQUATIQUE

Saint-André-les-Alpes
**Pro-Verdon activités,
J. Raoust**
Rue Basse
☎ 04 92 89 04 19
Mai-oct.

Descendez les gorges de Fontgaillarde en flottant sur le Verdon et empruntez les chemins réservés jusqu'alors aux pêcheurs sportifs. Il suffit d'enfiler une combinaison en néoprène et un gilet et de se laisser porter par les eaux calmes du torrent (en été). Pendant 2 h de dérive, savourez les plaisirs du plongeon dans les trous d'eau, de la marche sur les rives, de l'observation des cincles plongeurs, magnifiques oiseaux aquatiques. Il faut savoir nager et avoir au moins 14 ans.

Beauvezer

5,5 km au S. de Colmars
**Les gorges
de Saint-Pierre**

Dépliants « Randonnées du haut Verdon » disponibles dans les OT Creusé dans la roche, le sentier des gorges permettait autrefois aux habitants de Beauvezer d'accéder aux pâturages. À partir du petit village de Villars-Heyssier sur la rive gauche du Verdon (1,5 km de Beauvezer), il vous conduit au-dessus du vide puis à travers la forêt en une boucle d'environ 6 h de marche…

Val d'Allos

8 km au N. de Colmars
Promenade au lac

*Accès au lac par
D 226, puis 1 km à pied
(sentier)*
Station de ski l'hiver, Val d'Allos est un beau point de départ pour randonner en été. Son plan d'eau bien aménagé est très agréable.

Huit cents mètres plus haut, c'est un autre lac, naturel cette fois-ci et le plus haut d'Europe, qui vous attend après avoir emprunté un sentier balisé d'interprétation (par la D 226). De là, vous pouvez encore grimper jusqu'au mont Pelat à 3 050 m (2 h de marche à partir du refuge).

Digne-les-Bains
cœur des Alpes-de-Haute-Provence

Cette cité thermale connue de Pline l'Ancien (Ier s. av. J.-C.) est le témoignage vivant d'une histoire qui dure depuis des millions d'années. Dans ce pays d'olive et de lavande, la mémoire de la terre est en effet bien vivace dans ses vestiges romains et les différents sites géologiques qui l'entourent.

Deux cathédrales pour une cité

Concentré autour de la cathédrale Saint-Jérôme (1490, remaniée au XIXe s.), le vieux Digne offre un agréable lieu de promenade avec ses anciens passages (rue Pied-de-Ville) et ses rues pentues, tortueuses et étroites aux noms amusants (rue Prête-à-partir, ainsi baptisée à cause des crues qui la menaçaient).
À droite de la cathédrale, une tour carrée du XVIe s. est surmontée d'un joli campanile en fer forgé, visible de loin. L'autre cathédrale de Digne (XIIe-XIIIe s.), splendeur romane de belle dimension, domine le quartier du Bourg qui abrite quelques vestiges de l'ancienne cité romaine.

Notre-Dame-du-Bourg

Lavande et botanique

**Jardin botanique
Cour d'honneur du collège Maria-Borrely
Pl. des Cordeliers
☎ 04 92 31 59 59**
Ouv. mar.-sam. avr.-oct., 9 h-12 h et 14 h-18 h ; juil. et août, 9 h-12 h et 15 h-19 h.
Accès libre, visite guidée sur demande.
Dans ce paisible parc intégré aux « Routes de la lavande » (Association : ☎ 04 75 26 65 91), environ 350 espèces de plantes sauvages et cultivées dressent un charmant tableau du patrimoine végétal de la région. Parmi elles, la lavande, fêtée avec faste à l'occasion du « Corso de la Lavande » qui a lieu chaque premier week-end d'août : chars décorés et parfumés à la lavande, feux d'artifice, bals et concerts… Une vraie star, cette petite fleur bleue !

Musée Alexandra-David-Néel

**27, av. du maréchal-Juin
☎ 04 92 31 32 38
Internet :
www.alexandra-david-neel.org**
Visites guidées juil.-sept. t. l. j. à 10 h 30, 14 h, 15 h 30 et 17 h ; oct.-juin, t. l. j. à 10 h 30, 14 h et 16 h. F. sam. Durée 1 h 15 (visites en 4 langues : angl., fr., all., ital.).
Accès gratuit.
Cette grande orientaliste saisie du démon du voyage aura parcouru en tous sens l'Extrême-Orient et traversé le Tibet à pied. Dans la maison qu'elle acheta en 1928 et où

Repères

D2 *(rabat avant)*

Alpes-de-Haute-Provence

Activités et loisirs

Aromathérapie aux Thermes de Digne

Avec les enfants

Jardin botanique des Cordeliers
Le Train des pignes
Le musée-promenade
Parcours des fossiles

À proximité

*Sisteron (env. 30 km N.-O.), p. 192.
La route Napoléon, p. 202.*

Office de tourisme

Digne : ☎ 04 92 36 62 62

elle vécut de 1946 à sa mort en 1969, vous pourrez découvrir les nombreux documents (cartes, photographies…) accumulés au cours de ses trente années de pérégrination mais aussi les très beaux objets d'art orientaux (bouddhas, bols, tankas…) offerts à la première Européenne qui entra à Lhassa, la capitale du Tibet alors interdite aux étrangers. À l'étage, la salle du Mandala présente la culture tibétaine d'aujourd'hui.

AROMATHÉRAPIE
Établissement thermal
☎ 04 92 32 32 92
Ouv. fév.-déc.
Visites guidées mars-août et nov.
Outre les soins des voies respiratoires et des rhumatismes qui ont fait leur réputation, les thermes de Digne se sont lancés dans la remise en forme et le bien-être. Leur spécialité : l'aromathérapie fondée sur les vertus des huiles essentielles. En bain bouillonnant, étuve ou modelage, les séances « Aromatherma » apaisent ou dynamisent selon les besoins (à partir de 32 € la séance).

Le Train des pignes
**Gare de Digne
Av. Pierre-Sémard**
☎ 04 92 31 01 58
Baptisé ainsi en souvenir des pommes de pin qu'on utilisait à la place du charbon pendant la guerre, le Train des pignes assure la liaison Nice-Digne (4 allers-retours par jour en 3 h 20). L'autorail s'arrête dans de beaux villages : Saint-André-les-Alpes, Annot, Entrevaux…, passe en douceur viaducs et tunnels : un parcours très pittoresque !

Un musée-promenade
Parc Saint-Benoît
☎ 04 92 36 70 70
La réserve géologique de Haute-Provence, classée réserve naturelle nationale, regroupe 47 communes des Alpes-de-Haute-Provence et du Var. Sur leur terroir qui couvre 1 900 km², roches, fossiles et paysages sont protégés pour mieux mettre en valeur 300 millions d'années d'histoire. Perché au cœur d'un parc boisé à quelques minutes du centre-ville, le musée-promenade de Digne fait partie intégrante de la réserve géologique. Pour y accéder, on suit un parcours pédestre enchanteur qui alterne cascades et sentiers

thématiques. À l'intérieur, les salles d'exposition présentent la faune fossile et des espèces vivantes de poissons et d'invertébrés à l'abri dans leurs aquariums.

Fossiles en stock
3 km au N. de Digne
Sur la route du musée-promenade en continuant la D 900A vers les clues de Barles (magnifiques paysages), arrêtez-vous à la dalle aux ammonites : 350 m² de coquilles fossilisés depuis 200 millions d'années, lorsque la mer recouvrait la région dignoise. Un peu plus loin à La robine, c'est un reptile de l'ère secondaire, l'ichtyosaure, que l'on peut admirer sous son dôme de Plexiglas.

Barcelonnette
et la vallée de l'Ubaye

Dans les Alpes du Sud, la superbe vallée de l'Ubaye a un sacré caractère, aussi contrasté que son climat. Longtemps terrain de bataille des nombreux conflits entre les puissances européennes, ses habitants en ont gardé un tempérament très remuant : au XIXᵉ s., ils sont même partis faire fortune au Mexique. Ils se consacrent aujourd'hui à la mise en valeur de leur formidable patrimoine naturel et historique.

Barcelonnette

Les villas mexicaines

C'est la capitale de l'Ubaye. La tour Cardinalis, beau clocher du XIVᵉ s., rappelle le couvent dominicain qui occupait le centre de la cité jusqu'à la Révolution (place Manuel). Quelques villas somptueuses évoquent l'étonnante émigration mexicaine des habitants de Barcelonnette au XIXᵉ s. Revenus enrichis au pays, ils ont construit l'église Saint-Pierre (1928), de style romano-provencal.

« Les Enfants du Jazz »

Rens. et rés. à l'OT.

Pendant quinze jours à partir de la mi-juillet, de grands musiciens de jazz donnent des concerts aux quatre coins de la ville et dans le beau parc de la Sapinière. Expositions, concerts de rue et stages pour jazzmen en herbe complètent ce festival très swing (rens. au ☎ 04 43 58 98 50 et à l'OT).

Fêtes du Pain

Dans les villages d'Ubaye

Pendant l'été, les anciens fours de l'Ubaye, propriétés collectives d'un village où chacun venait cuire son pain, reprennent du service. Touristes et habitants se retrouvent devant l'âtre, irrésistiblement attirés par la bonne odeur du pain qui lève. (Liste des villages qui participent à la communauté des communes de la vallée : ☎ 04 92 81 03 68.)

Vallée de l'Ubaye

Fortifications

Env. 20 km au N.-E. de Barcelonnette par D 900)
☎ **04 92 81 21 76**
Accès payant.
Vallée frontière avec l'Italie, la haute Ubaye a conservé

une panoplie impressionnante d'ouvrages militaires défensifs, érigés entre le XVIIe et le XXe s. La **forteresse de Tournoux**, accrochée à la montagne, les **batteries de Roche-la-Croix**, qui ont servi pendant l'offensive italienne de juin 1940, et l'**ouvrage de Saint-Ours-Haut**, impressionnant système souterrain.

La vie quotidienne au XIXe s.

Horaires variant selon saison. Rens. à l'OT.
Cinq musées disséminés en Ubaye forment un portait-puzzle de ses habitants. La grange de l'ancienne **Maison Arnaud** (☎ 04 92 84 36 23) met en scène les durs travaux de la terre au XIXe s.
L'ancienne **école de Pontis** (☎ 04 92 44 26 94) parle d'instruction publique.
À Barcelonnette, la **Sapinière** (☎ 04 92 81 27 15) a gardé le charme et la décoration des maisons mexicaines et expose l'histoire pittoresque des habitants de la vallée. À Jausiers, l'ancienne **Maison Dunand** (☎ 04 92 81 06 16) raconte les rapppports entre l'eau des Ubayens, et Lauzet-sur-Ubaye (☎ 04 92 85 51 27) s'intéresse à la cueillette et à la chasse.

Jausiers
9 km à l'O. de Barcelonnette
L'Ubaye pour fine bouche
Maison des produits de pays
Rte de Barcelonnette

☎ 04 92 84 63 88
Internet : www.produits-de-pays.com
Ouv. t. l. j. 10 h-12 h et 15 h-19 h (10 h-20 h en juil. et août).
Du **génépi** qui fleure bon la montagne, des croquants de l'Ubaye parfumés au miel, anis, orange, noix et amandes, du fumeton (fines tranches de gigot de mouton fumé), du jambon et des tartes de montagne, des confitures et des chocolats... Un vrai régal !

Pontis
36 km à l'O. de Barcelonnette
Balade en famille
Pour profiter d'une superbe vue sur le lac de Serre-Ponçon tout proche, rendez-vous au col de Pontis pour emprunter

la piste forestière, direction « les Hugues-Le Morgonnet ». Passez en amont de la ferme des « Hugues » et se garer au terminus. En une heure sans difficulté, vous traverserez pâturages, sapinières et pinèdes avec vue imprenable sur le lac (carte touristique Ubaye dispo. dans l'OT). Profitez de votre escapade à Pontis pour faire un tour sur le site étonnant des « Demoiselles coiffées ». Avec les enfants, poussez jusqu'au Sauze-du-Lac (6 km) pour visiter le parc animalier la « **Montagne aux marmottes** » (ouv. avr.-fin oct. ☎ 04 92 44 32 00) : ils seront ravis !

BABY-RAFT

Alligator
Le Pont Long
à Barcelonnette
☎ 04 92 81 06 06
Ouv. Pâques-fin sept.
Franchir des rouleaux d'écume à partir de 4 ans, c'est possible ! En baby-raft sur des parcours faciles et courts (1/2 h env.), les petits sont pris en charge par un guide qui leur explique la rivière de façon ludique avec, au besoin, une ou deux chansons et une histoire de sirène... Pour les plus grands, la séance est plus tonique et se décline en rafting, canoë, kayak et nage en eau vive (rens. à l'OT).

Jusqu'à -30% sur votre prochaine location, ça vous tente ?

Découvrez AVIS Club Azur, la carte d'abonnement qui privilégie vos loisirs

Partez en week-end ou en vacances à des conditions exceptionnelles... et profitez de la gratuité du siège bébé !

Contactez AVIS au 0 820 05 05 05 (0,12 € TTC/mn)
ou sur avis.fr

AVIS recommande Opel

AVIS
*Décidés à faire
mille fois plus.*

Z

Ce *guide Vacances* a été établi par **Jeanne Barzilaï, Catherine Bézard, Éva Cantavenera, Pascal de Cugnac, Virginie Motte**.
La mise à jour a été réalisée par **Marie-Hélène Chaplain**.
Ont également collaboré Chrystel Arnould, Marie Barbier, Caroline Boissy, Céline Davaze, Sandra Guinand, Aurélie Joiris, Jean-Pierre Marenghi.

Illustrations : **François Lachèze**.

Cartographie illustrée : **Philippe Doro**.

Cartographie : © **Idé-Infographie** (Thomas Grollier).

Aussi soigneusement qu'il ait été établi, ce guide n'est pas à l'abri des changements de dernière heure, des erreurs ou omissions. Ne manquez pas de nous faire part de vos remarques. Informez-nous aussi de vos découvertes personnelles, nous accordons la plus grande importance au courrier de nos lecteurs.

Guides Vacances, Hachette Tourisme, 43, quai de Grenelle, 75905 Paris CEDEX 15.
E-mail : vacances@hachette-livre.fr

Conformément à une jurisprudence constante (Toulouse 14-01-1887), les erreurs ou omissions involontaires qui auraient pu subsister dans ce guide, malgré nos soins et les contrôles de l'équipe de rédaction, ne sauraient engager la responsabilité de l'éditeur.

Régie exclusive de publicité : Hachette Tourisme, 43, quai de Grenelle, 75905 Paris CEDEX 15 : Dana Lichiardopol ☎ 01 43 92 37 94 – Fax 01 43 92 37 79.
E-mail : dlichiardopol@hachette-livre.fr
Le contenu des annonces publicitaires insérées dans ce guide n'engage en rien la responsabilité de l'éditeur.

ISBN : 2.7441.7309.6
N° éditeur : 24/3813/3
Dépôt légal : 45889 - mai 2004
Imprimé en France par I.M.E

CARNET D'ADRESSES

SOMMAIRE

Se renseigner

Comité Régional du Tourisme Provence-Côte d'Azur (Hautes-Alpes, Alpes-de-Haute-Provence, Vaucluse, Var, Bouches-du-Rhône)
Les Docks
10, pl. de la Joliette
BP 46214
13567 Marseille Cedex 02
☎ 04 91 56 47 00

Comité Régional du Tourisme Riviera Côte d'Azur (Alpes Maritimes)
55, promenade des Anglais
06000 Nice
☎ 04 93 37 78 78

Comité Départemental du Tourisme et des loisirs des Alpes de Hautes Provence
19, rue du Docteur-Honnorat
04005 Dignes
☎ 04 92 31 57 29
www.alpes-haute-provence.com

Comité Départemental du Tourisme des Bouches du Rhône
13, rue Roux de Brugnoles
Le Montesquieu
13006 Marseille
☎ 04 91 13 84 13
www.visitprovence.com

Comité Départemental du Tourisme du Var
1, bd Foch
BP 99
83003 Draguignan Cedex
☎ 04 94 50 55 65

Comité Départemental du Tourisme du Vaucluse
BP 147
84008 Avignon Cedex 01
☎ 04 90 80 47 00
www.provenceguide.com

MAISONS DE PAYS

Maison du Tourisme de La Provence d'Azur
Forum du Casino
3, av. Ambroise Thomas
83400 Hyères
☎ 04 94 01 84 30
www.provence-azur.com

Maison du Tourisme du Golfe de St-Tropez et du Pays des Maures
Carrefour de La Foux
83580 Gassin
☎ 04 94 55 22 00

La Provence Verte
Carrefour de l'Europe
Maison du Tourisme
83170 Brignoles
☎ 04 94 72 04 21

Bureau du Tourisme
All. des Tilleuls
83630 Aiguines
☎ 04 94 70 21 64

Association touristique de la Roya-Bévéra
Bd Rouvier
06540 Breil sur Roya
☎ 04 93 04 92 05

Association touristique du canton de Levens
Maison des cantons des Alpes d'Azur
RN 202 La Manda
06670 Colomars
☎ 04 93 08 76 31
www.cote-dazur.com/tourisme-canton-levens

Office de Tourisme Provence Val d'Azur
2, rue Alexandre Barety
06260 Puget-Theniers
☎ 04 93 05 05 05

RÉSERVATIONS HÉBERGEMENT

Relais Départemental des Gîtes de France (Var)
Conseil Général du Var
Bd Foch
BP 215
83006 Draguignan Cedex
☎ 04 94 50 93 93
www.gite-de-france-var.fr

Relais départemental des gîtes de France (Vaucluse)
au CDT du Vaucluse (voir plus haut)

Office du Tourisme et centrale de réservation de Saint-Raphaël et du Pays de Fayence
Le Stanislas
Rue Waldeck Rousseau
BP 210
83702 Saint-Raphaël Cedex
☎ 04 94 19 10 60

Loisirs Accueil Bouches du Rhône
Domaine du Vergon
13370 Mallemort
☎ 04 90 59 49 36

Gîtes de France Alpes-Maritimes
57, Promenade des Anglais
BP 1602
06011 Nice cedex 1
☎ 04 92 15 21 30
3615 Gites de France
www.guideriviera.com/gites06

ASSOCIATIONS ET FÉDÉRATIONS SPORTIVES

Fédération française de Canoë-kayak
87, quai de la Marne – BP 58
94340 Joinville-Le-Pont
☎ 01 42 83 52 93

Comité régional Provence-Côte d'Azur
☎ 04 93 89 54 40
www.ffcanoe.asso.fr

Fédération française de cyclisme
Bâtiment Jean Monnet
5, rue de Rome
93561 Rosny-sous-Bois
☎ 01 49 35 69 00

Comité régional Côte d'Azur
☎ 04 94 38 50 55
www.ffc.fr

Fédération française d'équitation
9, bd Macdonald
75019 Paris
☎ 01 53 26 15 15

Délégation au Tourisme équestre
☎ 01 53 26 15 50
www.ffe.com

Fédération française de golf
www.ffspeleo.fr

Fédération française de voile
55, av. Kléber
75784 Paris cedex 16
☎ 01 44 05 81 00
www.ffv.fr

Fédération française de vol libre
4, rue de Suisse
06000 Nice
☎ 04 97 03 82 82
www.fvl.fr

Partir

EN AVION

Une quarantaine de liaisons quotidiennes relient Paris à Marseille et Nice, une dizaine entre Paris et Toulon et trois entre Paris et Avignon, avec les compagnies aériennes Air-France et Air-Lib. Des liaisons avec d'autres villes françaises sont également possibles au départ des aéroports de Paca

COMPAGNIES

Air-France
☎ 0820 820 820
www.airfrance.fr

AÉROPORTS

Aéroport international Nice Côte d'Azur
☎ 08 36 69 55 55 (infos vols) et 04 93 21 30 30 (standard)
www.nice.aeroport.fr

Aéroport international Marseille-Provence
☎ 04 42 14 21 14
www.marseille.aeroport.fr

Aéroport Toulon-Hyères
Bd de La Marine
83400 Hyères
☎ 04 94 00 83 83

Aéroport Avignon
141, all. de la Chartreuse
84140 Montfavet
☎ 04 90 81 51 51

EN TRAIN

15 liaisons quotidiennes dont 11 TGV relient Paris à Marseille. Renseignements :
☎ 08 92 35 35 35
Le réseau TER relie les villes de Paca entre elles.
Renseignements : ☎ 04 91 57 50 79
www.sncf.fr (réservations) ou ter.sncf.fr/paca (horaires et services)

Gares TGV
Avignon, Aix-en-Provence, Toulon, les Arcs-sur-Argens-Draguignan, Saint-Raphaël, Cannes, Antibes, Nice.

TGV Méditerranée
Paris-Avignon en 2h38, Paris-Aix en Provence en 2h56, Paris-Marseille en 3h, Paris-Toulon en 3h47, Paris-Nice en 5h25

EN VOITURE

Carte Michelin
n°245 Provence Côte d'Azur, échelle 1/200 000
3615 code Michelin
www.michelin-travel.com

Centre régional d'informations routières
☎ 04 91 78 78 78

LOUEURS DE VOITURES

Ada
☎ 0 825 169 169
www.ada-location.com

Avis
☎ 0 820 05 05 05
www.avis.fr

Budget
☎ 0 825 00 35 64
www.budget.fr

Europcar
☎ 0 825 358 358
www.europcar.fr

Rent a car
☎ 0 892 69 46 95
www.rentacar.fr

Hertz
☎ 01 39 38 38 38
www.hertz.fr

ADRESSES UTILES

III

Vous trouverez dans les pages suivantes plus de cent cinquante adresses pour vous héberger en Provence-Côte d'Azur. La liste se compose de cinq rubriques (campings, auberges de jeunesse, gîtes d'étape, chambres d'hôte et hôtels).
À l'intérieur de chacune, les adresses sont classées par ordre alphabétique de localité. Le nombre de triangles indique une fourchette de prix à laquelle appartient l'établissement cité. L'indication donnée est basé sur le prix de la chambre double.

▲ moins de 30,49 €
▲▲ entre 30,49 et 45,73 €
▲▲▲ entre 45,73 et 60,98 €

▲▲▲▲ entre 60,98 et 91,47 €
▲▲▲▲▲ plus de 91,47 €
♥ Coup de cœur de la rédaction

CAMPINGS

ANTIBES

Camping du Pylone
63, rte de Biot, la Brague
☎ 04 93 33 33 35
www.campingpylone.com
Ouv. tte l'année
800 emplacements

CAGNES-SUR-MER

Le Val de Cagnes
179, chemin de Salles
☎ 04 93 73 36 53
Ouv. tte l'année
34 emplacements

LA COLLE SUR LOUP

Les Pinèdes
Rte du Pont de Pierre
☎ 04 93 32 98 94
www.lespinedes.com
Ouv. de mi mars à déb. oct.
164 emplacements

EZE

Les Romarins
Grande corniche
☎ 04 93 01 81 64
www.camping-romarins.com
Ouv. de Pâques à fin sept.
42 emplacements

GORDES

Camping des Sources
Rte de Murs
☎ 04 90 72 12 48
Ouv. de mi-mars à mi-oct.
100 emplacements

MOUGINS

L'eau Vive
713, chemin des Cabrières
☎ 04 93 75 36 35
Ouv. tte l'année
33 emplacements

LE MUY

Les Cigales
721, chemin du Jas de la Paro
☎ 04 94 45 12 08
Ouv. d'avr. à fin oct.
198 emplacements

NANS LES PINS

Camping de la Sainte-Baume
☎ 04 94 78 92 68
Ouv. mai-déb. sept.
160 emplacements

PORT-GRIMAUD

Camping de la Plage
RN 98
☎ 04 94 56 31 15
Ouv. fin mars-fin oct.
450 emplacements

LES SAINTES-MARIES-DE-LA MER

Le Clos du Rhône
Rte d'Aiguemorte
☎ 04 90 97 85 99
Ouv. mars-oct.
450 emplacements

SOSPEL

Domaine de Sainte-Madeleine
Rte de Moulinet
☎ 04 93 04 10 48
Ouv. 1er avr.-30 sept.
90 emplacements

VILLENEUVE-LOUBET

La Vieille Ferme
296, bd des Groules
☎ 04 93 33 41 44
Ouv. tte l'année
153 emplacements

AUBERGES DE JEUNESSE

AIX-EN-PROVENCE

3, av. Marcel Pagnol
☎ 04 42 20 15 99
Ouv. fév.-fin déc.
64 lits (chambres de 2 et 4 lits)

ARLES

20, av. du Maréchal Foch
☎ 04 90 96 18 25
F. de mi-déc à déb. févr.
109 lits (dortoirs de 8 lits)

CANNES

Le Chalit
27, av. Maréchal-Galliéni
☎ 04 93 99 22 11
le-chalit@wanadoo.fr
F. de nov. à mi-déc.
20 lits (chambres de 4 et 5 lits et 1 dortoir de 8 lits)

CASSIS

La Fontasse
☎ 04 42 01 02 72
F. 1er jan.-10 mars
6 dortoirs de 10 lits

FONTAINE DE VAUCLUSE

Chemin de la Vignasse
☎ 04 90 20 31 65
Ouv. du 1er févr. au 15 nov.
50 lits (1 dortoir de 11 lits et chambres de 9, 4 et 5 lits)

FRÉJUS/SAINT-RAPHAËL

Chemin du Counillier
☎ 04 94 53 18 75
F. de jan. à mi-fév.
104 lits

MANOSQUE

Parc de la Rochette
☎ 04 92 87 57 44
Ouv. du 1er fév. au 30 nov.
57 lits (chambres de 2, 4 et 6 lits)

MARSEILLE

Bonneveine
Impasse du Docteur Bonfils
☎ 04 91 17 63 30
F. de mi-déc à fin janv.
150 lits (chambres de 2 à 6 lits)

Bois Luzy
Allée des Primevères, Château de Bois-Luzy
☎ 04 91 49 06 18
F. 20 déc-7 jan.
90 lits (dortoirs 6 et 8 lits)

MENTON

Plateau Saint-Michel
☎ 04 93 35 93 14
Ouv. fév.-nov.
80 lits (dortoirs de 8 lits)

MONACO

Centre de la jeunesse Princesse Stéphanie
24, av. Prince Pierre
☎ 00 377 93 50 83 20
www.youthhostel.asso.mc
F. nov. ou déc
72 lits (chambres de 4 lits)

NICE

Route forestière du Mont Alban
☎ 04 93 89 23 64
Ouv. tte l'année
55 lits (dortoirs de 6 lits)

LA PALUD-SUR-VERDON

Rte de la Maline
☎ 04 92 77 38 72
Ouv. de mars à fin oct. (ferm. except. pour travaux en 2002. Rens. au 01 44 89 87 27 ou sur le site www.fuaj.org)
68 lits

SAINTES-MARIES-DE-LA-MER

Pioch Badet
Rte de Cacharel
☎ 04 90 97 51 72
Ouv. tte l'an. sur rés.
75 lits (dortoirs de 10 lits et chambres de 3 à 8 lits)

THÉOULE-SUR-MER

Le Trayas
9, av. de Véronèse, Agay
☎ 04 93 75 40 23
Ouv de mars à fin oct
100 lits

TARASCON

31, bd Gambetta
☎ 04 90 91 04 08
Ouv. mars-15 déc
65 lits (dortoirs de 8 et 12 lits)

GÎTES D'ÉTAPE

APT

▲
Relais de Roquefure
Domaine de Roquefure
☎ 04 90 04 88 88
www.relaisderoquefure.com
F. en déc. et janv.
3 dortoirs de 10, 6 et 4 lits

BEAUME-DE-VENISE

▲
Hermitage Notre-Dame d'Aubune
☎ 04 90 65 00 54
Ouv. tte l'année
17 lits (dortoirs de 4 à 6 lits)

CASTELLANE

▲
Au Soleil Gourmand
La Baume
☎ 04 92 83 70 82
www.gite-de-la-baume.com
Ouv. avr.-15 nov.
1 dortoir de 12 lit

MALAUCÈNE

▲
La Boissière
☎ 04 90 65 25 33
Ouv. mars-fin oct.
1 dortoir de 15 lits

PLAN D'AUPS-LA-SAINTE-BAUME

▲
Hôtellerie de la Sainte-Baume
Maison d'accueil religieuse
☎ 04 42 04 54 84
Ouv. tte l'année
60 lits au gîte (chambres-dortoirs) et 150 lits à l'Hôtellerie (chambres de 2 à 4 lits)

SAINT-ANDRÉ-LES-ALPES

▲
Les Cougnasses
Rte de Nice
☎ 04 92 89 18 78
Ouv. d'avr. à la Toussaint
20 lits (chambres de 2 à 6 lits)

SAINT-MARTIN VÉSUBIE

▲
Hélène Jauffret
6, rue Kellerman Serrurier
☎ 04 93 03 29 19
Ouv. tte l'an.
14 lits (chambres de 3 à 5 lits)

VILLECROZE

▲
Le Jas de Barna
☎ 04 94 85 91 60
www.jas-de-barna.com
Ouv. tte l'an.
36 lits (dortoirs de 4 et 6 lits, chambres de 2 et 3 lits)

VILLENEUVE-CAMARGUE

▲
Gîte de séjour Mas Saint-Germain
☎ 04 90 97 00 60
Ouv. tte l'année
De 6 à 12 lits (1 dortoir de 6 lits et chambres)

HÉBERGEMENT

CHAMBRES D'HÔTES

AIX-EN-PROVENCE

▲▲▲
Le Clos Pinchinats
45, rte de Sisteron
☎ 04 42 21 56 19
F. de mi-nov. à mi-mars
2 chambres

AUPS

▲▲
Campagne de l'Estré
Chemin de la Croix des Pins
☎ 04 94 84 00 45
www.estre.com
Ouv. tte l'année
3 chambres et 1 gîte

AVIGNON

▲▲▲▲
La Treille
Chemin de l'île Piot
☎ 04 90 16 46 20
Ouv. tte l'année
6 chambres

BARCELONNETTE

▲▲▲
♥ Villa Durango
16, av. des Trois-Frères-Arnaud
☎ 04 92 81 48 08.
www.villa-durango.freesurf.fr.
F. vac. de la Toussaint
5 chambres et 1 suite

BONNIEUX

▲▲▲▲
Le Clos du Buis
Rue Victor-Hugo
☎ 04 90 75 88 48
F. 1er déc-31 jan. sf fêtes de fin d'année
6 chambres

▲▲▲▲
La Bouquière
Rte d'Apt
☎ 04 90 75 87 17
Ouv. tte l'année
4 chambres

CAVAILLON

▲▲▲▲
Le Mas du Platane
22, quartier des Trente-Mouettes, rte de Lagnes
☎ 04 90 78 29 99
www.lemasduplatane.free.fr
Ouv. tte l'an. sur rés.
3 chambres dont 2 suites

COTIGNAC

▲▲▲▲
Le domaine de Nestuby
Nathalie Roubaud

☎ 04 94 06 60 02
www.sejour-en-provence.com
F. nov.-fin févr.
4 chambres

LAMANON

▲▲▲▲
♥ Monique et Daniel Vaultier
All. du Château, Les Loups
☎ 04 90 59 59 23 ou 06 81 11 30 13
Ouv. tte l'année
1 chambre

MARSEILLE

▲▲▲
La Petite Maison
5, rue des Flots Belus
☎ 04 91 31 74 63
info@petitemaisonamarseille.com
Ouv. tte l'an. sur rés.
4 chambres

▲▲▲
Château de la Panousse
Martine et Jean-Yves Dussart
198, av. de la Panouse
☎ 04 91 41 01 74
www.fleurs-soleil.tm.fr
Ouv. tte l'année sur rés.
2 chambres

▲▲▲
M. Schaufelberger
2, rue Saint-Laurent
☎ 04 91 90 29 02
www.fleurs-soleil.tm.fr
Ouv. tte l'année sur rés.
1 chambre et 1 suite

MÉNERBES

▲▲▲▲
Les Peirelles
☎ 04 90 72 23 42
www.luberon-news.com
F. jan. et fév.
5 chambres

OPPÈDE

▲▲▲
Notre-Dame d'Amour
Geneviève Magnan
Rte du Stade
☎ 04 90 76 87 55
Ouv. tte l'année
2 chambres

SAINT-REMY-DE-PROVENCE

▲▲▲
♥ Le Mas Clair de lune
Myriam Feige
Plateau de la Crau
☎ 04 90 92 02 63 ou 06 89 43 65 43

Ouv. tte l'année
3 chambres

▲▲▲
Mas des Fleurs
Nicole Poulenard
Quartier Chalamon
☎ 04 90 92 61 86 / 06 12 82 31 02
www.fleurs-soleil.tm.fr

LES SAINTES-MARIES-DE-LA-MER

▲▲
Le Mas de Pioch
Anne Cavallini
Rte d'Arles
☎ 04 90 97 50 06 ou 04 90 97 55 51
www.manadecavallini.com
Ouv. tte l'année
12 chambres

▲▲▲
Mazet du Maréchal Ferrand
Babeth André
Rte du Bac
☎ 04 90 97 84 60
www.showlorenzo.com
Ouv. tte l'an. sur rés.
3 chambres

SALIN-DE-GIRAUD

▲▲▲
Domaine de l'Amérique
☎ 04 42 86 87 88
www.provenceweb.fr/13/domaine-amerique
Ouv. tte l'année sur rés.
4 chambres et appartements

SANARY

▲▲▲▲
♥ Le Jujubier
753, chemin de Beaucours
☎ 04 98 00 06 20
www.lejujubier.com
Ouv. tte l'année
5 chambres et 1 appartement

SISTERON

▲▲
Madame Krantz
23, rue des Jardins
☎ 04 92 61 26 74
F. nov.-mars
1 chambre

▲▲▲▲
Lou Souleu
Madame Tobal
600, rte de Noyer
☎ 04 92 62 88 62
F. nov.-fév.
3 chambres

TARASCON

▲▲▲▲
Mas de Gratte Semelle
Rte d'Avignon
☎ 04 90 95 72 48
Ouv. tte l'année sur rés.
2 chambres

▲▲▲▲
Martine et Yann Laraison
24, rue du Château
☎ 04 90 91 09 99
www.chambres-hotes.com
F. 15 nov.-15 déc.
5 chambres

VAL D'ALLOS

▲▲
La ferme Girerd-Potin
Rte de la Foux
Hameau des Gays
☎ 04 92 83 04 76
Ouv. tte l'année sur rés.
5 chambres

HÔTELS

AIX-EN-PROVENCE

▲▲▲
Hôtel les Quatre-Dauphins
Rue Roux-Alphéran
☎ 04 42 38 16 39
F. de jan. à mi-fév.
13 chambres

▲▲▲▲
Hôtel Saint-Christophe
2 av. Victor Hugo
☎ 04.42.26.01.24
58 chambres

APT

▲▲▲
Relais de Roquefure
Domaine de Roquefure
☎ 04 90 04 88 88
www.relaisderoquefure.com
F. déc. et jan.
16 chambres

ARLES

▲▲▲
Le Calendal
5, rue Porte de Laure
☎ 04 90 96 11 89
www.leclandal.com
Ouv. tte l'année
38 chambres

▲▲▲
Hôtel du Musée
11, rue du Grand Prieuré
☎ 04 90 93 88 88
www.hoteldumusée.com.fr
F. en jan.
28 chambres

▲▲▲▲
D'Arlatan
26, rue du Sauvage
☎ 04 90 93 56 66
www.hotel-arlatan.fr
F. en jan.
48 chambres et 6 appart.

AVIGNON

▲▲
Monclar
13, avenue Monclar
☎ 04 90 86 20 14
www.hotel-monclar.com
Ouv. tte l'an.
12 chambres

▲▲▲
Hôtel de Blauvac
11, rue de la Bancasse
☎ 04 90 86 34 11
www.hotel-blauvac.com
F. 3 sem. en jan. et 1 sem.
en nov.
16 chambres

▲▲▲▲
De l'Horloge
place de l'Horloge
☎ 04 90 16 42 00
www.hotels-ocre-azur.com
Ouv. tte l'an.
67 chambres

LES BAUX-DE-PROVENCE

▲▲▲
La Reine Jeanne
☎ 04 90 54 32 06
F. 2 sem. en nov. et en jan.
10 chambres

▲▲▲▲
Mas d'Aigret
☎ 04 90 54 20 00
www.masdaigret.com
Ouv. tte l'année
16 chambres

BIOT

▲▲▲
♥ **Les Arcades**
16, pl. des Arcades
☎ 03 93 65 01 04
Ouv. tte l'an.
12 chambres

CANNES

▲▲▲▲
Cannes Riviera
10, bd d'Alsace
☎ 04 97 06 20 40
www.cannesriviera.com
Ouv. tte l'année
59 chambres

HÉBERGEMENT

▲▲▲▲▲
Renoir
7, rue Édith-Cavell
☎ 04 92 99 62 62
www.hotel-renoir-cannes.com
Ouv. tte l'année
24 chambres

CARPENTRAS

▲▲▲
Fiacre
153, rue Vigne
☎ 04 90 63 03 15
Ouv. tte l'année
19 chambres

CASSIS

▲▲▲
Cassitel
Pl. Clémenceau
☎ 04 42 01 83 44
www.hotel-cassis.com
Ouv. tte l'année
25 chambres

▲▲▲
Le Jardin d'Émile
Hôtel de charme
23, av. amiral Ganteaume
☎ 04 42 01 80 55
www.cassis.enprovence.com
/hotel-bestuan
F. en nov. et 3 sem. en jan.
7 chambres

CAVAILLON

▲▲
Toppin (Logis de France)
70, cours Gambetta
☎ 04 90 71 30 42
F. 20 déc.-5 janv
31 chambres

COGOLIN

▲▲▲▲
La Maison du Monde
63, rue Carnot
☎ 04 94 54 77 54
www.lamaisondumonde.com
F; en fév.
12 chambres

DIGNE-LES-BAINS

▲▲
Le Coin fleuri (Logis de France)
9, bd Victor-Hugo
☎ 04 92 31 04 51
14 chambres

▲▲▲
Hôtel de Provence
17, bd Thiers
☎ 04 92 31 32 19
17 chambres

ENTREVAUX

▲▲
Hôtel Vauban (Logis de France)
Pl. Moreau
☎ 04 93 05 42 40
F. jan. et 1ʳᵉ sem. de fév.
8 chambres

GIGONDAS

▲▲▲▲
Florets
Rte des Dentelles
☎ 04 90 65 85 01
F. de jan. à déb. mars
15 chambres

LURS

▲▲▲▲▲
Le Séminaire (Logis de France)
☎ 04 92 79 94 19
www.provenceweb.fr/04/sem
inaire.htm
F. déc. et jan.
16 chambres

MANOSQUE

▲
Hôtel du Terreau
21, place du Terreau
☎ 04 92 72 15 50
www.hotelduterreau.fr
Ouv. tte l'année
21 chambres

▲▲
Hôtel de Versailles
17, av. Jean Giono
☎ 04 92 72 12 10
www.hotelversailles.com
Ouv. tte l'année
20 chambres

MARSEILLE

▲▲▲
♥ Hôtel Hermes
2, rue Bonneterie
☎ 04 96 11 63 63
Ouv. toute l'an.
28 chambres

▲▲▲▲▲
Résidence du Vieux Port
18 quai du Port
☎ 04 91 91 91 22
Ouv. toute l'an.
40 chambres

▲▲▲▲
Saint Ferreol
19, rue Pisançon
☎ 04 91 33 12 21
www.hotel-saintferreol.com
Ouv. tte l'année
19 chambres

MARTIGUES

▲▲
Les Pins (Logis de France)
Av. de la Gare, la Couronne
☎ 04 42 80 70 76
F. en jan.
9 chambres

MOURIÈS

▲▲▲▲
Le Vallon du Gayet (Logis de France)
Rte de Servanes
☎ 04 90 47 50 63
Ouv. tte l'année
22 chambres

NICE

▲▲▲▲
Kyriad le Lausanne
36, rue Rossini
☎ 04 93 88 85 94
www.nice-hotel-kyriad.com
F. la sem. de Noël
35 chambres

▲▲▲▲
Monsigny
17, av. Malausséna
☎ 04 93 88 27 35
Ouv. tte l'année
44 chambres

▲▲▲▲▲
La Fontaine
49, rue de France
☎ 04 93 88 30 88
F. 7-18 janv.
29 chambres

ORANGE

▲▲▲
Louvre et Terminus (Logis de France)
89, av. Frédéric Mistral
☎ 04 90 34 10 08
F. 15 déc.-15 jan.
32 chambres

PRA LOUP

▲▲▲▲
Le Prieuré
Pra Loup 1500
☎ 04 92 84 11 43
F. en mai, oct. et nov.
14 chambres

QUINSON

▲▲
Relais Notre-Dame (Logis de France)
☎ 04 92 74 40 01
www.relais-notre-dame.com
F. de mi-déc à fin janv.
15 chambres

ROUSSILLON

▲▲▲
Sables d'Ocre
Quartier les Sablières
☎ 04 90 05 55 66
F. de mi-févr. à mi-mars et en nov.
22 chambres

LES SAINTES-MARIES-DE-LA-MER

▲▲
Le Mas des Salicornes
Rte d'Arles
☎ 04 90 97 83 73
www.hotel-salicornes.com
F. 12 nov.-31 mars
17 chambres

▲▲▲
Hôtel des Rièges
Rte de Cacharel
☎ 04 90 97 85 07
hoteldesrieges@wanadoo.fr
F. 15 nov.-15 déc et 5 jan.-5 fév.
20 chambres

SAINT-RAPHAËL

▲▲▲
Hôtel du Soleil
47, bd du Domaine du Soleil
Les Plaines
☎ 04 94 83 10 00
www.hotel-du-soleil.fr.st
Ouv. tte l'année
12 chambres et 5 studios

▲▲▲
Le Cyrnos
840, bd Alphonse Juin
Boulouris
☎ 04 94 95 17 13
www.hotel-cyrnos.com
Ouv. tte l'année
12 chambres

SAINT-RÉMY-DE-PROVENCE

▲▲▲
L'Amandière
Av. Plaisance du Touch
☎ 04 90 92 41 00
F. de nov. à fin fév.

▲▲▲▲
Les Antiques
15, av. Pasteur
☎ 04 90 92 03 02
F. nov.-fin mars
27 chambres

▲▲▲▲▲
Les Ateliers de l'Image
Traverse de Borry
5, av. Pasteur

☎ 04 90 92 51 50
Ouv. tte l'an.
18 chambres

SÉGURET

▲▲▲▲
Domaine de Cabasse
☎ 04 90 46 91 12
www.domaine-de-cabasse.fr
F. nov.-mars
14 chambres

SISTERON

▲▲
La Citadelle
126, rue Saunerie
☎ 04 92 61 13 52
Ouv. tte l'année
34 chambres

▲▲▲
Les Chênes
300, route de Gap
☎ 04 92 61 15 08
F. 26 déc.-déb. févr
30 chambres

▲▲▲
Grand hôtel du Cours
All. de Verdun
☎ 04 92 61 04 51
F. nov.-déb. mars
50 chambres

LE THORONET

▲▲▲
Hostellerie de l'Abbaye
Chemin du château
☎ 04 94 73 88 81
F. en nov.
23 chambres

TOURTOUR

▲▲▲▲
La Petite Auberge
(Relais du silence)
☎ 04 98 10 26 16
F. 15 nov.-15 déc.
15 chambres

VAL D'ALLOS

▲▲
L'Ours Brun
Le Seignus
☎ 04 92 83 01 07
F. Pâques-déb. juil et sept.-déb. déc.
16 chambres

▲▲▲▲
Les Gentianes (Logis de France)
Grand rue
☎ 04 92 83 03 50
F. nov. et 3 sem. après Pâques
8 chambres

Vous trouverez dans les pages suivantes plus de cent adresses pour goûter la cuisine de la région et ses spécialités. La liste est classée par ordre alphabétique de localité. Le nombre de losanges indique une fourchette de prix à laquelle appartient le restaurant cité.

◆ moins de 15,24 €
◆◆ entre 15,24 et 30,49 €
◆◆◆ entre 30,49 et 45,73 €

◆◆◆◆ entre 45,73 et 60,98 €

◆◆◆◆◆ plus de 60,98 €
♥ Coup de coeur

AIX EN PROVENCE

◆◆
Chez Maxime
12, pl. Ramus
☎ 04 42 26 28 51
F. dim., lun. midi hors sais. et en jan.

◆◆◆◆◆ (p. 36)
♥ Le clos de la Violette
10, av. de la Violette
☎ 04 42 23 30 71
F. dim., mer. et lun. midi

AMPUS

◆◆◆ (p. 36)
♥ La Fontaine d'Ampus
Pl. de la Mairie
☎ 04 94 70 98 08
F. lun., mar., fév. et oct.

APT

◆◆◆ (p. 37)
♥ Auberge du Luberon
8, pl. du Fg-du-Ballet
☎ 04 90 74 12 50
F. dim. soir, lun. (seul. lun. midi en sais.) et en nov.

LES ARCS-SUR-ARGENS

◆◆
Le Bacchus gourmand
Maison des vins, RN 7
☎ 04 94 47 48 47
F. mar. soir et mer.

ARLES

◆
Acqua-café, péniche-restaurant
Halte fluviale quai Saint-Pierre
☎ 06 08 45 91 66
F. dim., les sam. et lun. midi

◆
Chez Gigi
49, rue des Arènes
☎ 04 90 96 68 59
F. lun.

◆
Le jardin de Manon
14, avenue des Alyscamps
☎ 04 90 93 38 68
F. mer. pend. les vac de fév. et la Toussaint

◆◆
La Gueule du Loup
39, rue des Arènes
☎ 04 90 96 96 69
F. dim. et lun., en jan. et la 2ᵉ quinz. de nov.

AUBAGNE

◆
Ferme-auberge du Vieux Pressoir
Campagne Roux, lieu-dit Saint-Pierre-les-Aubagne
☎ 04 42 04 04 30
Ouv. dim midi et sur réserv. en sem.

◆◆
Le Triskel
12, rue Jean-Jacques Rousseau
☎ 04 42 03 59 86
F. mer., dim et en août

AVIGNON

◆◆ (p. 37)
♥ Le Bain-Marie
5, rue Pétramale
☎ 04 90 85 21 37
F. sam. midi, dim. et lun. midi

◆◆
Rose au petit Bedon
70, rue Joseph Vernet
☎ 04 90 82 33 98
F.dim. et lun.midi d'avr. à oct. (+ lun. soir de nov. à avr.)

◆◆
La Treille
Chemin de l'île Piot
☎ 04 90 16 46 20
F. lun. soir en jan. et fév.

◆◆◆◆
La vieille fontaine
Hôtel d'Europe
12, pl. Crillon
☎ 04 90 14 76 76
F. dim. et lun.midi du 13 au 28 jan., 18 août-2 sept et 24 nov.-2 déc

BARCELONNETTE

◆◆
Table d'hôtes Villa Durango
16, av. des Trois-Frères-Arnaud

☎ 04 92 81 48 08
www.villa-durango.freesurf.fr
F. à midi et vac. de la Toussaint

◆◆
Les Voûtes
3, rue Cardinalis
☎ 04 92 81 34 64
F. de nov. à mi- déc.

BARJOLS

◆◆
Auberge de Chateauvert
☎ 04 94 77 06 60
F. de mi-sept à mi-oct. Ouv. dim. de fin oct. à mi-mars, t.l.j sf mar. de mi-mars à mi-sept.

LE BARROUX

◆◆
Les Géraniums
Pl. de la Croix
☎ 04 90 62 41 08
F. de mi-nov à mi-mars

LES BAUX DE PROVENCE

◆
Café Cinarca
Rue du Trencat
☎ 04 90 54 33 94
F. mar. et le soir hors sais.

◆◆◆◆◆
Oustau de Baumanière
Le Val d'Enfer
☎ 04 90 54 33 07
oustaudebaumaniere.com

LE BEAUCET

◆◆
Auberge du Beaucet
Le village
☎ 04 90 66 10 82
F. dim., lun., déc. et jan.

BEAUMONT-DU-VENTOUX

◆◆
La Maison
Hameau de Piolon
☎ 04 90 65 15 50
F. lun., mar. et nov.-mars

BIOT

◆◆◆
L'Auberge du Jarrier
30, passage de la bourgade
☎ 04 93 65 11 68

X

www.tabledeprovence.com
F. lun et mar. en hiver, les lun,
mar et mer. midis en été.

BREIL-SUR-ROYA

◆
Gîte d'étape Lisa
392, chemin du Foussa
☎ 04 93 04 47 64
Ouv. tte l'année sur rés.

BRIGNOLES

◆
La Braserade
11, rue des Lanciers
☎ 06 65 29 09 58
F. à midi et en sem. de mi-
oct. à mi-avr. Ouv. t.l.j en été

◆◆
Lou Cigaloun
14, rue de la République
☎ 04 94 59 00 76
F. mar. soir et mer.

BUOUX

◆◆
Auberge de la Loube
Le village
☎ 04 90 74 19 58
F. lun., mar. sf j. fériés et jan.,
fév.

LA CADIÈRE D'AZUR

◆◆◆◆ (p.36)
♥ Hostellerie Bérard
Rue Gabriel Péri
☎ 04 94 90 11 43
www.hotel-berard.com
F. sam et lun midi et jan. à mi-
fév.

CANNES

◆◆◆ (p.35)
♥ La cave
9, bd. de la République
☎ 04 93 99 79 87
F. sam.midi et dim

◆◆◆
Le Masque de Fer
Île Sainte-Marguerite
☎ 04 93 43 49 27
F. mar. et 5-25 mars

◆◆◆◆ (p.36)
♥ Villa des Lys
☎ 04 92 98 77 00
10, la Croisette
☎ 04 92 98 77 00
xxx.hotel-martinez.com
F. de mi-nov à fin déc., dim.
et lun. sauf juil. et août

◆◆◆◆◆
La Palme d'Or
Hôtel Martinez

☎ 04 92 98 74 14
F. lun., mar et de mi-nov à
mi-déc

CARPENTRAS

◆
Le Marijo
73, rue raspail
☎ 04 90 60 42 65
F. dim. (dim. soir uniq. en été)

◆◆
Le Vert Galant
12, rue de Clapiès
☎ 04 90 67 15 50
F. dim et lun. midi de mai à oct,
dim. soir et lun de nov. à avr.

CAVAILLON

◆◆
L'Olivier
601, av. Boscodomini
☎ 04 90 71 07 79

◆◆◆ (p.37)
**♥ Restaurant Jean-
Jacques Prévôt**
353, av. de Verdun
☎ 04 90 71 32 43

CHÂTEAU-ARNOUX-
SAINT-AUBAN

◆◆◆◆
♥ La Bonne Étape
Chemin du Lac
☎ 04 92 64 00 09
F. lun., mar., 26 nov.-12 déc.
et 3 jan.-12 fév.

CHATEAUDOUBLE

◆◆ (p.36)
**♥ Le restaurant
de la Tour**
☎ 04 94 70 93 08
F. mer (sauf juil. et août)

CHÂTEAUNEUF-DU-PAPE

◆◆
La Garbure
3, rue Joseph-Ducos
☎ 04 90 83 75 08
F. dim. (sf dim. soir en été) et
la 2e quinz. de nov.

◆◆◆
La Sommellerie
Rte de Roquemaure (D17)
☎ 04 90 83 50 00
F. dim. soir et lun. de nov. à
mars et la 1re sem. de jan.

CORBIÈRES

◆
**Café-restaurant les
Cigales**
Rue des Écoles

☎ 04 92 78 22 07
F. mer.

CORRENS

◆◆◆ (p. 37)
♥ **L'Auberge du Parc**
Pl. du général-de-Gaulle
☎ 04 94 59 53 52
Ouv. tte l'année

COTIGNAC

◆◆◆
Le Clos des Vignes
Rte de Monfort
☎ 04 94 04 72 19
F. dim. soir et lun.

CUCURON

◆◆◆
La Petite Maison
Pl. de l'Etang
☎ 04 90 77 18 60
F. lun., mar (dim. soir et lun.
en été), 2e quinz. de nov et de
déb. janv. à mi-févr.

DABISSE

◆◆◆ (p. 34)
♥ **Le vieux Colombier**
☎ 04 92 34 32 32
F.dim. soir, mer. et déb. jan.

DIGNE LES BAINS

◆
La Braisière
19, pl. de l'Evêché
☎ 04 92 31 59 63
F. sam. midi et jeu. soir
(jusque fin avr.)

◆◆
Le Chaudron
40, rue de l'Hubac
☎ 04 92 31 24 87
F. jeu.

◆◆◆ (p. 34)
♥ **L'Origan**
6, rue Pied-de-Ville
☎ 04 92 31 62 13
F.dim.

FAYENCE

◆◆◆
Le Castellaras
Rte de Seillans
☎ 04 94 76 13 80
F. lun., mar. (sf saison), 1 sem.
à la mi-mars, 24 juin-3 juil. et
mi-nov à déb. déc.

FONTAINE DE VAUCLUSE

◆◆
L'Oustau de l'Isle
21, av. des 4 Otages
☎ 04 90 38 54 84

F. mer., jeu. et de jan. à mi-fév.

FORCALQUIER

◆◆
Ferme-auberge du Bas Chalus
Rte de Niozelles
☎ 04 92 75 05 67
Ouv. tous les soirs et dim.
midi de Pâques à Toussaint,
sam. soir et dim. midi autre
pér. F. en jan.

GORDES

◆◆
Le Comptoir des Arts
Pl. du château
☎ 04 90 72 0131
F. ven., sam. midi (ouv. t.l.j de
mi-juil. à mi-sept), de déb.
nov. au 15 déc et en mars

◆◆◆
La Bastide des Cinq Lys
Château de la Pioline
Chemin du Moulin, les Beau-
mettes
☎ 04 90 72 38 38
F. dim soir, lun. et mar. midi
de nov à mars.

◆◆◆
Les Bories
Rte de l'Abbaye de Sénanque
☎ 04 90 72 00 51
F. jan. et fév.

◆◆◆
Le Mas Tourteron
Chemin de Saint-Balise, les
Imberts
☎ 04 90 72 00 16
F. lun. midi et de mi-nov. à
fév.

GRASSE

◆◆◆◆ (p. 35)
♥ **La Bastide Saint-Antoine**
48, av. Henri-Dunant
☎ 04 93 70 94 94
Ouv. t.l.j.

GRAVESON

◆◆
Le Chandelier
Auberge de la Candelière
2, av. François Atger
☎ 04 90 95 71 18
F. mer .soir

GOURDON

◆◆◆
Le Nid d'Aigle
place Victoria
☎ 04 93 77 52 02

www.nid-daigle.com
F. lun, en jan. et les soirs en
hiver (sauf rés.)

HYÈRES

◆◆
Les Artistes
2, av. Ambroise Thomas
☎ 04 94 35 21 01
F. dim. et 15 juin-10 juil.

◆◆
La Colombe
663, rte de Toulon, la Bayorre
☎ 04 94 35 35 16
F.dim. soir et lun. de mi-sept
à mi-juin, sam. midi, lun. tte la
jour. et mar. midi autre pér.

◆◆
Domaine des Fouques, domaine viticole
Les Premiers Borrels
☎ 04 94 65 68 19
Ouv. dim. midi sur réser. F. en
sept.

L'ISLE-SUR-LA-SORGUE

◆◆
Le jardin du Quai
91, av. Julien Guigue
☎ 04 90 38 56 17
F. mar. soir et mer. midi, 15
jours en juin et en déc.

LALONDE-LES-MAURES

◆◆ (p. 37)
♥ **Le Bistrot à l'ail**
☎ 04 94 66 97 93
F. dim et en oct.

LA MÔLE

◆◆◆ (p. 37)
♥ **La Ferme du Magnan**
☎ 04 94 49 57 54
F. mar. et de nov. à mars

LARDIERS

◆◆
♥ **La Lavande**
☎ 04 92 73 31 52
F. mar. soir et mer. en fév. et
en nov.

LOURMARIN

◆◆◆◆◆ (p. 37)
♥ **Le moulin de Lourmarin**
Rue Temple
☎ 04 90 68 06 69
F. mar. et mer. midi et de mi-
jan. à mi-fév.

MANOSQUE

◆
Les Quintrands
Rte de Sisteron
☎ 04 92 72 31 03
Ouv. tte l'année

◆◆
Le Luberon
21 bis, pl. des Terreaux
☎ 04 92 72 03 09
F. dim. soir et lun. (sauf juil. et
août) et 3 sem. en oct.

MARSEILLE

◆◆◆ (p. 36)
♥ Le Lynch
Calanque de Sormiou
☎ 04 91 25 05 37
F. déc.-mars

◆◆◆ (p. 36)
♥ Les Arcenaulx
25, cours d'Estienne-d'Orves
☎ 04 91 59 80 30
F.dim

◆◆◆◆ (p. 137)
♥ Le Miramar
12, quai du Port
☎ 04 91 91 10 40
www.bouillabaisse.com
F. dim. et lun.

MARTIGUES

◆◆
Le Bouchon à la mer
19, quai Lucien Toulmond
☎ 04 42 49 41 41
F. sam.midi, dim. soir et lun
(hors été)

MISON

(11 kms au N.-O. de Sisteron)
◆◆ (p. 34)
♥ L'Iris de Suse
☎ 04 92 62 21 69

MONACO

◆
**Le restaurant de la
Terrasse**
Musée océanographique
Av. Saint-Martin, Monaco-ville
☎ 00 377 93 15 36 00
F. le soir

MOUGINS

◆◆◆◆◆ (p. 245)
**♥ Le Moulin de Mougins
Relais et château**
Quartier Notre-Dame de Vie
☎ 04 93 75 78 24
F. lun. et du 1er déc. au
10 janv.

MOUSTIERS-SAINTE-MARIE

◆◆
La Treille Muscate
Pl. de l'Église
☎ 04 92 74 64 31
F. mer. soir et jeu. hors juil. et
août, mer. en juil. et août et
de fin nov. à déb. févr.

◆◆◆◆ (p. 34)
**♥ La Bastide
de Moustiers**
Chem. de Quinson
☎ 04 92 70 47 47
F. mer. et jeu. de déc à nov.

NICE

◆
Chez Pipo
13, rue Bavastro
☎ 04 93 55 88 82
F. lun.

◆◆
La Merenda
4, rue de la Terrasse
(pas de tél)
F. sam. et dim., Noël et J. de
l'An, 2 sem. en fév. et 2 sem.
en août

◆◆
La Rive Gauche
27, rue Ribotti
☎ 04 93 89 16 82
F. dim. soir et dim. tte la jour.
en juil. et août

◆◆
La Cambuse
5, cours Saleya
☎ 04 93 80 82 40
Ouv. tte l'année

◆◆◆ (p. 35)
♥ La rive-droite
22, av. Saint-Jean Baptiste
☎ 04 93 62 16 72

PERNES-LES-FONTAINES

◆
Dame l'Oie
56, rue du Troubadour Durand
☎ 04 90 61 62 43
F. lun.

PLAN-D'AUPS-SAINTE-BAUME

◆◆
Lou Pebre d'Ai
Quartier Sainte-Madeleine
☎ 04 42 04 50 42
www.loupebredai.com
F. mar. soir, mer. hors sais. et
en jan.

RESTAURANTS

PRA LOUP

Le Prieuré
Pra Loup 1500
☎ 04 92 84 11 43
F. mai, oct. et nov.

SAINT-CÉZAIRE-SUR-SIAGNE

◆◆ (p. 35)
 L'Auberge du Puits d'Amon
2, rue Arnaud
☎ 04 93 60 28 50
F.dim soir de fin sept. à fin mars, mer. toute l'année et 15 jours déb. févr.

SAINTES-MARIES-DE-LA-MER

◆◆
Le Delta
1, pl. Mireille
☎ 04 90 97 81 12
F. mer. et en jan.

◆◆
Le Boumian
Rte d'Arles, N570
☎ 04 90 97 81 15
Ouv. tte l'année

SAINT-PAUL DE VENCE

◆
La Terrasse (crêperie)
66, rue Grande
☎ 04 93 32 02 05
F. le soir, mer. et de mi-nov au 26 déc.

◆◆
Un coeur en Provence, comme à la maison
Montée de l'Eglise, angle rue Grande
☎ 04 93 32 87 81
Ouv. t.l.j à midi sf mer. et sam. soir

SAINT-RAPHAËL

◆◆
Pastorel
54, rue de la Liberté
☎ 04 94 95 02 36
F. à midi en juil. et août, la 3e sem. de mai et en nov.

SAINT-RÉMY-DE PROVENCE

◆◆ (p. 173)
 Taberna Romana
Site archéologique de Glanum
☎ 04 90 92 65 97
F. oct.-mars

SAINT-TROPEZ

◆◆◆◆◆ (p. 36)
 Leï Mouscardins
Tour du Portalet, port de Saint-Tropez
☎ 04 94 97 29 00
F. dim. soir, lun, et de déb. déc à déb. févr.

SALON DE PROVENCE

◆◆
La Boulangerie
12, rue Portalet
☎ 04 90 56 62 81
F. dim. et lun.midi

SAULT

◆◆◆
Hostellerie du Val de Sault
Rte de Saint-Trinit, ancien chemin d'Aurel
☎ 04 90 64 01 41

◆◆
Ferme auberge de Fontlongue
(13 kms de Sault)
Quartier de Fontlongue, Reihanette
☎ 04 75 28 85 75
Ouv. t.l.j sur réserv.

SÉGURET

◆◆◆
La Table du Comtat
Le Village
☎ 04 90 46 91 49
F. mar. soir, mer. et dim. soir sauf été, de fin nov. à déb. déc et en févr.

SISTERON

◆◆
Le Mas du Figuier
Bevons
☎ 04 92 62 81 28
www.guideprovence.com/gites/masdufiguier
Ouv. tte l'année sur réserv.

◆◆
Ferme-auberge de Sorine
Saint-Geniez
☎ 04 92 61 49 77
Ouv. les w.-e. en mars, t.l.j à part. d'avr. F. en jan. et fév.

SIX-FOURS-LES-PLAGES

◆◆
Auberge Saint-Vincent
Carrefour du Major F. Louis Robinson
☎ 04 94 25 70 50

LE THORONET

◆◆
Hostellerie de l'Abbaye
Chemin du château
☎ 04 94 73 88 81
F. dim. soir et lun. de déc à Pâques (ouv. t.l.j après Pâques), et en nov.

TOULON

◆◆
Au Sourd
10, rue Molière
☎ 04 94 92 28 52
F. dim et lun.

◆◆
Le Jardin du Sommelier
20, all. de l'Amiral Courbet
☎ 04 94 62 03 27
www.le-jardin-du-sommelier.com
F. sam.midi et dim.

TRIGANCE

◆◆◆
Château de Trigance, Relais et château
☎ 04 94 76 91 18
F. nov.-fin mars

VAISON-LA-ROMAINE

◆◆
Le Brin d'Olivier
4, rue du Ventoux
☎ 04 90 28 74 79
F. mer. midi et soir, jeu. et sam. midi et 13-20 mars, 10-28 juin, 1er-16 oct. 1er-11 déc et 27-31 janv.

VAL D'ALLOS

◆
Le Wapiti
Le Seignus bas
☎ 04 92 83 01 03
F. avr.-fin juin et sept.-fin nov.

◆
Le Bercail
Grand rue, Allos
☎ 04 92 83 07 53
F. mar. soir et mer. (hors vac. scol), 15 jours au print. et à l'aut.

◆◆
Le Beau site
Rte de Barcelonnette, Allos
☎ 04 92 83 00 09
Ouv. tte l'année

VALENSOLE

◆◆◆◆ (p. 35)
 Hostellerie de la Fuste

RESTAURANTS

VALRÉAS

◆◆
La Ferme Champ Rond
Chemin des Anthelmes
☎ 04 90 37 31 68
F. oct.-mars

VENASQUE

◆
Le Bistro de la Fontaine
Pl. de la Fontaine
☎ 04 90 66 02 96
F. dim. soir et lun et de mi-
nov à mi-déc

VENCE

◆◆
Le Troquet
13, pl. du Grand Jardin
☎ 04 93 58 64 31
F. sam. soir, dim et lund.soir

◆◆◆◆ (p. 35)
▲ **Jacques Maximin**
689, chemin de La Gaude
☎ 04 93 58 90 75
F.dim. soir, lun. (sf juil. et
août) et 9nov.-10 déc.

VERCOUS

◆◆ (p. 35)
▲ **La Capeline**
(près de Gilette)
☎ 04 93 08 58 06
F. lun

☎ 04 92 72 05 95
F. dim. soir, lun. et de mi-nov
au déb. déc